POUR UN MANAGEMENT
ÉTHIQUE ET SPIRITUEL

Collection SPIRITUALITÉ AU TRAVAIL

Cette collection — dirigée par Thierry C. Pauchant, professeur titulaire à l'École des Hautes Études Commerciales (HEC, Montréal) — présente différentes perspectives sur l'intégration des valeurs humaines et spirituelles en milieu de travail et dans la gestion des entreprises. Elle permet ainsi de faire connaître divers types de recherches praxéologiques, individuelles ou collectives, sur ce thème.

THIERRY C. PAUCHANT
et collaborateurs

Pour un management éthique et spirituel

*Défis, cas, outils
et questions*

ÉDITIONS FIDES — PRESSES HEC

Données de catalogage avant publication (Canada)

Vedette principale au titre:
Pour un management éthique et spirituel: défis, cas, outils et questions

Textes issus des conférences et des dialogues
lors du 1ᵉʳ Forum international sur le management,
l'éthique et la spiritualité tenu à l'École des Hautes Études Commerciales,
Montréal, en septembre 1998, avec de nombreuses additions

Comprend des réf. bibliogr.

ISBN 2-7621-2245-7

1. Gestion – Aspect moral – Congrès.
2. Gestion – Aspect religieux – Congrès.
3. Travail – Aspect religieux – Congrès.
4. Morale des affaires – Congrès.
5. Gestion – Aspect moral – Cas, Études de – Congrès.
6. Gestion – Aspect religieux – Cas, Études de – Congrès.

I. Pauchant, Thierry C.   II. Forum international
sur le management, l'éthique et la spiritualité
(1998: Étude des Hautes Études Commerciales [Montréal, Québec]).

HF5387.P68 2000   174'.4   C00-940198-9

Les Éditions Fides remercient le ministère du Patrimoine canadien du soutien qui leur est accordé dans le cadre du Programme d'aide au développement de l'industrie de l'édition.

Les Éditions Fides remercient également le Conseil des Arts du Canada et la Société de développement des entreprises culturelles du Québec (SODEC).

[...] nous souffrons d'un déséquilibre dû à un développement purement matériel de la technique. Le déséquilibre ne peut être réparé que par un développement spirituel dans le même domaine, c'est-à-dire dans le domaine du travail. [...] Une civilisation constituée par une spiritualité du travail serait le plus haut degré d'enracinement de l'homme dans l'univers, par suite, l'opposé de l'état où nous sommes, qui consiste en un déracinement presque total. Elle est ainsi par sa nature l'aspiration qui correspond à notre souffrance. [...] Le mot de spiritualité n'implique aucune affiliation particulière[1].

Simone WEIL,
philosophe et ouvrière

[...] le problème économique n'est pas — si nous regardons vers le futur — le problème permanent de la race humaine. [...] Quand l'accumulation de richesses sera sans grande importance sur le plan social, il se produira de profonds changements dans les codes moraux. Nous pourrons nous libérer de bien des principes pseudo-moraux qui ont pesé sur nous durant deux cents ans [...]. Je nous imagine donc libres de revenir à quelques-uns des principes les plus certains et les plus assurés de la religion et de la vertu traditionnelle selon lesquels l'avarice est un vice, la pratique de l'usure est un délit et l'amour de l'argent est détestable [...][2].

Lord John Maynard KEYNES (1928),
économiste et financier

Je crois que c'est seulement quand des personnes choisissent librement de travailler ensemble qu'elles peuvent atteindre l'achèvement du développement personnel; que c'est seulement si elles acceptent la responsabilité du choix qu'elles peuvent entrer dans cette communion humaine de laquelle émergent les desseins les plus hauts [...]. Je crois que l'expansion de la coopération et que le développement des personnes sont des réalités mutuellement dépendantes et qu'une juste proportion ou qu'un juste équilibre est nécessaire entre eux [...]. La science ne peut déterminer les termes de cette proportion. C'est une question pour la philosophie et la religion[3].

Chester I. BARNARD
P.-D.G. et théoricien
en sciences organisationnelles

1. *L'enracinement*, 1949, p. 128-129.
2. *The Collected Writings*, 1972, p. 326.
3. *The Functions of the Executive*, 1938, p. 296.

Préface

CE LIVRE EST DESTINÉ à toute personne qui désire intégrer les richesses économiques, éthiques et spirituelles du travail en organisation et dans le système économique en général. De façon plus personnelle, il est offert à tout homme et toute femme — employé, professionnelle, gestionnaire, consultant, directrice, ministre, P.-D.G., leader — qui désire vivre une vie plus intégrée au travail, en utilisant ses valeurs et ses inspirations les plus profondes. Ce livre est le fruit d'une conférence internationale qui a eu lieu à l'École des Hautes Études Commerciales (HEC) de Montréal. Cette conférence fut une première mondiale. Pour la première fois, une école de commerce de renommée internationale a associé explicitement les notions d'éthique et de spiritualité à celle du management.

L'idée originale de cette conférence revient à M. J.-Robert Ouimet, président et chef de la direction de plusieurs entreprises dans le secteur alimentaire, qui a approché en 1996 M. Jean-Marie Toulouse, directeur de l'École des HEC. Comme il l'explique lui-même dans ce livre (voir le chapitre 7), M. Ouimet poursuit concrètement depuis plusieurs décennies le rêve d'intégrer en organisation des valeurs humaines et spirituelles, tout en assurant son efficience. La tenue de cette conférence ainsi que l'édition de ce livre furent rendues possibles par l'aide financière de la Fondation Myriam et J.-Robert Ouimet, la Direction de la recherche de l'École des HEC et plusieurs donateurs individuels.

L'idée originale d'une conférence s'est développée par la suite dans plusieurs directions, toutes en cours d'élaboration : la création d'un réseau international, le Forum international sur le management, l'éthique et la spiritualité (FIMES), dont le centre est situé aux HEC de Montréal; le développement d'un groupe de recherche aux HEC, au sein duquel déjà plusieurs étudiant(e)s de Maîtrise et de Doctorat effectuent leurs mémoires ou leurs thèses ; l'élaboration d'une centre de référence à la bibliothèque des HEC; la création d'un programme de second cycle en « Développement éthique des organisations », offert conjointement par l'École des HEC et plusieurs facultés de l'Université de Montréal à qui l'École est affiliée (droit, éducation, philosophie, psychologie, théologie, etc.); le développement d'une chaire de recherche dans le domaine, en partenariat entre les HEC et l'Université de Montréal; la création d'une nouvelle collection de livres sur ce thème; et le développement d'un centre exécutif de formation en résidence dans la région de Montréal.

La mission du FIMES, décrite en détail dans ce livre[1], est d'offrir des modèles et des outils de management rigoureux au point de vue scientifique qui permettent à la fois de développer l'efficience organisationnelle ainsi que l'humanisation et la spiritualisation du travail en organisation et dans le système économique en général. Nous utilisons la notion d'« efficience » de façon large afin d'accommoder la réalité de différentes organisations, qu'elles soient privées, publiques, gouvernementales ou associatives. Aussi, nous sommes très conscients que cette intégration entre management, leadership, éthique et spiritualité demandera beaucoup de temps et de multiples expérimentations, recherches scientifiques, méditations, débats et dialogues entre de nombreuses personnes de différentes cultures, idéologies, professions, champs scientifiques, religions et disciplines spirituelles. Le FIMES organise différentes activités dans ce but, incluant des conférences internationales, comme, par exemple, celle déjà tenue aux HEC de Montréal ou celle prévue de nouveau aux HEC les 25 et 26 mai 2001, mais aussi, potentiellement, à la faculté d'administration de l'University of Southern California, à Los Angeles, celle du Royal Melbourne Institute of Technology, à Melbourne, en Australie, ou à l'Université de Fribourg, en Suisse[2].

---

1. Voir l'Annexe 1.
2. Voir le site Web du FIMES pour ces activités : www.hec.ca/fimes

Ce livre est beaucoup plus que des actes traditionnels de colloque, réunissant des textes disparates. Afin de vous offrir un «vrai» livre, chaque chapitre a été édité, introduit et mis en contexte et de nombreux liens ont été insérés entre eux; trois dialogues tenus parmi un auditoire de près de 200 personnes du monde des organisations ont aussi été retranscrits; enfin, les chapitres d'introduction et de conclusion situent et développent les notions discutées durant la conférence. Ce livre, le premier d'une nouvelle collection créée chez Fides — la collection « Spiritualité au travail » —, tente de « donner le ton » aux ouvrages que nous publierons dans le futur, offrant une balance entre la rigueur scientifique, les enjeux et aspirations éthiques et spirituelles, et la pratique quotidienne du métier de gestionnaire.

Les profits de cet ouvrage, qui sortira prochainement en anglais et en espagnol, seront utilisés exclusivement afin de financer des activités de recherche au sein du FIMES. Nous sommes aussi heureux que, symboliquement, ce livre soit publié durant la première année de ce nouveau millénaire. Nous espérons qu'il contribuera dans le futur à l'humanisation et la spiritualisation du travail en organisation et dans le système économique.

Roger BERTHOUZOZ
Professeur d'éthique et de théologie morale,
Université de Fribourg, Suisse

J.-Robert OUIMET
Président et chef de la direction,
Ouimet-Cordon Bleu inc., Canada

Thierry C. PAUCHANT
Professeur de management et consultant,
HEC Montréal, Canada

Jean-Marie TOULOUSE
Professeur de stratégie et
d'entrepreneurship et directeur, HEC
Montréal, Canada

Maurice VILLET
Professeur en sciences économiques
et sociales, Université de Fribourg, Suisse

Si vous désirez joindre ou assister
le FIMES dans ses travaux :

> FIMES
> École des Hautes Études Commerciales (HEC)
> 3000, chemin de la Côte Sainte-Catherine
> Montréal (Québec) H3T 2A7
> Canada
> Téléphone : (514) 340-7145
> Télécopieur : (514) 340-7146
> Site Web : www.hec.ca/fimes

Introduction

Le management éthique et spirituel répond à un besoin de sens au travail

Thierry C. Pauchant

Intégrer l'éthique et la spiritualité dans toutes les facettes du management et du leadership des organisations correspondrait à un besoin pressant au dire même des gestionnaires. La question fondamentale est de savoir comment concilier la richesse économique avec les richesses éthiques et spirituelles. Le sujet est passionnant, grave, fondamental et complexe. Les écueils potentiels sont nombreux : l'éthique peut sombrer dans le légalisme, le dogmatisme ou le moralisme ; la spiritualité peut mener au fondamentalisme, aux superstitions archaïques ou au développement de sectes intégristes ; et toutes deux, l'éthique et la spiritualité, peuvent être récupérées afin de manipuler les personnes, employées et gestionnaires, dans l'espoir de maximiser le profit.

Et pourtant, l'intégration de l'éthique et de la spiritualité dans le monde du travail, l'une plus raisonnée, l'autre plus transcendante, pourrait répondre à un besoin fondamental des êtres humains : un besoin de sens, d'intégration, d'enracinement, de transcendance.

Dans cette introduction, je présente les raisons pour lesquelles l'intégration de l'éthique et de la spiritualité dans le monde du travail est nécessaire aujourd'hui et je propose des stratégies afin d'éviter certains écueils potentiels. Je présenterai en premier certaines des raisons qui expliquent la « crise de sens » actuelle dans les entreprises et décrirai comment les personnes réagissent généralement à une crise. Je suggérerai ensuite l'existence de quatre tendances profondes qui démontrent que le sujet de l'éthique et de la spiritualité au travail n'est pas une mode passagère en management, mais qu'il répond à un besoin fondamental et durable, et je proposerai des stratégies afin d'éviter certains écueils. Enfin, je décrirai le réseau international que nous avons formé dans le but de concrétiser l'avènement simultané des richesses économiques et des richesses éthiques et spirituelles dans les organisations, le *Forum international sur le management, l'éthique et la spiritualité* (FIMES) et je résumerai le contenu de ce livre.

1   La quête du sens au travail

Le but de ce livre est de répondre de façon concrète au besoin de sens exprimé par un nombre grandissant de personnes qui travaillent dans des organisations un peu partout dans le monde. Cette *quête de sens* est ressentie par des employées, des gestionnaires, des cadres, des cadres supérieurs, des dirigeantes, des consultants, des professeurs ou des étudiantes[1]. Ce besoin est ancré dans la condition humaine et il s'exprime particulièrement aujourd'hui dans le monde du travail.

Comme je l'avais déjà suggéré dans un livre traitant du même sujet[2], cette *quête de sens* n'est pas seulement vécue par les exclus, les oubliés, les pauvres, les sans-emploi, les malades, les mourants. Elle est aussi vécue par un grand nombre de personnes du milieu du

---

1. Dans ce livre, nous utilisons les genres masculin et féminin indifféremment. Nous avons donc parfois alourdi le texte en utilisant les deux genres ou nous avons employé soit le féminin ou le masculin pour parler des deux sexes. Aujourd'hui, le nombre de femmes étudiantes en administration surpasse celui des hommes. Cette reconnaissance nous a semblé nécessaire dans un livre qui prend au sérieux la notion d'éthique.

2. Voir T. C. PAUCHANT *et al.*, *La quête du sens. Gérer nos organisations pour la santé des personnes, de nos sociétés et de la nature*, 1996.

travail, qu'il s'agisse d'employés, de cadres, de cadres supérieurs ou de dirigeants qui ont « réussi », d'après les canons traditionnels de nos sociétés; ou encore de gestionnaires qui détiennent du pouvoir, du prestige, des richesses.

De nombreux facteurs sont associés à cette quête de sens[3]. Sur un plan plus général, de nombreux changements ont contribué à l'accroissement de l'insécurité des populations ainsi qu'au bouleversement des modèles traditionnels qui leur permettaient de donner un sens au monde et à leur vie. Pensons aux problèmes de sécurité internationale, à la montée du terrorisme et du nationalisme dans certains pays, à la croissance du sida et à la crise écologique. Pensons aussi au déclin des croyances religieuses traditionnelles en Occident ou à l'effondrement manifeste du rêve idyllique de l'instauration d'un paradis sur Terre vers l'an 2000, grâce à la science et à la technologie. Aussi, certains observateurs attribuent en partie cette croissance de la quête de sens au fait qu'une tranche importante de la population occidentale — les « baby-boomers » — vieillit et que cette génération est maintenant confrontée à la perspective inéluctable de la mort.

D'autres facteurs ont aussi bouleversé le monde organisationnel et économique : pensons à la montée du chômage, à la croissance de la compétition, à l'accélération des changements, aux restructurations majeures. Pensons de plus à l'augmentation du nombre de faillites, de fusions entre organisations, d'accidents industriels ou encore à la logique du *toujours plus, toujours plus vite*, dans un contexte de compressions budgétaires. De nombreux gestionnaires et employés se sentent également « à l'étroit » dans leur travail et remettent en question les logiques restrictives auxquelles ils doivent se soumettre. Ces logiques restrictives — ces fragmentations du réel — incluent le rationalisme technocratique qui prédomine actuellement dans de nombreuses organisations; elles incluent aussi « l'économisme » qui prime dans les décisions stratégiques et managériales où, calculant le coût de chaque chose, on connaît de moins en moins leur valeur; ou encore les « politicailleries » de couloir qui orientent certaines des activités des entreprises en fonction du seul profit d'un petit nombre de personnes.

---

3. Voir T. C. PAUCHANT *et al.*, *op. cit.*, 1996, pour une présentation détaillée de ces facteurs.

Afin de survivre dans ces organisations, de nombreuses personnes doivent laisser de côté leurs valeurs les plus profondes, comme le respect des personnes et de l'environnement naturel, ainsi que leurs aspirations éthiques et spirituelles. De plus, plusieurs études démontrent que, aussi bien en Amérique du Nord et en Amérique du Sud qu'en Europe et en Asie, la majorité des personnes qui exercent un emploi, depuis la Seconde Guerre mondiale, travaillent plus d'heures qu'à cette époque, et ce, pour un salaire moindre[4]. Même sur le plan financier — qui est la dimension privilégiée dans les organisations et dans le système économique en général —, la situation se détériore depuis une cinquantaine d'années chez un grand nombre de personnes. Ce faisant, les différences et les inégalités se creusent entre ceux qui travaillent trop et ceux qui ne travaillent plus, entre les professions dites « informationnelles » et celles plus traditionnelles, et entre les pays dits « développés » et ceux dits « en voie de développement ».

Aussi, les effets négatifs de ce manque d'éthique sont multiples et inquiétants : augmentation du stress, de l'épuisement professionnel et des troubles psychiques ; accroissement de la « boulotmanie » et de la dépendance aux drogues, à l'alcool, ou aux tranquillisants comme le Prozac ; recrudescence du harcèlement sexuel ou psychologique en milieu de travail ; augmentation du décrochage scolaire et des suicides chez nos jeunes ; idéalisation inconsidérée des leaders charismatiques et recherche frénétique d'outils et de solutions magiques en management ; engouement pour les sectes intégristes et accroissement des comportements défensifs, agressifs et individualistes ; mal de l'âme, etc.

Il ne faudrait pas, bien sûr, peindre le tableau trop en noir. Je n'insinue d'aucune façon que travailler dans une organisation est nécessairement dénué de sens. Aussi, l'apport de la science, de la technologie, de l'industrie et des organisations en général a certainement contribué à de nombreux progrès. Pensons, par exemple, à l'augmentation de l'espérance de vie, au développement de la démo-

---

4. Voir sur ce sujet W. Wolman et A. Colamosca, *The Judas Economy...*, 1997, ou P. Seguin, *En attendant l'emploi...*, 1996. Il est notable que ces critiques sur l'économie de marché ne proviennent pas d'une idéologie opposée à celle-ci, comme le communisme, mais des défenseurs mêmes de ce système économique : William Wolman est l'économiste en chef de *Business Week* aux États-Unis et Philippe Seguin est le leader du RPR en France.

cratie, à l'abolition de l'esclavage ou au développement du confort matériel, du moins dans certains pays. Pensons aussi aux progrès effectués dans le domaine médical, dans le secteur de l'alimentation, dans les transports ou dans l'informatique et les télécommunications, pour ne nommer que ceux-là. De plus, un grand nombre de personnes trouvent encore du sens à leur travail, surtout si celui-ci leur procure un sentiment d'actualisation et d'accomplissement et correspond à leurs valeurs profondes, comme nous l'expliquerons dans ce livre. L'accroissement de l'individualisme dans nos sociétés ou du «souci de soi», comme certains l'ont appelé, n'est pas non plus que négatif. Il représente aussi un affranchissement salutaire envers les systèmes dogmatiques (politiques, religieux ou autres) et la possibilité d'exercer son jugement personnel de façon critique.

Comme l'a fort bien suggéré le philosophe Charles Taylor, notre situation, dans nos sociétés modernes, est marquée par *la grandeur et la misère*[5] : notre époque comporte à la fois des possibilités inégalées et des problèmes majeurs ; d'où l'expérience d'un profond malaise, d'une ambivalence entre l'espoir et le désespoir, d'où *la quête du sens*.

Rollo May, l'un des fondateurs de la psychologie dite « humaniste », a aussi proposé que notre malaise contemporain provient d'une ambivalence. Il a particulièrement insisté sur la transformation radicale du monde dans lequel les personnes vivaient il y a encore peu de temps et qui procurait un sens à leur existence et sur le manque actuel d'une nouvelle vision du monde et de la vie. Pensons seulement aux transformations majeures qui se sont effectuées en moins de cinquante ans dans les transports, les télécommunications, le confort à la maison, les biens et services disponibles sur le marché. Comme May[6] l'a déclaré :

> [Notre âge] est une époque de transition radicale. Les mythes et symboles anciens par lesquels nous nous orientions ont disparu [...]. La personne se voit dans l'obligation de se replier sur elle-même [...] L'étape suivante est l'apathie. Et celle qui suit est la violence. Car aucun être humain ne peut accepter perpétuellement l'expérience glacée de sa propre impuissance[7].

---

5. D'après le titre du livre de C. TAYLOR, *Grandeur et misère de la modernité*, 1992.

6. R. MAY, *Love and Will*, 1969, p. 13.

7. Toutes les traductions incluses dans ce livre sont miennes. *TCP*.

2 La crise du sens et le sens de la crise

L'avènement d'une crise, d'une expérience traumatique vécue au jour le jour ou d'un malaise récurrent — et nous parlons ici d'une « crise de sens » ou d'une « crise du croire » comme le dira Solange Lefebvre dans ce livre (voir le chapitre 3) —, pousse les personnes à agir. Ces personnes emploient souvent trois stratégies d'action génériques, comme mon collègue Ian I. Mitroff et moi l'avons suggéré dans nos travaux sur la gestion des crises[8].

La première stratégie consiste à faire « plus de la même chose ». Cette stratégie explique, en partie, la montée d'une certaine orthodoxie en entreprise et la croissance de l'intégrisme dans certains pays. En management, cette stratégie peut mener à des réductions arbitraires de budgets ou de personnel ; au durcissement de comportements managériaux qui étaient pourtant déjà fort autocratiques ; à la logique du « toujours plus avec moins de ressources » ; ou à l'amplification de la logique technocratique, encore plus froide, encore plus impersonnelle, encore plus rigide. La psychologue industrielle Estelle Morin a bien décrit cette stratégie du « plus de la même chose » qui varie selon le type de personnalité des gestionnaires qui l'ont adoptée et qui, souvent, mène à des situations de plus en plus absurdes, car extrémistes[9]. De façon similaire, le théoricien des organisations Danny Miller a suggéré qu'une utilisation démesurée des fonctions traditionnelles en affaires — le marketing, la production, la finance ou la recherche et le développement — peut mener à un déclin de ces organisations[10].

La seconde stratégie consiste en une « fuite dans du n'importe quoi ». Si, dans la première stratégie, les personnes prenaient relativement conscience du problème mais restaient attachées à une ou plusieurs solutions, le but de cette seconde stratégie est de devenir le moins conscient possible de la situation traumatique. Cette fuite peut se traduire de nombreuses manières, comme la consommation de drogues, d'alcool, de tranquillisants, de sexe, d'argent ou la boulotmanie. Elle peut aussi se manifester par de la violence envers un

---

8. Voir T. C. PAUCHANT et I. I. MITROFF, *La gestion des crises et des paradoxes...*, 1995.

9. Voir E. MORIN, « Enantiodromia in Crisis Management : A Jungian Perspective », 1993, et *Psychologies au travail*, 1996.

10. Voir D. MILLER, *The Icarus Paradox...*, 1990.

individu ou un groupe perçu, à tort, comme le responsable du traumatisme, celui-ci devenant alors un bouc émissaire et pouvant engendrer des phénomènes de racisme. Cette stratégie peut même se transformer en la recherche frénétique d'une solution magique, comme l'idéalisation aveugle d'un leader charismatique ou d'un gourou, ou encore la surévaluation du dernier outil de gestion à la mode.

Cette fuite peut mener également les personnes à joindre une secte. L'augmentation du nombre des sectes et de leurs membres est actuellement observée dans la majorité des pays occidentaux et ce phénomène est en croissance rapide dans les entreprises. En France, par exemple, on évaluait à quelque 150 000 le nombre des adeptes et sympathisants de différentes sectes en 1982; leur nombre serait actuellement d'au moins 260 000[11]. On se souvient, entre autres, des récents déboires de la Scientologie en France, qui a donné naissance à une commission parlementaire sur la problématique des sectes, des massacres de l'Ordre du Temple solaire en Suisse et au Canada, de l'attentat perpétré dans le métro de Tokyo par la secte Aoum, ou du suicide collectif des Heaven's Gate aux États-Unis. Bien sûr, toutes les sectes ne sont pas dangereuses et certaines procurent à leurs membres un épanouissement réel et profond qui n'est pas une fuite mais un refuge temporaire salutaire. Mon commentaire vise plutôt les sectes « abusives » ou « intégristes » qui manipulent leurs adeptes de façon démagogique au risque d'entraîner des conséquences graves, voire dramatiques. Je pense en particulier aux sectes qui offrent une vision du monde idyllique ou l'espoir d'un futur séduisant, mais qui mènent à l'aliénation du jugement critique, au déni de la dignité humaine, aux escroqueries financières, à la démence collective ou aux actes criminels.

Si la première stratégie de défense face à un traumatisme ou à un malaise consistait à « amplifier » et la seconde à « s'enfuir[12] », la troisième stratégie consiste en un « apprentissage » et en une « transformation ». Cette stratégie est la plus difficile pour une raison fondamentale: elle demande du courage, de la discipline et beaucoup de travail. Dans cette stratégie, la crise n'est pas déniée: l'expérience, pourtant

---

11. Sur ce phénomène voir T. LARDEUR, *Les sectes dans l'entreprise*, 1999.

12. Ces deux stratégies ont été discutées de façon différente par Wilfred Bion qui parle « d'attaque » et de « fuite », soit les stratégies « figth » et « flight ». Voir W.R. BION, *Experiences in Groups*, 1959.

traumatique, est transcendée et mène à une transformation de la personne elle-même, lui permettant d'actualiser de nouvelles valeurs dans ses comportements, d'accéder à un nouveau « niveau de conscience ». Je reviendrai plus tard sur cette notion.

Dans ce livre, plusieurs personnes insistent sur la nécessité de vivre une crise si l'on désire commencer un voyage sur les chemins de l'éthique et de la spiritualité. Elles iront jusqu'à proposer que, si un bonheur existe dans la joie et l'absence de traumatisme, il peut aussi exister un bonheur dans l'expérience de la souffrance, sans pour autant surestimer celle-ci. Comme nous le verrons, les personnes qui ont atteint un certain degré de maturité peuvent grandir à la fois par l'expérience de la joie et de la souffrance, un trait caractéristique qu'Abraham Maslow avait décelé chez les personnes dites « actualisées[13] ». Mais cette stratégie demande un grand courage, une réelle volonté de transformation personnelle, des efforts rigoureux et continus, souvent soutenus par l'exercice d'une discipline thérapeutique ou spirituelle. Je reviendrai également sur ce sujet capital.

Pour l'instant, j'aimerais affirmer, et cela est fort encourageant, qu'un bon nombre de personnes travaillant en entreprise se montrent aptes à actualiser leur transformation, à concrétiser leur quête de sens, parce qu'elles ont eu le *courage d'apprendre* de leurs joies et de leurs souffrances. Pour le dire autrement, si les existentialistes Paul Tillich et Rollo May ont insisté sur *Le courage d'être* et *Le courage de créer*[14], d'autres penseurs ont montré qu'il existe aussi *un courage à l'apprentissage*. Dans ce livre, Peter Sheldrake et James Hurley, qui décrivent une expérience fort intéressante d'apprentissage dans une école de commerce (voir le chapitre 10), se réfèrent au *courage d'enseigner*[15].

---

13. Voir sur ce sujet A.H. Maslow, *The Farther Reaches of Human Nature*, 1971, et T. C. Pauchant et I.I. Mitroff, *The Management of Production and Counter-production*, à paraître.

14. Voir P. Tillich, *The Courage to Be*, 1952, et R. May, *The Courage to Create*, 1975.

15. Voir P.J. Palmer, *The Courage to Teach*, 1998.

3 Les signes d'un besoin éthique et spirituel dans le monde organisationnel

J'ai commencé l'introduction en disant que ce livre répond à un besoin de sens. J'ai alors suggéré que ce besoin était réel chez de nombreux gestionnaires et qu'il se manifestait en des formes concrètes, positives et négatives. Même les stratégies défensives utilisées face à cette quête de sens, « l'amplification » ou « la fuite », sont des preuves concrètes que de nombreuses personnes qui travaillent en organisation sont en recherche, en chemin, et qu'elles ont besoin d'aide afin de rediriger leur quête vers des directions moins destructrices.

D'autres signes concrets suggèrent que de plus en plus d'employés et de gestionnaires désirent intégrer dans leur entreprise des valeurs éthiques et spirituelles. Je définirai plus tard ces deux notions. Pour l'instant, j'aimerais décrire quatre de ces signes ou tendances : la croissance de l'éthique en entreprise, le maintien d'une croyance religieuse ou l'existence d'un renouveau spirituel, la multiplication des expérimentations éthiques et spirituelles en entreprise et l'expansion de l'information et de la formation en spiritualité.

3.1 La croissance du besoin éthique en entreprise

C'est un truisme que d'affirmer que l'éthique connaît un engouement dans les entreprises. Beaucoup de chemin a été parcouru depuis que Chester I. Barnard, P.-D.G. dans le groupe AT&T et théoricien réputé en sciences administratives, a publié en 1958 ce qui semble être le premier article de fond sur l'éthique en affaires[16]. Aujourd'hui, une étude suggère, par exemple, que près d'un tiers des agents recruteurs aux États-Unis considèrent que l'honnêteté et l'intégrité personnelle sont les toutes premières qualités que l'on doive exiger d'un futur employé[17]. Au Canada, la Conference Board considère de même que l'honnêteté, l'intégrité et les valeurs morales font partie des compétences fondamentales de tout employé[18]. D'ailleurs, l'importance de la confiance, de l'intégrité et de la moralité dans un monde devenant

---

16. Voir C.I. BARNARD, « Elementary Conditions of Business Morals », 1958.
17. Sur cette étude, voir J. PASQUERO, *L'éthique des affaires...*, 1997.
18. Voir *La Conference Board du Canada*, 1998.

de plus en plus global, complexe, paradoxal et ambigu, a été récemment proclamée par des experts en management et auteurs aussi réputés que Warren Bennis, Charles Handy ou Daniel Yankelovich[19].

Signe des temps, une vaste production scientifique traite de l'éthique en affaires[20]. De nombreux journaux scientifiques et professionnels ont aussi vu le jour et plusieurs centres et instituts de recherche et de formation ont ouvert leurs portes partout dans le monde[21]. Diverses entreprises et organisations ont aussi adopté un code de déontologie et des firmes-conseils, telles que Arthur Andersen, PriceWaterhouse Coopers ou KPMG, les assistent dans cette tâche.

Ces principes éthiques sont aussi de plus en plus intégrés dans les corporations professionnelles qui regroupent des gestionnaires. À titre d'exemple, mentionnons les principes de « saine gestion » — la transparence, la continuité, l'efficience, l'équilibre, l'équité et l'abnégation — endossés par l'Ordre des administrateurs agréés du Québec qui compte aujourd'hui plus de 4000 membres[22]. Il est fort important de noter que cette intégration des notions éthiques n'est pas seulement faite au niveau conceptuel : les notions sont codifiées, évaluées durant un audit spécifique et forment la base d'une accréditation professionnelle. Pour donner un autre exemple, les principes du *Kyosei*, dérivés de principes philosophiques appliqués au management et au leadership d'entreprise, sont utilisés par des gestionnaires japonais, notamment chez Canon[23].

---

19. Sur ce sujet, voir W. BENNIS et J. GOLDSMITH, *Learning to Lead…*, 1994 ; C. HANDY, *The Age of Paradox*, 1994 ; et D. YANKELOVICH, « Got to Give to Get », 1997.

20. Voir, par exemple, M. DION, *L'éthique de l'entreprise*, 1994 ; T. DONALDSON, *The Ethics of International Business*, 1989 ; A. ETZIONI, *The Moral Dimension*, 1988 ; H. PUEL, *L'économie au défi de l'éthique*, 1989 ; R.E. FREEMAN, « The Politics of Stakeholder Theory », 1994 ; J. PASQUERO, *L'éthique des affaires…*, 1997 ; M.G. VELASQUEZ, *Business Ethics*, 1982, pour ne nommer que quelques travaux de base dans le domaine.

21. Voir, par exemple, en Angleterre, *Business Ethics*, au Canada, *Ethica*, aux États-Unis, *Business Ethics Quarterly* et *Journal of Business Ethics*, et en France, *Entreprise Éthique*.

22. Voir B. BRAULT, *Exercer la saine gestion…*, 1999.

23. Voir G. ENDERLE, « Five Views of International Business Ethics : an Introduction », 1997.

Signe d'une certaine maturité dans les sciences en général, où le fondamental trouve de plus en plus d'applications, la recherche en éthique dans le monde organisationnel possède aujourd'hui des champs d'étude spécifiques. C'est ainsi que l'on parle de bioéthique, d'éthique des affaires, d'éthique économique, d'éthique de l'entreprise, d'éthique environnementale, d'éthique internationale, d'éthique gouvernementale, d'éthique de la recherche scientifique ou d'éthique sociale, pour ne mentionner que quelques exemples. Chacune de ces spécialités tente de répondre à des demandes toujours plus précises dans son champ respectif.

Certains des grands débats actuels dans le domaine de l'éthique appliquée à l'entreprise incluent, par exemple, le phénomène de la mondialisation, les relations entre l'éthique et la stratégie d'entreprise, ainsi que celles entre l'éthique, le politique et l'économique. Prenant en compte le phénomène croissant de la globalisation des marchés, les principes éthiques ne sont plus axés aujourd'hui seulement sur les valeurs inhérentes à une personne, une tradition philosophique, une culture ou une religion, mais aussi sur une certaine intégration internationale[24]. Cette préoccupation pour l'éthique n'est pas seulement visible dans le monde capitaliste, mais elle est aussi présente dans le monde communiste, par exemple en Chine[25]. De plus, on considère que l'éthique fait partie intégrante de la stratégie organisationnelle, élargissant alors le débat et plaçant les préoccupations éthiques aussi bien au sommet hiérarchique que dans les opérations courantes des entreprises[26]. Enfin, certains auteurs plaident pour la primauté de l'éthique sur le politique et l'économique, parlant alors d'« entreprise responsable », d'« entreprise citoyenne » ou de « gestionnaire authentique[27] ».

Reprenant certains thèmes abordés dans cette introduction — crise de l'emploi, crise du sens, crise écologique, crise du croire —, de

---

24. Voir G. ENDERLE, *op. cit.*

25. Voir X. WU, « Business and Ethical Perceptions of Business People in East China : An Empirical Study », 1999, ou R.S. SNELL, « Obedience to Authority and Ethical Dilemmas in Hong Kong Companies », 1998.

26. Voir S.P. SETHI, « Ethical Behavior as a Strategic Choice by Large Corporations », 1998.

27. Voir H. KÜNG, *A Global Ethics in the Age of Globalisation*, 1997, ou T. C. PAUCHANT et I.I. MITROFF, *La gestion des crises et des paradoxes...*, 1995, dernier chapitre.

nombreux experts affirment que l'éthique, en entreprise et dans les organisations et la société en général, est devenue non pas un souhait, non pas un luxe, mais un *impératif stratégique*. Les titres de leurs livres sont éloquents: *La contrainte ou la mort*, par René Dumont et Gilles Boileau; *Leadership for the common good*; par John Bryson et Barbara Crosby, *The Ecology of commerce. A Declaration of Sustainability*, par Paul Hawken; *Earth in the Balance: Ecology and the Human Spirit*, par Al Gore; *L'éthique ou le chaos?*, par Jean-Loup Dherse et Hughes Monguet; *For the Common Good*, par Herman Daly et J. Cobb; *For People and for Profit*, par Inamori Kazuo; *The Ethics Era in Canadian Public Administration*, par Kenneth Kernaghan; *Just Rewards*, par David Olive; *The Executive Compass: Business and the Good Society*, par James O'Toole; *L'économie est une science morale*, par Amartya Sen; *The Good, the Bad, and Your Business*, par Jeffrey L. Seglin; *Greening Business: Profiting the Corporation and the Environment*, par Paul Shrivastava; *The Moral Commonwealth*, par Philip Selznik; *In Pursuit of Principle and Profit,* par Alan Reder; ou *La quête du sens. Gérer nos organisations pour la santé des personnes, de nos sociétés et de la nature*, par Thierry Pauchant *et al.*

L'ouvrage qui a le mieux présenté récemment les raisons pour lesquelles l'éthique est devenue un *impératif stratégique* est sans doute celui de John Dalla Costa, *The Ethical Imperative*. Dans cet ouvrage, l'auteur affirme que, dans un monde où l'économie est devenue globale, l'éthique nous concerne tous et toutes: producteurs et consommatrices; investisseurs et régulateurs; présidentes et employés. Ce qu'il relate à propos de la compagnie Nike, par exemple, est particulièrement édifiant. Bien que cette compagnie connaisse un succès international et constitue un modèle à suivre pour sa croissance fulgurante — Nike a surclassé des géants tels que Adidas —, l'exploitation de ses employés et de ses sous-traitants en Corée et en Chine a été dénoncée par la communauté internationale. Nike, compagnie puissante, s'est vue dans l'obligation d'assurer un audit interne et d'apporter des changements, sous la supervision d'Andrew Young, ancien ambassadeur aux Nations Unies.

Le cas de Nike est particulièrement édifiant, car il démontre que l'économie *globale* génère des effets *systémiques*, un thème qui sera récurrent dans ce livre. Il est fondamental de noter, par exemple, que Nike a dénié durant des années ses pratiques immorales comme de très nombreuses firmes avant elle. Ce n'est qu'après que différents groupes d'intérêts ou différents *stakeholders* eurent dénoncé ces pratiques, par des voix ou des positions éthiques diverses, que Nike a accepté de les modifier. Ces groupes incluaient, par exemple, des mouvements de défense des droits humains, des médias tels que *Newsweek* et *NBC*, des associations de consommateurs, des Églises américaines et canadiennes et, finalement, des actionnaires. Cet exemple démontre bien que l'impératif de l'éthique organisationnelle, dans un monde de plus en plus interrelié, dans un monde devenant de plus en plus systémique, n'est pas une utopie mais bien une nécessité stratégique. Comme l'a écrit Dalla Costa, et comme nous le verrons plus tard en ce qui concerne la spiritualité :

> Même si l'éthique émerge de croyances personnelles profondes, la valeur de l'engagement éthique se concrétise seulement à travers ses effets sur la société et les autres. Cela a toujours été vrai, mais dans les contextes de l'économie et la sensibilité globale, le gouffre entre le soi et la société n'a jamais été aussi profond. Notre paradoxe est celui de l'« intimité universelle » dans laquelle le construit éthique n'est plus limité au « Je » et au « Vous » divin, ou au « nous » et « eux », mais doit embrasser le « nous » le plus englobant. Concrètement, cela signifie que les problèmes de Nike sont nos problèmes. Lorsqu'on abuse des travailleurs dans de lointaines usines, c'est nous — ceux qui portent ces chaussures, qui vénèrent les athlètes et achètent leur image — qui sommes souillés par l'injustice. Voilà la culpabilité issue du fait d'être informé ; la responsabilité incontournable de participer quand on connaît. Aux beaux jours de la consommation, acheter était une fête ; et acheter de plus en plus était l'objectif. On se souciait peu de la déforestation, des dépotoirs ou des « sweatshops ». Aujourd'hui, presque chaque achat est associé à une certaine conscience des conséquences qu'il entraîne[28].

Et pourtant, malgré cet engouement certain pour les questions éthiques dans l'organisation et malgré les prises de conscience que ces activités engendrent, il n'en reste pas moins que la majorité des codes déontologiques des entreprises se cantonnent depuis les 20 dernières années dans des enjeux qui, s'ils sont fort importants, sont toutefois limitatifs : l'attribution de cadeaux ou de privilèges, les

---

28. DALLA COSTA, *The Ethical Imperative...*, 1998, p. 6.

conflits d'intérêts, la falsification ou la divulgation de données, les pratiques de concurrence déloyales ou le non-respect de normes et de réglementations[29]. De même, le *politically correct* et le *legally correct* sont encore prépondérants dans de nombreuses entreprises alors que, dans les sphères universitaires, un grand nombre de travaux portent encore sur des querelles d'écoles philosophiques. Je reviendrai sur l'important sujet de « l'impératif éthique » dans la conclusion de ce livre, en proposant que cet impératif mène — tâche difficile — à une « éthique objective et planétaire ».

3.2   Le maintien d'une croyance religieuse ou l'existence d'un «renouveau spirituel»

Dans nos sociétés occidentales où le divorce entre l'Église[30] et l'État a été consommé, où le matérialisme et le rationalisme ont triomphé, où les églises sont de plus en plus désertées, la croyance en un Être suprême, la foi en un Esprit universel est pourtant prépondérante. En Amérique du Nord, 84 % des Canadiens et des Canadiennes sont croyants, 85 % au Québec[31]; aux États-Unis, 95 % des Américains et des Américaines croient en un Être suprême[32]. Comme le rapportera Ian Mitroff dans ce livre (voir le chapitre 2), alors qu'il présente les résultats d'une enquête récente, ces proportions sont identiques chez les gestionnaires et les dirigeants d'entreprises aux États-Unis. Ces statistiques l'amènent à conclure que la faible présence de valeurs spirituelles au travail ne provient pas d'un manque de foi, d'un manque de croyance en une présence transcendante, mais plutôt de diverses craintes envers soi-même et les autres ainsi que d'un manque de connaissances pratiques quant aux outils et aux méthodes à utiliser en la matière. Une autre enquête réalisée à la fin des années 1980 et portant sur une centaine de cadres supérieurs et dirigeants d'entre-

---

29. Pour des listes de ces enjeux, voir B. WHITE et B. MONTGOMERY, « Corporate Codes of Conduct », 1980 ; ETHICS RESOURCE CENTER, *Ethics Policies and Programs in American Business…*, 1990 ; et M. DION, *L'éthique de l'entreprise*, 1994.

30. Dans ce livre, le terme « Église » est utilisé de façon générique et ne représente aucune confession religieuse particulière.

31. D'après des études récentes publiées dans *Le Devoir*, 4 octobre 1999, p. A 4, et *The Globe and Mail*, page de couverture, 22 avril 2000.

32. Voir *The Globe and Mail*, section D, 3 avril 1999, pour ces statistiques.

prises classées *Fortune 500* révélait que 65 % de ces personnes assistaient régulièrement à l'office de leur église, de leur temple ou de leur synagogue, tandis que la moyenne nationale des «non-gestionnaires» était de 40 %[33].

Les données disponibles sur ce sujet indiquent clairement que la croyance en un « Dieu » ou en un « Être supérieur » ou une « Force suprême » est très fortement majoritaire dans la plupart des pays du monde, c'est-à-dire dans les trois Amériques, en Afrique, en Asie, en Océanie et certaines parties d'Europe. L'exception principale est observée en Europe occidentale et centrale où l'on enregistre un déclin dans la majorité des pays, mis à part l'Espagne, l'Italie et le Portugal[34]. Le tableau 1 donne, pour quelques pays, les pourcentages de personnes qui se déclarent croyantes. L'affirmation d'une croyance ne garantit en aucune façon que cette croyance a un effet quelconque sur la vie quotidienne des personnes et sur leur comportement au travail. Ce tableau indique donc, en plus, les pourcentages des personnes qui déclarent que cette croyance a un effet sur leur vie quotidienne et, donc, au travail. La colonne du milieu indique les pourcentages des personnes qui déclarent que l'effet de cette croyance est soit moyen (commençant à 5 sur une échelle de 1 à 10), soit tout à fait fondamental. La dernière colonne indique les pourcentages des personnes qui déclarent que cette croyance a un effet très important ou tout à fait fondamental sur leur vie quotidienne.

Ces statistiques générales nous suggèrent plusieurs enseignements fondamentaux :

— Il existe des différences importantes entre les pays. Par exemple, si près de 90 % des personnes vivant aux États-Unis d'Amérique déclarent que leur croyance en un « Être supérieur » a un effet important sur leur vie quotidienne (et donc au travail), le pourcentage est de 80 % au Canada, 60 % en Angleterre, 50 % en France et moins de 40 % en Suède.

— Ces croyances ne sont pas toujours associées à l'existence d'une éducation religieuse. Par exemple, si 20 % des personnes vivant aux États-Unis déclarent ne pas avoir reçu d'éducation religieuse, 96 % se déclarent croyantes. De même, si 78 % des

33. Cité par J. A. Conger, *Spirit at Work...*, 1994, p. 203.
34. Pour ces données, voir M. Dogan, « Le déclin des croyances religieuses en Europe occidentale », 1995.

Japonais n'ont pas reçu d'éducation religieuse formelle, 65 % s'identifient au bouddhisme et au shintoïsme. Inversement, si près de 80 % des Français et Françaises ont reçu une éducation religieuse, seulement 62 % se déclarent croyants.

— Enfin, si la tendance générale dans le monde (tant dans les religions traditionnelles que dans les groupes intégristes ou les mouvements spirituels de toutes sortes) révèle une croyance importante en une Force supérieure, un déclin de cette croyance s'observe dans une seule partie spécifique du monde, l'Europe occidentale et centrale, malgré quelques exceptions.

Il faut pourtant faire attention à ces données. Souvent le fait de demander à des personnes si elles croient ou non en « Dieu » donne non seulement une consonance religieuse à la question mais relie aussi la croyance à un lieu de culte spécifique, comme une église, un temple, une synagogue, etc. De plus, le langage utilisé dans la question peut exclure certaines populations comme les bouddhistes, qui ne croient pas à l'existence d'un « Dieu ». Comme nous le verrons en détail dans ce livre, les gestionnaires opposent radicalement la « religion » et ses institutions à la « spiritualité ». De même, en général, les personnes, croyantes ou non, gestionnaires ou non, s'opposent à ce que les *responsables religieux* tentent d'influencer les décisions politiques, d'après une enquête conduite dans 14 pays d'Europe, mais qui inclue aussi les États-Unis, les Philippines et Israël[35]. Cependant, et comme nous le verrons dans ce livre, une très grande majorité de gestionnaires désirent que la *spiritualité* ait un effet sur la conduite de leur organisation et sur la pratique de leur métier. Au Québec, en particulier, le quotidien *La Presse* titrait récemment — en première page: « Les Québécois sont plus que jamais en quête de spiritualité »; en France aussi, on parle de la « soif de Dieu[36] ».

Si les données présentées ci-dessus permettent d'observer un déclin de la croyance religieuse en Europe occidentale, elles ne rendent pas compte des différentes tendances spirituelles qui y ont cours. Le cas de la France est un exemple typique. Dans ce pays républicain, où la pratique de la religion catholique a diminué, l'importance du Christ, basée sur sa personne et sa vie même et non sur les dogmes enseignés

---

35. Sur cette opposition, voir M. Dogan, *op. cit.*, 1995, p. 470.

36. Voir *La Presse*, page de couverture, 22 avril 2000 et *Le Nouvel Observateur*, édition spéciale, 1996.

Tableau 1   Pourcentages des personnes croyantes et de l'importance
qu'elles accordent à la croyance dans leur vie quotidienne[1]

Pays	Croyance en Dieu (en %)	«importance dans ma vie»: évaluation de 5 à 10	«importance dans ma vie»: évaluation de 7 à 10[2]
Suède	45	37	19
France	62	50	27
Danemark	64	40	18
Pays-Bas	64	53	33
Norvège	65	47	28
Japon	65	59	20
Belgique	69	61	39
Angleterre	78	59	36
Allemagne de l'Ouest (ex-RFA)	78	60	39
Israël	79	n.d.	n.d.
Australie	79	n.d.	n.d.
Nouvelle-Zélande	80	n.d.	n.d.
Espagne	86	73	49
Portugal	86	75	57
Autriche	88	n.d.	n.d.
Italie	89	79	62
Canada	89	80	62
USA	96	87	74
Pologne	97	94	87
Irlande	98	90	73
Philippines	99	n.d.	n.d.

1. Pour ces statistiques, voir M. DOGAN, *op. cit.*, 1995, qui présente une synthèse de trois études internationales conduites au début des années 1990. Ces tendances sont confirmées par d'autres enquêtes réalisées au milieu des années 1990, comme celle effectuée par Ipsos Opinion en 1996: voir *Le Point*, 14 septembre 1996, p. 73.
2. De 1 «pas du tout» à 10 «tout à fait».

par l'Église, est en croissance[37]. Dans ce pays — ainsi que dans beaucoup d'autres —, *La soif de Dieu*[38], titre de couverture d'un grand magazine, est palpable, s'exprime de multiples façons, allant de la quête du sens de la vie en général à la croyance à un certain destin personnel, à l'existence d'un Être suprême, jusqu'à la croyance aux extraterrestres, et pouvant aboutir à des pratiques dans des églises traditionnelles, des sectes intégristes, des mouvements ésotériques, ou à une spiritualité personnelle. D'autres traditions aussi sont littéralement embrassées par des millions de personnes. Le bouddhisme, par exemple, cette « religion sans Dieu » comme elle a été décrite, en fournit un exemple particulièrement frappant. On estime qu'aujourd'hui le bouddhisme est pratiqué par deux millions de personnes en France et près de cinq millions aux États-Unis[39]. Les succès de nombreux livres et de plusieurs films, dont *Little Bouddha* et *Seven Years in Tibet*, sont révélateurs de cette ferveur nouvelle pour le bouddhisme.

L'importance de la spiritualité dans nos sociétés occidentales a aussi été reconnue par Faith Popcorn, dans son enquête sur les tendances sociales, comme le facteur qui pourrait être le plus marquant pour le début du troisième millénaire[40]. Elle a appelé cette tendance un « besoin d'enracinement », l'une des notions favorites de la philosophe Simone Weil qui décrivait déjà l'urgence de ce besoin en 1941, c'est-à-dire il y a environ 60 ans. Je présenterai plus loin dans ce livre certaines des vues de Simone Weil sur la spiritualité du travail (voir le chapitre 12).

Ces statistiques, aux chiffres impressionnants, suggèrent une différence importante entre l'adhésion à une *religion* particulière et une croyance *spirituelle* en général, un thème qui sera récurrent dans ce livre. Mais ces chiffres ne rendent pas compte des différentes façons dont les êtres humains expriment leurs besoins profonds au travail et dans la société en général, leur « besoin de sens », leur « besoin d'en-

---

37. Voir le dossier publié sur ce sujet dans *Le Nouvel Observateur*, « Si Jésus revenait », 1996.

38. Expression tirée du titre d'un numéro spécial publié par le *Nouvel Observateur* en 1996.

39. Voir « Bouddhisme. Le triomphe d'une religion sans Dieu », *L'Express*, 5 août 1998, p. 28.

40. Voir F. POPCORN, *Clicking*, 1996.

racinement ». Tout le monde ne recherche pas le sens par les mêmes valeurs et une même valeur peut-être interprétée différemment. Une étude sur les valeurs individuelles, effectuée récemment aux États-Unis, permet de mieux cerner ces différences. Cette étude, qui portait sur 1036 adultes, a permis de diviser la population en trois groupes[41] : les « modernes », les « traditionnels » et les « transmodernes ».

Le premier groupe, le plus nombreux (47 % de la population adulte ou 88 millions de personnes), est appelé « les modernes ». Ces personnes embrassent le présent. Elles accordent une valeur importante au succès personnel, au consumérisme, au matérialisme, à la rationalité et à la technologie. Ces personnes peuvent avoir des convictions religieuses ou spirituelles, mais ce sont celles qui, parmi les trois groupes, s'adonnent le moins au bénévolat ou aux activités sociales et qui contribuent le moins aux campagnes de charité. Ce groupe représente la tendance dominante de la société.

Le second groupe de personnes est appelé les « traditionnels ». Il représente 29 % des adultes ou 56 millions de personnes. Ces personnes entretiennent une image nostalgique de la vie en société, une image orientée sur le passé : la petite ville, la famille, la séparation des sexes, le travail, le sens de la communauté, la religion traditionnelle. Elles forment une force contre-culturelle, opposée à la vision dominante des «modernes» et tentent de retrouver les valeurs du passé.

Le troisième et dernier groupe représente 24 % des adultes ou 44 millions de personnes. Ce groupe est le plus difficile à cerner, car il tente de tracer de nouvelles voies pour l'avenir, un nouveau «mythe», ainsi que le proposait Rollo May précédemment. Différentes appellations sont proposées pour définir ce groupe : les « transmodernes », les « intégraux » ou les « créatifs culturels ». Ces personnes adultes forment une seconde force contre-culturelle, aussi critique face à la modernité, mais elles ne cherchent pas à retourner vers le passé. Ce groupe est particulièrement sensible à l'authenticité, au développement personnel, à la spiritualité, ainsi qu'aux vues communautaires, féministes et écologiques. Il est plus ouvert que les deux autres groupes aux expériences idéologiques nouvelles, tolère plus l'ambiguïté et l'incertitude et compte le plus grand nombre d'activistes des trois groupes.

---

41. Voir P.H. RAY, *The Integral Culture Survey...*, 1996.

Les différences de valeurs qui caractérisent ces trois groupes ont des implications sur le type de spiritualité que leurs membres recherchent : les « modernes » sont plus enclins à privilégier une religion ou une spiritualité qui leur rapportera des bénéfices concrets et personnels ; les « traditionnels » sont davantage méfiants face à toute nouvelle expression de la spiritualité et prônent le retour à une religion établie, sinon orthodoxe ; les « transmodernes » sont particulièrement critiques à l'égard des religions traditionnelles et recherchent la spiritualité à travers de nouvelles expressions.

Il serait tentant de conclure, comme l'a fait le responsable de cette enquête, que ce dernier groupe est la force culturelle montante qui sera garante d'un meilleur avenir. D'autres personnes considèrent d'ailleurs que les « transmodernes » représentent la « culture de l'espoir[42] ». Il serait de même tentant de conclure que le besoin d'intégration des valeurs éthiques et spirituelles au travail émane principalement de ce groupe. Il est vrai que ce groupe prône de nouvelles façons d'assurer la gestion des organisations et le fonctionnement du système économique. On retrouve dans ce groupe certaines des valeurs et des visions d'avenir proposées par les auteurs du présent livre : une gestion plus démocratique et respectueuse des personnes, facilitant leur développement personnel pour le bien-être collectif ; la mise en place de processus plus coopératifs, ancrés dans une réalité communautaire et tentant de réduire les forces compétitives du néolibéralisme ; une utilisation plus judicieuse et plus critique de la technologie et de la rationalité, où l'on reconnaît l'existence d'une multitude d'intelligences, par exemple l'intelligence intellectuelle, émotionnelle, corporelle, esthétique, spirituelle, etc.[43] ; l'intégration de valeurs et de croyances profondes dans les tâches quotidiennes au travail ; ou la mise en place de processus éco-industriels plus respectueux de la nature, elle-même considérée comme sacrée.

Bien que je ne connaisse aucune étude sérieuse sur les « transmodernes », le fait d'idéaliser ce groupe, en le considérant comme le

---

42. Voir F. TURNER, *The Culture of Hope...*, 1995.

43. Si l'une des dernières modes en gestion est de mettre l'accent sur l'intelligence émotionnelle au travail, notion popularisée par Daniel GOLEMAN, *Working with Emotional Intelligence*, 1998, des spécialistes en éducation ont proposé une vision beaucoup plus élargie de l'intelligence. Voir, par exemple, H. GARDNER, *Frames of Mind...*, 1983.

« sauveur potentiel de l'humanité et de la planète », me semble exagéré sinon dangereux. Il arrive également qu'une personne puisse appartenir à plusieurs groupes en même temps, à différents degrés, et que ces trois groupes, les «modernes», les « traditionnels » et les « transmodernes », utilisent les trois stratégies de défense et/ou d'intégration, présentées précédemment, c'est-à-dire l'«amplification», la « fuite » et la « transformation ». L'argument que j'avance — et de nouveau des recherches devraient être conduites sur ce sujet — permettrait d'établir que neuf tendances générales caractérisent la quête de sens poursuivie par les personnes au travail, comme le suggère le tableau ci-dessous. Je ne discuterai ici que de quelques-unes de ces tendances.

Tableau 2   Neuf tendances générales de la quête de sens au travail

Stratégie adoptée face à une crise	Valeurs dominantes qui animent un groupe		
	Modernes	Traditionnelles	Transmodernes
Amplification	1	4	7
Fuite	2	5	8
Transformation	3	6	9

Il se peut, par exemple, que les «modernes» et les « traditionnels » soient particulièrement séduits par la première stratégie de l'amplification où l'on tente d'obtenir toujours « plus de la même chose » : les « modernes » en affirmant les valeurs qui sont véhiculées dans la société ambiante et les « traditionnels » en invoquant leurs habitudes ancestrales. Mais ces deux groupes sont aussi capables de générer un renouveau : le premier, par exemple, par l'avènement d'une découverte scientifique révolutionnaire qui peut l'avantager matériellement, et le second par le biais d'une nouvelle interprétation de ses doctrines fondatrices.

De même, si les « modernes » et les « traditionnels » peuvent utiliser la seconde stratégie de la fuite, en recourant, par exemple, à l'intégrisme, à la violence ou au cynisme, les « transmodernes » peuvent aussi être particulièrement tentés par cette voie : plus ouverts que deux des deux autres groupes à d'autres vues et à l'expérimentation, certains membres de ce groupe seront attirés par les « sciences » dites *ésotériques* ou même *obscures*.

Ayant vécu en Californie durant une dizaine d'années, j'ai connu des personnes qui, adeptes du Nouvel Âge, couraient de séminaire en séminaire, de retraite en retraite, à la recherche de sensations fortes, de l'« illumination instantanée ». Tout en prétextant avoir vécu une véritable « percée[44] », dont l'influence allait être déterminante pour leur vie future, ces personnes n'arrivaient cependant, au mieux, qu'à maîtriser quelques notions de base qu'elles étaient fières d'échanger avec d'autres et, au pire, à s'endetter, à mettre en péril leur propre santé et, parfois, à susciter l'avènement de drames. Étudiant alors pour obtenir mon doctorat en sciences administratives, je me souviens aussi combien certaines de ces personnes étaient dédaigneuses envers l'esprit scientifique. Elles ne juraient souvent que par les vues de personnalités du Nouvel Âge, comme Héléna Blavatsky, Edgar Cayce ou Georges Gurdjieff, ne comprenant pas que dans la recherche scientifique véritable il y a, aussi, un respect profond pour le mystérieux, l'inexplicable, le divin[45]. Comme l'ont proposé certains observateurs, le Nouvel Âge peut devenir dangereux quand il se transforme en une idéologie qui enferme les personnes dans une vision « totalisante » du monde[46]. Enfin, il serait très instructif de connaître le pourcentage des « transmodernes » qui deviennent les adeptes d'une secte « abusive » où prédomine la « fuite dans du n'importe quoi », et de pouvoir le comparer à ceux des deux autres groupes, les « modernes » et les « traditionnels ».

Je ne vise pas à nier les contributions potentielles que « les transmodernes » peuvent apporter à notre société ou au monde en général, mais je tente plutôt de relativiser les espoirs que certains ou certaines fondent sur ce groupe. Aussi, je n'insinue pas que toutes ces personnes sont des adeptes du Nouvel Âge ou d'un mouvement ésotérique. Un bon nombre d'entre elles sont sincères, sérieuses et suivent depuis des années une discipline spirituelle qui leur convient et les aide à grandir.

---

44. *Break-through* en anglais.

45. Pour cette vue spirituelle de la science, voir, par exemple, K. WILBER, *Quantum Questions...*, 1984, ou S. WEIL, *Sur la science*, 1966, ou Pierre TEILHARD DE CHARDIN, *Le phénomène humain*, 1955.

46. Voir M. LACROIX, *L'idéologie du New Age*, 1996.

Je ne désire pas non plus condamner les adeptes du Nouvel Âge. J'ai aussi connu des personnes fort sincères, authentiques et matures qui se ressourçaient, grandissaient et se transformaient dans ce courant. Par ailleurs, certaines techniques du Nouvel Âge sont basées sur des disciplines qui ont fait leur preuve dans le développement spirituel; cependant, celles-ci doivent être pratiquées avec vigilance, sous supervision et durant de longues années. Ces disciplines contemplatives incluent la pratique du silence et de la prière, différentes formes de méditation, d'arts martiaux, de yoga ou de zen[47]. Enfin, certaines personnes, associées officiellement ou non au mouvement du Nouvel Âge, apportent à mon avis une contribution tout à fait intéressante à la science et à notre culture. Tel est le cas, par exemple, de Joanna Macy ou de Ken Wilber[48].

Suivant ces considérations, il n'est pas évident d'affirmer que l'attrait actuel pour la spiritualité dans la société en général ou au travail en particulier soit l'apanage d'un seul type de personnes, ni qu'il s'agisse d'une « nouvelle spiritualité » ou même d'un « renouveau », comme le proposait un reportage qui a fait la couverture du magazine *Maclean's*[49].

Pour compliquer le tout — ce qui indique que nous avons grand besoin de recherches fondamentales sur ce sujet —, d'autres enquêtes suggèrent que certaines des valeurs véhiculées par la spiritualité au travail (le sens des responsabilités, le sentiment d'être « connecté » aux autres et à la nature, le respect de certaines normes, l'importance de suivre une discipline spirituelle, etc.) étaient déjà partagées par un grand nombre de personnes aux États-Unis à la fin du siècle dernier[50]. Ces enquêtes suggèrent que nous ne sommes ni dans l'avènement d'un « nouvel âge », ni dans le renouveau d'un « âge ancien ». Je reviendrai sur ce sujet dans la conclusion du livre.

---

47. Voir, par exemple, K. WILBER, J. ENGLER et D. BROWN, *Transformations of Consciousness...*, 1986, pour une comparaison entre les disciplines contemplatives ancestrales et les approches modernes en psychologie et en psychiatrie.

48. Je réfère dans la bibliographie à plusieurs livres de Ken Wilber. Pour Joanna MACY, voir *Dharma and Development*, 1983, et *Mutual Causality in Buddhism and General Systems Theory*, 1991, ainsi que J. SEED, P. FLEMING, J. MACY et A. NAESS, *Thinking Like a Mountain*, 1988.

49. « The New Spirituality », *Maclean's*, 10 octobre 1994.

50. Sur cette thèse, voir J.O. GOLLUB, *The Decade Matrix...*, 1991.

3.3   La multiplication des expérimentations éthiques et spirituelles en entreprise

Malgré les réserves et les craintes des gestionnaires invoquées ci-dessus et qui seront détaillées dans ce livre, un nombre grandissant de cadres et de dirigeants ont déjà procédé à des expérimentations dans leur organisation en matière d'éthique et de spiritualité. Certaines des plus connues, présentées dans ce livre, incluent Ben & Jerry's, The Body Shop ou Tom's of Maine. Ces firmes, privées, joignent le rang d'organisations qui ont mis en place depuis des années des processus spirituels en management, vu leur association, dès leur fondation, avec des communautés religieuses. Je pense, par exemple, à l'Armée du salut, à Vision Mondiale ou à la YMCA. D'autres organisations, au dire même de leur P.-D.G., intègrent les principes spirituels à leur gestion. C'est le cas, par exemple, de Michelin en France, de Marriott International aux États-Unis ou de Svensk Filmindustri en Suède[51]. Récemment, la revue d'affaires *Business Week* titrait en page couverture « La religion au travail : La présence croissante de la spiritualité dans les entreprises américaines » et la revue québécoise *Nouvelles tendances en management* a fait de même[52].

Pour ne donner que quelques autres exemples, les firmes suivantes ont soit mis en place certains mécanismes afin de développer en leur sein une démarche spirituelle ou ont participé activement à des séminaires sur la question : Ætna Life Insurance Co., AT&T, Aveda, The Bank of Boston, Bell Canada, BioGenex, Boeing, Carlisle Motors, Cascade Communications, Cirrus Logic, Deloitte & Touche, Digital Equipment, Elf Aquitaine, Esprit, Ford, Gillette, Goldman Sachs, Hydro-Ontario, KPMG, Lotus Development, Lucent Technologies, Medtronic Inc., Motorola, Nortel Networks, Odwalla, Pizza Hut, Raytheon, The Royal Bank, ServiceMaster Co., Shell Oil, Southwest Airlines, Starbucks, Stonyfield Yogurt, Sun Microsystems, Taco Bell, Timberland, U.S. Young President Organization, Wall-Mart Stores, the World Bank et Xerox Corp[53]. Des firmes asiatiques ont aussi

---

51. Voir F. MICHELIN, *Et pourquoi pas?*, 1998; J.W. MARRIOTT, *The Spirit to Serve Marriott's Way*, 1997; et R. ÖSTERBERG, *Corporate Renaissance...*, 1993.

52. Voir *Business Week*, 1er nov. 1999, et la revue *Nouvelles tendances en management*, 13, octobre-novembre 1999.

53. D'après des articles parus dans des journaux et magazines, tels que

développé des approches spirituelles, inspirées particulièrement du bouddhisme: Kyocera Corporation, Mitsutoyo Company, the Miyazaki Bank ou Yasuda Mutual Life Insurance[54].

Dans ce livre, l'ouverture à l'éthique et à la spiritualité dans les organisations est aussi confirmée par sept P.-D.G., présidentes ou directeurs généraux d'organisations réputées: il s'agit du président d'une institution financière employant plus de 40 000 personnes (Desjardins); de la présidente d'une firme de publicité réputée (Saint-Jacques, Vallée, Young & Rubicam inc.); du P.-D.G. d'une entreprise de taille moyenne dans le secteur de l'alimentation (Ouimet Cordon Bleu inc.); de la présidente d'une communauté urbaine rassemblant plus de 1,8 million de personnes (Communauté urbaine de Montréal); du directeur général d'un hôpital de 250 lits (le Centre hospitalier Anna-Laberge); et de deux directeurs d'écoles de commerce comptant plus de 10 000 étudiants et étudiantes chacune (HEC Montréal, Canada, et The Royal Melbourne Institute of Technology, Australie).

3.4 L'expansion de l'information et de la formation en spiritualité

Dernier signe qui témoigne de l'importance du besoin de spiritualité dans les entreprises, les moyens d'information et de formation dans le domaine se sont multipliés. Des firmes-conseils et des centres de recherche et de formation, tels The Advantage Group, le Centre Entreprise de Ganagobie, Empowerment Plus, Inner Work Company ou Livelihood Inc., se sont spécialisés dans l'accompagnement spirituel en entreprise, répondant ainsi à une demande accrue. De nombreuses associations ont vu le jour, publiant parfois une « newsletter » et mettant à la disposition de leurs membres une adresse

---

M. Nichols, *Harvard Business Review*, 1994; « The Search for the Sacred », *Newsweek*, 1994; « Companies Hit the Road Less Travelled », *Business Week*, 1995; « Business with a Soul », *Mother Jones*, août 1997; *The Globe and Mail*, 22 mai 1998, p. B 21; *The Wall Street Journal*, 13 août 1998; *Le Devoir*, 8 septembre 1998, p. B 6; « Religion in the Workplace », *Business Week*, 1999. Voir aussi K.E. Goodpaster et T.E. Holloran, « Anatomy of Corporate And Social Awareness... », 1999, et P.H. Mirvis, « "Soul work" in organizations », 1997.

54. Voir sur ce sujet S. Inoue, *Putting Buddhism to Work*, 1997.

électronique et un site Web élaboré. C'est le cas, par exemple, de www.bizspirit.com, Spirit&bus@ants.education, www.hec.ca/fimes, IASWork@aol.com, InnerForm@aol.com, ndGanagobie@ compuserve.com, www.spiritatwork.com. De nombreux congrès, séminaires ou conférences ont aussi été organisés sur le sujet, à Acapulco, Austin, Boston, Mexico, Montréal, Toronto et Washington D.C., pour ne parler que des événements récents en Amérique du Nord. Judi Neal, éditrice de la « newsletter » *Spirit at Work*, a créé un site Web fort complet qui donne la liste de toutes ces ressources[55]. En France, 1 500 chefs d'entreprise se sont rassemblés en mars 2000 sous le thème « La foi et les affaires[56] ».

De très nombreux livres ont aussi été publiés sur le sujet. Pour n'en citer que quelques-uns, tous parus dans les années 1990 : Lee Bolman et Terrence Deal, *Leading with Soul*; Hyler Bracey *et al.*, *Managing From the Heart*, Alan Briskin, *The Stirring of Soul in the Workplace*; Jean-Yves Calvez, *Nécessité du travail*; Tom Chappel, *The Soul of a Business*; Richard Chewning *et al.*, *Business Through the Eyes of Faith*; Jay Conger *et al.*, *Spirit at Work*; Jean-Loup Dherse et Hugues Minguet, *L'éthique ou le chaos ?*; Matthew Fox, *The Reinvention of Work*; Shinichi Inoue, *Putting Buddhism to Work*; Roger Harrisson, *Consultant's Journey*; Jack Hawley, *Reawakening the Spirit in Work*; James Liebig, *Merchants of Vision*; Ian Mitroff et Elisabeth Denton, *A Spiritual Audit of Corporate America*; Michael Novak, *Business as a Calling*; John Renesh, *New Tradition in Business: Spirit and Leadership in the 21st Century*; Annita Roddick, *Body and Soul: Profits With Principles*; Lance Secretan, *Reclaiming Higher Ground*; Deborah-ann Smith, *Work With What You Have*; Peter Vaill, *Spirited Leading and Learning*; David White, *The Heart Aroused*.

Conscients de l'importance de cette demande, plusieurs éditeurs d'Amérique du Nord ont même récemment créé des collections spéciales sur le sujet. C'est le cas, notamment, de Berrett-Koehler Publishers, Doubleday Currency, Fides ou de Jossey-Bass Publishers. D'autres auteurs utilisent également des thèmes spirituels dans leurs travaux sans réellement les développer. C'est le cas, par exemple, de

---

55. Voir Judi NEAL, www. spiritatwork.com

56. Voir J. CORDELIER et C. GOLLIAU, « Quand les patrons croient en Dieu », *Le Point*, 31 mars 2000.

Harrisson Owen qui utilise l'expression « l'esprit du leadership ». De même des experts en entrepreneurship, comme Louis-Jacques Filion, proposent que la première « sphère de vie » à explorer pour bâtir un plan d'affaires soit la « sphère spirituelle » ; enfin, même Henry Mintzberg parle aujourd'hui d'« âme corporative[57] ».

Si ces livres et articles ont tous été publiés fort récemment, ils s'ajoutent à tous ceux qui sont parus depuis la Deuxième Guerre mondiale sur le même thème, considérés alors souvent comme bizarres, déviants et conseillés à voix basse dans les couloirs des entreprises, des facultés d'administration ou des écoles de commerce. Je pense particulièrement à *A Holy Tradition of Working*, reprenant les écrits de Eric Gill, publié en 1983 ; *Condition de l'homme moderne* de Hannah Arendt, 1961 ; *La condition ouvrière* de Simone Weil, 1951 ; *Good Work* de E.F. Schumacher, 1979 ; *Higher Creativity* de Willis Harman et Howard Rheingold, 1984 ; *The Self-Organizing Universe* d'Eric Jantsch, 1980 ; *The Tao of Leadership* de John Heider, 1985 ; *Zen and Creative Management* d'Albert Low, 1976 ; sans oublier les très populaires *Zen and the Art of Motorcycle Maintenance* de Robert Pirsig, 1974, et *The Road Less Travelled* de Scott Peck, 1978.

Le thème de la spiritualité au travail est, comme celui de l'éthique, actuellement fort populaire. Et les occasions d'affaires ne manquent pas dans le domaine. Certains séminaires offerts sur le sujet de la spiritualité au travail, mettant en vedette les gourous du moment, coûtent 1000 $ US par jour et par personne, excluant les dépenses. Récemment, le marché nord-américain pour les publications nouvel âge en entreprise a été évalué à plus d'un milliard de dollars par année, ce qui est encore modeste comparé aux 45 milliards dépensés pour le développement personnel en général. Aussi, chaque année, les télé-évangélistes collectent plus de trois milliards de dollars aux États-Unis. L'une des plus grandes chaînes, le Trinity Broadcasting Network (TBN), diffuse de la banlieue de Los Angeles 700 émissions religieuses à travers la planète, développant ses parts de marché avec un marketing performant et une stratégie efficace de communica-

---

57. Voir H. OWEN, *The Spirit of Leadership...*, 1999 ; L.-J. FILION, *Réaliser son projet d'entreprise*, 1999, p. 48 ; et H. MINTZBERG, «Saviour of the Corporate Soul», 1999.

tion[58]. Aujourd'hui, même Madonna, l'emblème de la *material girl*, a, semble-t-il, trouvé sa voie spirituelle, comme l'a annoncé en grandes pompes sur sa page couverture le magazine à grand tirage *Psychology Today*[59]. Les publicitaires aussi utilisent de plus en plus des thèmes spirituels pour atteindre leur clientèle, une tendance qui sera discutée dans ce livre (voir le chapitre 6). C'est ainsi que Apple utilise la photo du Dalaï-Lama pour nous inviter à « penser différemment » ; Banana Republic nous présente ses vêtements portés par des mannequins en position du lotus; Evian nous invite à boire « la force éternelle de vie » ; Ford nous propose de découvrir la sagesse à la cime des montagnes en conduisant un Ford Ranger ; Lancôme publicise son nouveau produit de beauté, le « Hydra Zen », ou Xerox utilise des moines afin de nous vendre ses photocopieurs[60].

Dans ce climat où les charlatans côtoient les personnes sincères, où l'exploitation et le démagogique côtoient le sincère et le profond, il n'est pas étonnant qu'un grand nombre de gestionnaires hésitent à parler de spiritualité au travail. De plus, la direction d'une entreprise est souvent hésitante à faire participer ses employés à un programme de spiritualité qui risquerait d'entacher sa réputation. Des entreprises ont même été pointées du doigt, pour avoir compté dans leurs rangs des adeptes de sectes « intégristes » ou « abusives ». Le cas d'Hydro-Québec, au Canada, dont certains des cadres furent associés à l'Ordre du Temple solaire, mérite d'être rappelé, comme celui de Pacific Telesis, en Californie, dont plusieurs cadres furent associés au groupe Charles Krone.

Aussi, vu la prolifération de livres publiés dans le domaine, il est devenu difficile pour un non-averti de choisir un ouvrage sérieux sur le sujet. Un bon nombre d'auteurs — non mentionnés ci-dessus — semblent vouloir exploiter ce besoin réel et sincère de sens, ce besoin d'enracinement pour satisfaire leur appât du gain ou leurs ambitions personnelles. De nombreux ouvrages exhortent, par exemple, leurs lectrices et lecteurs à utiliser des notions pseudo-spirituelles afin de réaliser plus de profits, travailler moins ou d'avoir plus de *fun*. En

---

58. Sur ces données, voir J.-P. Dubois, « Les camelots du God business », *Nouvel Observateur*, 1998.

59. D.N. Elkins, « Spirituality : Why We Need It », *Psychology Today*, 1999.

60. Sur ces publicités, voir T. Stein, « How Advertising has Co-opted Spirituality », 1999.

entreprise, les mêmes notions sont parfois utilisées pour tenter d'accroître la motivation et la productivité des personnes au travail.

Enfin, il est nécessaire de mentionner ici deux livres extrêmement populaires, publiés au début des années 1980 et destinés au grand public, mais qui ont, aussi, influencé de nombreux gestionnaires: *The Turning Point* de Fritjof Capra et *The Aquarian Conspiracy* de Marilyn Ferguson. Ces deux livres avaient un point commun. Ils tentaient d'établir des relations entre les récentes découvertes en physique des quanta et le développement des « niveaux de conscience », notion à laquelle je reviendrai ci-dessous. Fritjof Capra prétendait que les nouvelles théories en physique des quanta pouvaient donner une indication de la réalité des expériences spirituelles vécues par les personnes. Marilyn Ferguson, quant à elle, utilisait les récentes découvertes dans le domaine du développement de la conscience pour établir des parallèles avec les théories de la physique moderne. Les deux auteurs voulurent aussi démontrer, chacun à leur manière, comment la spiritualité pouvait influencer nos sociétés et, en particulier, la culture, les valeurs, la santé, l'éducation, la politique, le système économique et les organisations[61].

Des livres similaires, liant la physique quantique aux niveaux de conscience et traitant de la société en général, sont parus dans les années 1990. Les plus connus sont peut-être ceux de Danah Zoar[62]. Fait intéressant, l'établissement de ces parallèles est aujourd'hui chose courante en management et en leadership[63]. Ces livres, à résonance spirituelle, offrent l'avantage de proposer des notions et des pratiques nouvelles pour le management, mais présentent le danger de verser dans une idéologie Nouvel Âge ou de confondre, sans les différencier, les modes de réalité observables en physique et ceux subjectivement vécus par les personnes.

---

61. Voir F. Capra, *The Turning Point...*, 1982, qui débute, comme nous l'avons fait dans ce livre, avec la notion de crise; et M. Ferguson, *The Aquarian Conspiracy...*, 1980. Ces deux livres ont eu un impact important, s'étant vendus à des millions d'exemplaires dans différentes langues.

62. Voir D. Zohar, *The Quantum Self...*, 1990, et D. Zohar et I. Marshall, *The Quantum Society...*, 1994.

63. Voir M.J. Wheatley, *Leadership and the New Science...*, 1994; M. Wheatly et P. Chödron, « It Starts with Uncertainty », 1999; D. Zohar, *Rewiring the Corporate Brain...*, 1997.

Ces tentatives — encore une fois, intéressantes mais potentiellement dangereuses si l'on manque de rigueur et de subtilité — sont à rapprocher avec celles qui intègrent moins la spiritualité mais qui tentent d'établir des liens entre le management des organisations et une autre source, une « nouvelle science » prétendument en émergence. Les noms donnés à cette « nouvelle science » varient d'un auteur à l'autre et prennent la forme d'expressions comme la théorie du chaos, la complexité, l'*autopoïesis*, les structures émergentes, les structures dissipatives, la pensée systémique, les dynamiques non linéaires, la vie artificielle, l'auto-organisation et de nombreuses autres[64].

Il serait intéressant de connaître avec précision les différentes « sources » ou « traditions » — religieuses, spirituelles, intellectuelles, scientifiques, traditionnelles, etc. — auxquelles s'identifient les gestionnaires ouverts aujourd'hui à l'utilisation de la spiritualité en entreprise. Malheureusement, je ne connais aucune étude sur ce sujet. Marilyn Ferguson a conduit une telle étude dans le grand public pour l'écriture de son livre, qui oscille entre la science rigoureuse et le Nouvel Âge : cette enquête par questionnaire portait sur 185 personnes identifiées comme des « conspiratrices du Verseau[65] ». Ces personnes mentionnèrent les auteurs qui les avaient influencées, révélant ainsi leurs traditions intellectuelles. Les quatre auteurs cités le

---

64. Pour des introductions générales à cette «nouvelle science», voir, par exemple, G. BATESON, *A Sacred Unity...*, 1991 ; P. DUMOUCHEL et J.-P. DUPUY, *L'auto-organisation*, 1983 ; Françoise FOGELMAN SOULIÉ, *Les théories de la complexité*, 1991 ; J. GLEICK, *Chaos...*, 1987 ; R. LEWIN, *La complexité*, 1994 ; H. MATURANA et F. VARELLA, *The Tree of Knowledge...*, 1992 ; E. MORIN, *Science avec conscience*, 1990 ; I. PRIGOGINE et I. STENGERS, *Order Out of Chaos...*, 1984 ; ou M. M. WALDROP, *Complexity...*, 1992.

Pour des applications en management et en leadership, voir, par exemple, M. BONAMI *et al.*, *Management des systèmes complexes*, 1993 ; D. GENELOT, *Manager dans la complexité*, 1992 ; S. KELLY et M.A. ALLISON, *The Complexity Advantage*, 1999 ; M. MARUYAMA, *Mindscape in Management*, 1994 ; W. McWHINNEY, *Paths of Change...*, 1992 ; I.I. MITROFF et H.A. LINSTONE, *The Unbounded Mind...*, 1993 ; G. PAQUET, *Governance through Social Learning*, 1999 ; T. C. PAUCHANT et I.I. MITROFF, *La gestion des crises et des paradoxes...*, 1995 ; G.J.B. PROBST, *Organiser par l'auto-organisation*, 1994 ; P.M. SENGE *et al.*, *The Fifth Discipline Fieldbook*, 1994, et *The Dance of Change...*, 1999 ; R.D. STACEY, *Managing the Unknowable...*, 1992.

65. Voir M. FERGUSON, *The Aquarian Conspiracy...*, 1980, p. 419-420.

plus souvent furent, dans l'ordre, Pierre Teilhard de Chardin, Carl G. Jung, Abraham Maslow et Carl Rogers — que nous rencontrerons dans ce livre. D'autres auteurs clés furent aussi identifiés (par ordre alphabétique) : Gregory Bateson, Ruth Benedict, Kenneth Boulding, Martin Buber, Albert Einstein, Erich Fromm, Willis Harman, Hermann Hesse, Alfred Korzybki, Jay Krishnamurti, Margareth Mead, Thomas Merton, Swami Muktananda, D.T. Suzuki, Paul Tillich, Heinz von Foerster, Allan Watts et Alfred North Whitehead.

Aussi, même si 81 % des répondants déclarèrent ne plus pratiquer la religion de leur enfance, ils indiquèrent pratiquer les disciplines spirituelles suivantes (par ordre décroissant de popularité) : le zen, le yoga, la tradition mystique chrétienne, le taï-chi, la psychosynthèse, la psychologie analytique jungienne, le bouddhisme tibétain, la méditation transcendantale, le soufisme, l'analyse transactionnelle et la tradition mystique juive.

Cette première liste est informative et il serait important d'en établir une à partir des renseignements fournis par les gestionnaires eux-mêmes afin de soutenir les efforts de formation et d'identifier les sources ou les traditions qui semblent les plus suspectes. Par exemple, les répondants à l'enquête de Ferguson mentionnèrent aussi des pratiques et des auteurs qui furent et sont encore fort controversés aujourd'hui, comme le mouvement « EST » ou l'auteur John Lilly. Je propose ci-dessous une stratégie qui permette de distinguer une attirance saine pour la spiritualité et une autre moins saine.

4 La confusion entre les niveaux de conscience « prépersonnel » et « transpersonnel »

Ken Wilber, auteur réputé en « psychologie transpersonnelle », a proposé une typologie intéressante permettant de mieux discerner les attirances saines envers la spiritualité de celles qui le sont moins. Comme l'affirmeront les auteurs du présent ouvrage, l'une des caractéristiques communes des gestionnaires ouverts à la spiritualité au travail est de rechercher un « sentiment de fusion ». Ce sentiment provient d'un besoin de se sentir « connecté » aux autres, au monde, à la nature, à l'univers, au divin ; de ressentir qu'il existe un ordre dans le monde, une finalité, un sens immanent, une destinée ; de ne pas se sentir « fragmenté » dans ses valeurs profondes et de trouver une « adéquation » entre les sphères de la vie personnelle, de la vie au travail et de la vie en société, dans un sens plus général.

À cet égard, Wilber distingue deux types de « fusion » qui sont, insiste-t-il, fondamentalement différents, mais que l'on confond. Pour lui, un certain type de fusion mène à terme à des situations maladives alors qu'un autre permet l'actualisation concrète des plus hautes capacités de l'être l'humain. Pour ces raisons, il a dénoncé les dangers de ce qu'il a appelé « l'erreur de confusion entre les niveaux *prépersonnel* et *transpersonnel*[66] ». Pour comprendre cette confusion, il est nécessaire de saisir quelques rudiments du processus complexe de « développement de la conscience » décrit par Ken Wilber et, en particulier, les niveaux dits « prépersonnel », « personnel » et « transpersonnel[67] ».

Le niveau « prépersonnel » est le premier niveau de développement décrit par Wilber. Ce niveau représente le monde préconscient, préverbal, dominé par les pulsions physiques et émotionnelles. C'est, par exemple, le monde du nouveau-né, dominé par les besoins physiologiques et émotionnels de sécurité, de nutrition et d'affection. Les différences entre le monde intérieur et extérieur ne sont pas encore intégrées, le nouveau-né se sentant surtout « fusionné », indifférencié par rapport au monde extérieur, sa réflexion cognitive et morale étant encore rudimentaire[68].

En appliquant la théorie de Wilber au monde organisationnel, la recherche d'une fusion « prépersonnelle », par un individu ou un groupe, peut mener à l'idéalisation d'une figure d'autorité, à un penchant pour le dogmatisme et l'intégrisme ou à une recherche démesurée des biens matériels et du sensoriel, incluant la recherche à tout prix de profits à très court terme. Ce besoin de « fusion préper-

---

66. Voir K. WILBER, *Eye to Eye...*, 1983, chap. 7.

67. Je ne puis ici qu'évoquer une partie du processus complexe décrit par Ken Wilber en ne parlant que des étapes de conscience appelées « prépersonnelle », « personnelle » et « transpersonnelle ». Comme l'auteur le rappelle constamment dans son œuvre, cette synthèse est une simplification abusive et dangereuse et je ne puis que conseiller au lecteur et à la lectrice de consulter l'œuvre de Ken Wilber. Cette œuvre étant fort étendue, je recommande de commencer par le livre *A Brief History of Everything* pour un tour d'horizon qui ne soit pas trop technique.

68. Tout en affirmant cela, je ne considère pas qu'un nouveau-né ne soit qu'une larve végétative, déterminée strictement par les lois de la nature. D'après mon expérience personnelle, père de trois enfants, je suis convaincu que même un tout nouveau-né exhibe déjà son caractère et son individualité propres ainsi que sa nature spirituelle.

sonnelle» peut aussi mener à l'élaboration de stratégies répondant à des pulsions instinctuelles et non réfléchies, à l'usage exclusif de la formation et de l'instruction afin d'endoctriner les personnes ou à des stratégies individualistes qui favorisent l'esprit compétitif, la réussite personnelle ou organisationnelle. Ce besoin peut mener également à l'impression que « le monde est moi » ou que « le monde est nous » et qu'il est naturel d'exploiter le monde de façon illimitée, qu'il soit financier, humain, social ou écologique. Cette emprise du besoin de « fusion prépersonnelle » est très bien illustré, sur le plan organisationnel, par le fameux dicton « ce qui est bon pour GM, l'est aussi pour le monde en général ».

S'il existe de nombreux ouvrages scientifiques sur les maladies que cette «fusion prépersonnelle» peut entraîner chez un individu, sur leur symptomatologie et leur traitement clinique éventuel[69], on connaît moins les effets néfastes que ce type de fusion peut entraîner sur les entreprises[70].

Cependant, malgré la présence de nombreux aspects potentiellement négatifs, il ne faudrait pas oublier que le niveau « prépersonnel » est celui des forces de la nature à l'état brut, de la matière d'où jaillissent les pulsions de vie et l'énergie absolument nécessaires au développement ultérieur du monde et même de la conscience. Ce niveau est aussi le centre de la création, de la créativité, de l'innovation dans le domaine matériel, processus tout à fait indispensable aux organisations de tous types. Ce niveau n'est donc pas pathologique en soi. La « pathologie » ou la maladie potentielle provient plutôt d'une rupture dans le développement d'un individu ou d'un groupe à ce niveau particulier.

Le second niveau générique du développement de la conscience décrit par Ken Wilber est le niveau « personnel ». Ce niveau est le monde des idées, des concepts, de la raison, de la formation de la cognition, du langage et de la moralité. C'est aussi le niveau où une personne peut développer sa personnalité propre, devenir un «individu» et faire la distinction entre « soi » et le monde extérieur. Ce

---

69. Voir *American Psychiatric Association*, DSM-IV, 1995.

70. Voir M. F. R. KETS DE VRIES et D. MILLER, *L'entreprise névrosée*, 1985 ; H.S. SCHWARTZ, *Narcissistic Process and Corporate Decay...*, 1990 ; R.B. DENHARDT, *In the Shadow of Organization*, 1981 ; et T. C. PAUCHANT et I.I. MITROFF, *La gestion des crises et des paradoxes...*, 1995.

stade de développement mène aussi à l'autonomie, à l'estime de soi, à l'actualisation, à l'humanisme. Federico Mayor, directeur général de l'Unesco, disait qu'être humain, c'est pouvoir être ému et scandalisé par la misère et émerveillé par la beauté du monde[71].

Dans le monde organisationnel, ce niveau de développement nous a apporté et nous apporte encore l'usage de la raison, les méthodes scientifiques et les différents outils que nous utilisons, qu'ils soient technologiques ou conceptuels. Ce niveau nous a également apporté le courant humaniste en gestion, qui vise à satisfaire les besoins de liberté, de créativité, d'actualisation, de démocratie et d'éthique en entreprise. Mais ce niveau de développement a lui-même ses limites. Si, parmi les raisons invoquées précédemment à propos du manque de sens au travail il y avait, bien évidemment, les doléances face au manque d'humanisation dans les organisations, d'autres commentaires dépassaient également ce niveau. Je pense particulièrement à la volonté de développer des systèmes industriels plus en adéquation avec la nature, ce qui dépasse les préoccupations humanistes traditionnelles, ou à la volonté d'intégrer au travail des valeurs ou des aptitudes spirituelles qui vont au-delà de ces seules valeurs humanistes. Je pense également à la notion de «vocation», prise dans son sens spirituel. Thomas Moore a particulièrement bien décrit cette notion et suggéré qu'elle va au-delà de l'humanisme. Cette différence aide à comprendre le sens de la crise *spirituelle* du travail qui est ressentie aujourd'hui par un grand nombre de gestionnaires et d'employés, ceux-ci ne pouvant que partiellement actualiser cette notion de «vocation». Comme l'a fort bien écrit Thomas Moore[72] :

> Le travail [...] est une composante importante de la vie spirituelle. [...] Les auteurs monastiques font du travail un chemin vers la sainteté.

> La religion formelle nous parle de la dimension profonde de tous les aspects du quotidien. Le travail n'a rien à voir avec l'entreprise profane que le monde moderne suppose. Que nous le fassions avec attention et art ou dans une inconscience absolue, le travail affecte profondément l'âme. Il déborde l'imagination et parle à l'âme à maints niveaux. Le travail peut, par exemple, nous permettre d'évoquer certains souvenirs

---

71. Voir F. MAYOR, «Pour une éthique planétaire», *Le Nouvel Observateur*, numéro hors série, 1996.

72. T. MOORE, *Care of the Soul...*, 1992, p. 181, 183.

et certaines fantaisies qui portent une certaine signification particulière. Ces souvenirs et ces fantaisies peuvent être liés aux mythes familiaux, aux traditions et aux idéaux. [...] En ce sens, tout travail est une vocation, un appel venu de la source du sens et de l'identité, qui prend naissance bien au-delà de l'intention et de l'interprétation humaines.

[...] Quand nous pensons au travail, nous n'en considérons que la fonction; nous laissons au hasard les éléments qui appartiennent à l'âme. [...] J'ai l'impression que le problème avec les usines modernes ne vient pas d'un manque d'efficacité mais de la perte de l'âme.

Certains auteurs ont récemment attribué au courant humaniste l'origine des problèmes fondamentaux auxquels nous sommes confrontés aujourd'hui dans nos sociétés[73]. Sans entrer ici dans les détails, il est important de noter que quelques-uns des fondateurs du mouvement humaniste moderne ont aussi émis des réserves à ce propos et, comme le fait Ken Wilber, ont suggéré que le développement « personnel » n'était lui-même qu'une étape, nécessaire mais incomplète, dans le développement humain. C'est le cas, par exemple, d'Abraham Maslow, l'un des pères fondateurs les plus célèbres du mouvement humaniste en psychologie, en éducation et en management, mais aussi — et cela est fort peu connu — l'un des pères fondateurs de la « psychologie transpersonnelle ». Maslow est peut-être l'auteur qui a le mieux décrit les « méta-pathologies », comme il les a appelées, qui peuvent survenir si le niveau de développement « personnel » n'est pas intégré et dépassé, si un individu reste trop attaché au «besoin d'actualisation» et n'arrive pas à le transcender[74]. Comme il l'a déclaré en 1968:

La psychologie humaniste [...] constitue maintenant une troisième voie valable à [...] la psychologie béhavioriste et au freudisme orthodoxe [...]. Il y a du travail à faire, un travail nécessaire, vertueux et satisfaisant qui peut donner un sens riche à sa propre vie et à celle des autres [...]. Je devrais dire également que je considère la psychologie humaniste, ou la troisième force, comme une préparation, une transition vers

---

73. Sur ces critiques de l'humanisme, voir, par exemple, J. CARROLL, *Humanism. The Wreck of Western Culture*, 1993. Voir aussi les vues de Charles TAYLOR sur le développement moderne du soi, dans *Sources of the Self*, 1989.

74. Sur ces «méta-pathologies» voir A. MASLOW, *The Farther Reaches of Human Nature*, 1971, p. 316-322.

une quatrième psychologie encore «plus élevée», une psychologie transpersonnelle, transhumaine, centrée sur le cosmos plutôt que sur les besoins et les intérêts humains, qui dépassent l'humanité, l'identité, l'auto-actualisation [...]. En l'absence du transcendant et du transpersonnel, nous devenons malades, violents ou nihilistes, ou alors désespérés et apathiques. Nous avons besoin de quelque chose «qui nous dépasse», qui nous impressionne et nous emmène à nous engager dans un sens nouveau, naturaliste, empirique, non empêtré dans les églises, peut-être comme l'ont fait Thoreau et Whitman, William James et John Dewey[75].

De même, Warren Bennis, le très influent spécialiste en management et en leadership, a récemment déclaré:

> Ce qui manque au travail, la cause fondamentale du syndrome d'affluenza, est le sens, le dessein qui va au-delà de soi, la plénitude, l'intégration [...] La cause sous-jacente des dysfonctions organisationnelles, de l'inefficacité, de toutes les manifestations du stress humain est le manque d'une fondation spirituelle du travail[76].

Le troisième niveau de conscience décrit par Ken Wilber est donc le niveau «transpersonnel». Comme son nom l'indique, ce niveau ne nie pas l'existence de la personne, le niveau précédent, mais l'intègre et le transcende comme le niveau «personnel» transcende le «prépersonnel». Ce niveau de développement est le plus difficile à décrire. Si le premier niveau, le «prépersonnel», est dominé par les forces de la matière, du monde concret et matériel, et si le second niveau, le «personnel», est le siège du mental et de l'humanisme, des facultés intellectuelles et émotionnelles matures, ce troisième niveau est spirituel. Il correspond à l'ouverture à l'intuition, à la compassion, à la transcendance, à la grâce, au divin. Les personnes qui ont atteint ce stade de développement, ou qui du moins s'en rapprochent au gré d'un long processus pouvant durer toute une vie, dépassent

---

75. Citation d'A. MASLOW, seconde édition de *Toward a Psychology of Being*, 1968, p. III-IV. À ma connaissance cette seconde édition n'a jamais était traduite en français. Des vues similaires ont aussi été exprimées par Carl Rogers, un autre fondateur du mouvement humaniste. Voir *On Becoming a Person*, 1961.

76. Citation de W. BENNIS, préface du livre de I. MITROFF et E. DENTON, *A Spiritual Audit of Corporate America...*, 1999, page XI.

leur propre individualité et mettent l'accent sur les interconnections inhérentes qu'elles expérimentent au jour le jour entre elles-mêmes, les autres, la nature, l'univers et le spirituel.

Moins matériel que le premier niveau, et moins mental que le second, le niveau « transpersonnel » ne peut être approché conceptuellement que par des propositions paradoxales et poétiques. Cela n'enlève rien à sa réalité mais limite la possibilité de pouvoir en parler de façon non ambiguë. Fondamentalement, ce niveau dépasse les facultés intellectuelles et émane de l'expérience vécue subjectivement, souvent par l'exercice long et patient d'une discipline spirituelle. Comme, par exemple, les *Exercices spirituels* d'Ignace de Loyola chez les chrétiens ou le yoga intégral de Shrî Aurobindo, en hindouisme[77].

Il est trop tôt pour pouvoir décrire les contributions de ce niveau à l'exercice du management et du leadership en entreprise. Les livres sur la spiritualité au travail mentionnés précédemment offrent un début de réponse. Dans cet ouvrage, certaines personnes, comme J.-Robert Ouimet, différencient de même les « besoins d'humanisation » des « besoins de spiritualisation » en entreprise (voir le chapitre 7). Un important travail de recherche et d'expérimentation est encore nécessaire pour pouvoir préciser les contributions spécifiques que le niveau « transpersonnel » ou spirituel peut apporter au milieu du travail. Ces contributions, pour être effectives et durables, devront intégrer mais aussi dépasser celles qu'offre déjà l'humanisme. Ces contributions humanistes peuvent être dérivées, du moins en partie, par le second niveau de développement de la conscience, le développement « personnel » : je pense particulièrement à la responsabilité et à l'authenticité personnelle, au respect de l'autre et au don de soi, à la justice et à l'éthique, à l'équité, à la solidarité et à la moralité, à la démocratie, etc.[78] Pourtant, si la poursuite des valeurs humanistes doit être amplifiée et bonifiée par les personnes qui ont atteint le niveau « transpersonnel », ce dernier doit aussi contribuer à de nouvelles pratiques dans les organisations, non directement acces-

---

77. Ces disciplines ne sont que deux exemples parmi tant d'autres; voir I. DE LOYOLA, *Exercices spirituels*, 1986, et S. AUROBINDO, *La pratique du yoga intégral*, 1987.

78. Pour ces approches, voir, par exemple, J. F. CHANLAT, *L'individu dans l'organisation...*, 1990, ou J. O'TOOLE, *The Executive Compass...*, 1993.

sibles à partir des autres niveaux. Je propose ci-dessous une liste préliminaire et non exhaustive de ces contributions :

— L'invention d'outils et d'approches qui permettent l'avènement de richesses économiques, éthiques et spirituelles à travers le travail.

— La production industrielle de biens, de services et d'informations qui peuvent réellement devenir une « nourriture de l'âme ».

— La recherche de l'esthétique et de la beauté en management.

— L'utilisation du silence, de l'intuition, de la méditation, de la contemplation ou de la prière dans les processus de décision ou de « discernement ».

— L'encouragement à suivre sa ou ses « vocations » et son « enthousiasme » dans le domaine du travail.

— Le développement de la santé mentale et physique par l'utilisation de pratiques spirituelles.

— L'invention de méthodes industrielles qui respectent la dignité humaine, la justice sociale et l'origine sacrée de la nature.

— Une redéfinition du travail qui assure un épanouissement spirituel dans l'exercice d'un métier et des conditions de vie décentes aux personnes dans le besoin.

— L'utilisation d'archétypes et de rituels sacrés en management.

— Le développement de l'amour des autres et du pardon dans les pratiques managériales.

— L'élaboration de nouvelles visions du monde des entreprises et de l'économie qui favorise l'espoir et l'enracinement des personnes.

— La création d'un véritable « esprit » d'entreprise qui transcende toutes les fonctions administratives traditionnelles ainsi que la culture et les stratégies organisationnelles.

— Le développement de la foi, de l'espérance et d'une « attention » face à des problématiques complexes et la possibilité d'aborder de façon subtile les très nombreux paradoxes rencontrés dans l'exercice du management et du leadership.

— La reconnaissance d'une philosophie positive de la souffrance — sans idéaliser celle-ci — permettant, avec la joie, l'avènement de la grâce.

Il semble évident que les notions proposées ci-dessus — les richesses spirituelles, les nourritures de l'âme, l'esthétisme, la contemplation, la méditation et la prière, la vocation, l'enthousiasme, les rituels sacrés, l'enracinement, l'esprit d'entreprise, le pardon, la foi et l'espérance, la grâce — ne sont pas seulement humanistes, mais qu'elles émanent surtout d'un registre spirituel.

Maintenant que les niveaux de conscience proposés par Ken Wilber sont minimalement définis, nous pouvons traiter de la confusion qui existe entre les différents types de « fusion ». La notion de confusion entre les stades de développement « prépersonnel » et « transpersonnel » est fondamentale pour mieux cerner les dangers inhérents à l'intégration de la spiritualité au travail ainsi que les bienfaits que cette intégration apporterait. Dans le modèle générique — et fort simplifié — du développement de la conscience proposé ci-dessus, deux stades de développement animent le sentiment d'une « fusion » avec le monde : le « prépersonnel » et le « transpersonnel ». Dans le stade intermédiaire, le niveau « personnel », l'individu est relativement différencié des autres personnes et du monde en général et il recherche moins la fusion que le développement de sa créativité propre, de son individualité.

Même si on parle de « fusion » dans les deux cas, la « fusion prépersonnelle » et la « fusion transpersonnelle », et que l'on assimile souvent ces deux types de fusion à un seul, leurs natures sont fondamentalement différentes : la première s'effectue *avant* l'avènement de la personnalité, de la conscience, de la raison, de la morale et est gouvernée par des pulsions *archaïques*, c'est-à-dire des besoins forts en intensité, non subtils et difficilement contrôlables même si les personnes sous l'emprise de cette fusion invoquent des thèmes spirituels ou religieux ; par contre, la seconde fusion s'effectue *après* l'avènement de l'identité et de la personnalité qu'elle transcende et est motivée par le besoin mature, subtil et complexe de se sentir «connecté» aux autres et au monde.

Une autre différence fondamentale existe entre ces deux types de fusion. La fusion «transpersonnelle» émane du niveau personnel et le transcende ; elle n'annule ni ne nie ce niveau. Cela implique qu'une personne adulte qui ressent le besoin d'une « fusion spirituelle » peut aussi faire appel à la raison, au bon sens, à la moralité, à l'humanisme, au développement émotionnel mature qu'elle a acquis durant le stade « personnel ». Par définition, ces possibilités sont absentes dans le cas d'un désir de « fusion prépersonnelle » qui persiste chez un adulte. Ce désir sera alors motivé non pas par une transcendance mature de son individualité, mais par un besoin de sécurité, qui trouve refuge dans un monde primitif. De plus, comme ce désir n'émane pas du stade « personnel » de développement, les dangers potentiels qu'il recèle, comme l'adhésion à une idéologie dogmatique, à une secte « abusive » ou l'adoption de comportements immoraux ou criminels, ne pourront alors être contrecarrés.

De nouveau, il semble tout à fait fondamental de se demander de façon rigoureuse si le désir de « fusion avec le monde » provient d'un niveau de développement « prépersonnel » ou « transpersonnel » de la conscience. Les différences entre le « prépersonnel » et le « transpersonnel » pourraient faire, en effet, toute la différence dans l'intégration des valeurs éthiques et spirituelles en management et au travail. Ainsi, l'examen rigoureux de ces stades de développement prend véritablement en compte toute la richesse des modèles développés par des auteurs tels que Ken Wilber, même si ces modèles ont encore besoin d'être affinés.

Afin de sensibiliser la lectrice et le lecteur au danger inhérent de n'utiliser que les descriptions sommaires des niveaux de développement de la conscience que j'ai présentés ci-dessus, afin d'en faciliter la compréhension, j'ai synthétisé, dans la figure 1, les 20 différents niveaux discutés par Ken Wilber[79]. Les cercles contenus dans cette figure correspondent aux niveaux génériques : « prépersonnel », « personnel » et « transpersonnel ».

Tel qu'indiqué dans cette figure, le niveau « prépersonnel » débute au stade « sensoriel-physique » et se termine au stade dit « reptilien » ; ce stade donne accès au niveau de conscience « personnel » et se termine au stade « vision-logique » ; et ce second stade donne accès au niveau « transpersonnel » allant jusqu'au stade « non dual ». Les cercles tracés dans cette figure symbolisent les relations transcendantes établies entre chaque niveau, relativisant les expressions « donne accès » et « termine ». Le niveau « prépersonnel », le plus primitif, ne se « termine » pas au niveau « personnel », mais est transcendé par celui-ci qui l'intègre mais le dépasse ; de même le niveau « personnel »

---

79. Pour une description de ces niveaux, voir K. WILBER, *The Atman Project...*, 1980, *id.*, *Eye to Eye...*, 1983, et *A Brief History of Everything*, 1996.

Figure 1 Niveaux de conscience et leurs interrelations avec les « attractions psychiques » et les différents « sens moraux »

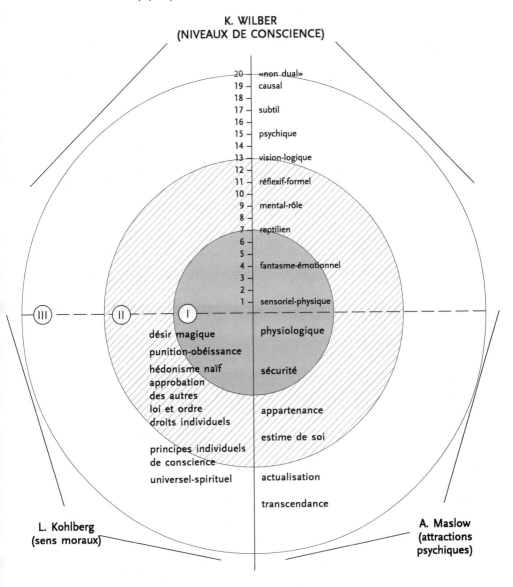

K. WILBER
(NIVEAUX DE CONSCIENCE)

20 — « non dual »
19 — causal
18 —
17 — subtil
16 —
15 — psychique
14 —
13 — vision-logique
12 —
11 — réflexif-formel
10 —
9 — mental-rôle
8 —
7 — reptilien
6 —
5 —
4 — fantasme-émotionnel
3 —
2 —
1 — sensoriel-physique

III — II — I

désir magique — physiologique
punition-obéissance
hédonisme naïf — sécurité
approbation
des autres
loi et ordre
droits individuels — appartenance
estime de soi
principes individuels
de conscience
universel-spirituel — actualisation
transcendance

L. Kohlberg
(sens moraux)

A. Maslow
(attractions
psychiques)

I ◯ niveau prépersonnel/matière
II ◪ niveau personnel/mental
III ◪ niveau transpersonnel/spirituel

ne se « termine » pas au niveau « transpersonnel », mais celui-ci l'intègre et le dépasse.

J'ai également inclus dans cette figure les correspondances de ces niveaux de conscience avec la «théorie des besoins» proposée par Abraham Maslow, théorie connue par tous ceux et celles qui ont étudié les sciences administratives. J'ai de plus indiqué dans cette figure les différents « sens moraux » définis par Kohlberg, qui proposent différents types d'éthique selon les divers niveaux de conscience[80]. Si la théorie de Maslow est généralement connue en administration, sa présentation a souvent été appauvrie. Cette théorie est généralement présentée comme une hiérarchie linéaire et pyramidale en cinq niveaux, ce qui donne l'impression simpliste que dès qu'un «besoin» a été satisfait, la personne tentera automatiquement de combler le besoin suivant dit «supérieur» (voir la figure 2). Non seulement cette

Figure 2   Hiérarchie/pyramide des besoins d'Abraham Maslow. Vue linéaire

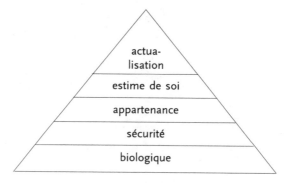

---

82. Sur les théories de Maslow et Kohlberg, voir A.H. MASLOW, *Toward a Psychology of Being*, 1968, et *The Farther Reaches of Human Nature*, 1971, ainsi que L. KOHLBERG, « Development of Moral Character and Moral Ideology », 1964, et *The Philosophy of Moral Development*, 1981. Pour les correspondances entre ces théories et les niveaux de conscience, voir K. WILBER, *The Atman Project...*, 1980, p. 180-181, et *A Brief History of Everything*, 1996, p. 146. Aussi, même si les théories de Kolhberg et Maslow ont été critiquées et doivent être affinées, cela n'invalide pas les concordances générales suggérées ici. Pour ces critiques, voir C. LEVINE *et al.*, « The Current Formulation of Kohlberg's Theory and a Response to Critics », 1985, et E. HOFFMAN, *The Right to be Human...*, 1988.

Figure 3 Cônes d'attraction biopsychosociale d'Abraham Maslow

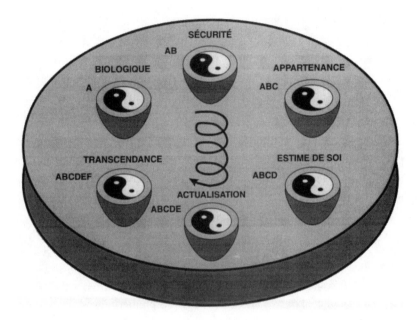

vue ne rend pas justice à l'œuvre de Maslow, mais elle ne permet pas de saisir la subtilité des interrelations existant entre les différents niveaux de conscience, comme l'a fait Wilber.

J'ai représenté, dans la figure 3, d'une façon plus adéquate, la théorie de Maslow, ne l'appelant plus la « pyramide des besoins » mais les « cônes d'attraction biopsychosociale[81] ». L'expression « cône d'attraction » signifie qu'un individu peut être dominé par une ou plusieurs attractions, chacun de ces « cônes » orientant ses perceptions de la réalité et ses actions face à celle-ci. Le symbolisme du cône suggère que, telle une bille qui aurait glissé au fond de celui-ci, un individu est relativement contraint par son attirance envers un ou

---

81. Voir A. MASLOW, *Motivation and Personality*, 1970, et *The Farther Reaches of Human Nature*, 1971, en particulier la partie VII.

plusieurs cônes. Comme l'a fort bien dit Maslow lui-même, chaque besoin ou cône d'attraction « organise ou même crée la réalité externe[82] ».

Au fond de chaque cône, j'ai placé le signe du Tao afin de signifier que chaque attraction peut mener à des effets positifs ou négatifs. Une attraction envers le biologique menant le corps à se nourrir, par exemple, si elle est fort naturelle et saine, peut aussi mener à la boulimie. J'ai inclus également dans cette figure la sixième attraction suggérée par Maslow — la transcendance —, souvent oubliée. Enfin, j'ai eu recours à des lettres de l'alphabet (« A », « AB », « ABC », etc.) afin de signifier que chaque «cône d'attraction» contient en son sein les précédents et que tous se développent en spirale. La structure du langage permet de mieux saisir le caractère *transcendant* de chaque niveau, évoqué par Abraham Maslow ainsi que Ken Wilber : un niveau plus primitif ne possède qu'une lettre ou deux, alors que des niveaux plus élaborés en possèdent plusieurs, dénotant ainsi davantage de complexité. Pour le dire autrement, si le dernier niveau d'attraction, la transcendance, peut être représenté par *Hamlet* de William Shakespeare, il est bien évident que Shakespeare n'aurait pas pu écrire ce chef-d'œuvre si les lettres de l'alphabet n'existaient pas. C'est dans ce sens qu'un niveau plus complexe *intègre mais dépasse* les niveaux précédents, ne pouvant exister sans eux, mais exprimant une complexité que ces premiers niveaux ne pouvaient réaliser : les lettres forment des mots, les mots des phrases, les phrases forment des paragraphes, les paragraphes des concepts, les concepts des civilisations, et ainsi de suite...

Enfin, Maslow, comme Wilber, insistait sur le fait qu'il fallait considérer tous ces niveaux non pas séparément, mais comme un tout, une *gestalt*, afin d'éviter, comme l'a fait la psychologie des traits, « qu'un trait [...] n'entraîne qu'une sorte d'action[83] ». D'après cette vue, un individu peut être « attiré » à 10 % par le niveau biologique, à 20 % par la sécurité, à 15 % par l'appartenance, à 40 % par l'estime de soi, et ainsi de suite. Reprenant cette même notion de *gestalt*, Ken Wilber suggérera que le Divin est aussi présent au niveau « prépersonnel » — dans la nature —, mais que ce niveau ne représente pas le Divin, évitant ainsi la thèse du pan-

---

82. A. MASLOW, *op. cit.*, 1970, p. 29.
83. *Ibid.*, 1970, p. 55.

théisme. Dans ce cas, le niveau biologique pourrait être représenté symboliquement par les les lettres A b c d e f, seule la lettre A étant en majuscule à ce niveau, les autres en minuscule symbolisant leur présence non développée.

Si on regroupe deux par deux les cônes d'attraction suggérés par Maslow, on peut mieux saisir alors le contenu des niveaux «prépersonnel», «personnel» et «transpersonnel» décrits par Wilber. L'attraction suggérée par Maslow envers les besoins physiologiques et de sécurité décrit bien ce que ces notions signifient. Un individu — ou une organisation ou une culture, on parle dans ces cas d'«axe culturel général» — sera préoccupé avant tout par les conditions matérielles de sa vie afin d'assurer sa sécurité et sa longévité. Ce niveau d'attraction correspond au niveau «prépersonnel» de Wilber, gouverné par la matière et les sens et soumis à une forme de moralité régie par la punition et l'obéissance ou par un hédonisme naïf, d'après les niveaux de sens moral proposés par Kohlberg (voir la figure 1).

De même, un individu «attiré» par des besoins d'appartenance et d'estime de soi, qui correspondent au niveau «personnel» de Wilber, sera surtout préoccupé par son acceptation dans un groupe, l'affirmation de son identité, la mise en valeur de son originalité, etc. Ses références morales seront plus induites par l'approbation des autres, la loi et les droits individuels. Ce niveau de développement est à la base de la Déclaration universelle des droits de l'homme de 1948.

Enfin, l'attraction envers l'actualisation puis la transcendance décrites par Maslow correspond au niveau «transpersonnel» de Wilber, où l'individu tire son sens moral non plus des autres et de valeurs matérielles, mais de principes de conscience individuelle et des valeurs spirituelles.

J'espère que ces explications — trop brèves et parfois fort techniques — ont facilité la compréhension des différents niveaux de conscience décrits par Ken Wilber (ainsi que par de nombreux auteurs provenant de disciplines et de traditions diverses)[84]. Je reviendrai sur

---

84. Hormis les correspondances avec les travaux de L. Kohlberg et d'A. Maslow, le modèle de K. Wilber a de nombreuses similarités avec ceux que proposent, entre autres, R. Assagioli, T. d'Avila, S. Aurobindo et le yoga intégral, le bouddhisme Skandha, E. Fromm, J. Habermas, J. Loevinger, J. Piaget, la Vedanta hindoue ou Pierre Teilhard de Chardin. Sur ces correspondances, voir K. WILBER, *The Atman Project...*, 1980, et *Sex, Ecology, Spirituality...*, 1995.

ce modèle dans la conclusion du livre. Pour l'instant, j'aimerais terminer ce chapitre d'introduction en décrivant les buts du FIMES.

5 Le Forum international sur le management, l'éthique et la spiritualité

Cinq personnes conscientes du besoin fondamental de sens exprimé dans le monde du travail, conscientes aussi de la nécessité d'intégrer des valeurs éthiques et spirituelles dans les organisations et des dangers potentiels que cette intégration comporte, ont été à l'origine du premier Forum international sur le management, l'éthique et la spiritualité (FIMES). Ces personnes provenaient de milieux professionnels différents — un théologien éthicien, le P.-D.G. d'une entreprise privée, le directeur d'une école de commerce, un professeur et consultant en management et un économiste — ainsi que de deux continents, l'Amérique du Nord et l'Europe[85]. Ce livre est le fruit du premier forum tenu en septembre 1998 à l'École des Hautes Études Commerciales de Montréal. Il a réuni pendant deux jours plus de 200 personnes du monde de l'administration, en majorité des professionnels, des cadres, des cadres supérieurs, des dirigeantes et des consultantes, et de quelques professeurs et étudiantes. Je présenterai dans la conclusion de ce livre les résultats d'une enquête menée auprès des participants et participantes à ce premier forum, en fournissant par la même occasion une évaluation critique du contenu de ce livre.

Quelques précisions s'imposent quant au nom même du FIMES. Dans cette appellation se retrouve l'esprit du réseau qui a influencé d'une manière significative le contenu de ce livre. Ces précisions permettront de plus de définir, du moins d'une manière minimale, certaines notions de base.

La notion de *forum international* reflète notre conviction que l'intégration de valeurs éthiques et spirituelles au travail et dans le management et le leadership en entreprise nécessiteront beaucoup de temps, de dialogues et de discussions ainsi que la coopération active des nombreuses personnes provenant de milieux différents. Si ce livre

---

85. Il s'agit, respectivement, de Roger Berthouzoz, J.-Robert Ouimet, Thierry Pauchant, Jean-Marie Toulouse et Maurice Villet.

décrit déjà des exemples de cas, des approches et des outils pratiques, directement utilisables en entreprise, nous ne prétendons nullement qu'il soit l'ouvrage définitif sur la question. Nous prévoyons d'ailleurs publier d'autres ouvrages sur ce thème dans un avenir rapproché, qui feront état des résultats des recherches scientifiques en cours. Ces ouvrages décriront d'autres expérimentations concrètes, effectuées dans des organisations diverses à travers le monde, c'est-à-dire des entreprises privées, des organisations publiques, des organismes gouvernementaux, des associations sans but lucratif, etc.

La notion de *management* renvoie à la notion d'action concrète en organisation. Si nous sommes convaincus que la réflexion et l'inspiration sont essentielles en management et en leadership, elles doivent toutes deux se traduire par des actions pratiques. Pour le dire autrement, nous sommes convaincus que la science, l'art, l'éthique et la spiritualité de la gestion se doivent d'être *appliqués*.

La notion de *management* implique aussi que les actions ne sont pas seulement entreprises à un niveau individuel, mais aussi à un niveau organisationnel, c'est-à-dire à un niveau collectif. Comme nous le verrons dans ce livre, certaines personnes qui s'intéressent à la spiritualité privilégient souvent une conception individuelle et subjective. Bien que nous reconnaissions l'importance de l'expérience individuelle et subjective, l'intégration de l'éthique et de la spiritualité en management doit aussi, selon nous, se traduire par des actions collectives et concrètes dans les organisations, la société et l'environnement naturel.

La notion d'*éthique* renvoie à l'analyse intellectuelle de ce qui est considéré comme « bien » ou « mal », « moral » ou «immoral» dans le fonctionnement d'une organisation ou d'une société particulières. Si, dans le langage courant, on confond souvent ces deux notions, parlant aussi bien d'un « comportement éthique » que d'un « comportement moral », nous réservons l'appellation « éthique » à l'analyse philosophique et théologique critique et rigoureuse des pensées, démarches et actions individuelles et collectives. Si nous reconnaissons volontiers l'importance des émotions dans les décisions et les actions ainsi que le rôle prépondérant de l'individu dans la définition de ces décisions et actions, nous considérons de même comme fondamentale l'analyse critique, conduite par un groupe de personnes provenant d'univers différents, ce qui est, pour nous, la fonction de l'éthique. Suivant cette définition, l'éthique émerge surtout du second niveau de développement — le «personnel» — c'est-à-dire du mental et des processus rationnels et émotionnels parvenus à maturité.

Enfin, nous définissons la notion de *spiritualité* comme le sentiment ou la conviction de faire partie intégrante d'un univers qui n'est pas absurde mais ordonné par une force supérieure, et que notre tâche en tant qu'être humain est de contribuer au bien dans cet univers. Cette conception ne nie donc pas la réalité matérielle ni l'existence de problématiques concrètes. De plus, elle n'est associée à aucune religion particulière. Si dans ce livre nous parlons de religion — ce qui est fondamental, ne serait-ce que pour comprendre les fondements historiques de nos pensées et de nos actions[86] —, cela se fera toujours dans un sens non dogmatique et dans le respect des croyances et des expériences de chaque personne, croyante ou non. Enfin, cette notion de spiritualité intègre mais dépasse le niveau rationnel et personnel. Définie comme telle, la spiritualité émerge du troisième niveau du développement de la conscience — le niveau «transpersonnel» — tout en conservant des relations étroites avec les deux autres niveaux (le niveau de la matière et le niveau mental) et en exerçant des effets concrets sur eux.

Il est important de noter que les notions de *management*, d'*éthique* et de *spiritualité* renvoient respectivement aux notions d'*action*, de *réflexion* et de *transcendance*. Il convient aussi de noter que la notion de *management* est utilisée en premier afin de bien indiquer que l'intégration de l'éthique et de la spiritualité dans le monde du travail doit se traduire avant tout par des pratiques concrètes et collectives. Enfin, l'appellation *forum international* apporte une humilité nécessaire, suggérant que cette intégration exigera du temps et des efforts importants de coopération, de recherche et d'expérimentation.

L'idée de départ des activités du FIMES était d'organiser une conférence tous les deux ans afin de soutenir les gestionnaires dans

---

86. De nombreux auteurs affirment que le religieux est le fait le plus fondamental pour saisir les bases de nos sociétés. Voir, par exemple, M. WEBER, *The Sociology of Religion*, 1963. Voir aussi O. AKTOUF, R. BÉDARD et A. CHANLAT, «Management, éthique catholique et esprit du capitalisme: l'exemple québécois», 1992, pour une application de cette vision au monde de l'entreprise et de l'économie au Québec.

l'humanisation et la spiritualisation du travail et du système économique. Depuis, les activités du groupe se sont développées dans différents domaines, tous encore en émergence : la création d'un réseau international d'information, de soutien et d'intervention; la création d'un site Web élaboré; la formation d'un groupe de recherche, réunissant des professeurs et des étudiants provenant de diverses disciplines ainsi que des gestionnaires, des dirigeantes et des personnes intéressées à la promotion de l'éthique et de la spiritualité dans les organisations; la constitution à la bibliothèque des HEC — la deuxième bibliothèque en administration d'Amérique du Nord, après celle de la Harvard Business School — d'une banque importante de références sur le sujet; la création d'une chaire en Développement éthique des organisations qui stimulera la recherche scientifique, la formation et l'éducation dans le domaine; l'élaboration de productions répondant à des demandes spécifiques dans le monde des organisations, ce livre étant la première production du FIMES; la constitution d'un programme de cours de deuxième cycle, transdisciplinaires et multifacultaires, en coopération avec différentes facultés de l'Université de Montréal à qui l'École des HEC est affiliée (droit, éducation, philosophie, psychologie, théologie, etc.), devant mener à l'obtention de diplômes; ou la création d'un centre exécutif de formation en résidence.

Nous prévoyons de plus l'organisation d'un deuxième forum international à l'École des HEC de Montréal les 25 et 26 mai 2001, ainsi que d'autres partenariats avec les facultés d'administration de la University of Southern Califonia, de Los Angeles, et le Royal Melbourne Institute of Technology, de Melbourne, en Australie, à des dates ultérieures (pour plus d'information, voir le site Web du FIMES: www.hec.ca/fimes). Nous explorons aussi la possibilité de développer d'autres activités, suivant les ressources humaines, matérielles et financières dont nous disposerons. Ces activités ainsi que la vision stratégique, la politique générale et la structure organisationnelle du FIMES sont présentées en Annexe.

6 Le format, le contenu et le public lecteur de ce livre

Si ce livre a pour origine le premier forum organisé par le FIMES en 1998, il est différent des « actes de colloques » traditionnels. Souvent, ces actes ne sont qu'un collage de thèmes et de discours disparates. Bien que les « actes de colloques » soient intéressants pour d'autres raisons, nous voulions produire un livre réellement utile pour les gestionnaires et les cadres supérieurs en exercice dans les organisations. Nous avons eu recours à différentes stratégies afin d'atteindre ce but.

— Le forum a été organisé selon une structure qui favorise la production d'un livre. Je décris cette structure ci-dessous.
— Plus de la moitié des conférenciers et conférencières devaient être des dirigeants et des dirigeantes en exercice.
— Afin que le style des chapitres reste simple et direct, aucun texte n'a été demandé à ces personnes avant le forum : les conférences ont été enregistrées, retranscrites, puis éditées.
— Les auteurs m'ont donné l'autorisation d'éditer leurs textes afin d'assurer un style relativement homogène et d'y ajouter les liens nécessaires entre les chapitres.
— J'ai aussi été autorisé à faire des arrangements de structure, à rédiger l'introduction de chaque chapitre, de même que l'introduction et la conclusion du livre.
— Prenant la notion de «forum» très au sérieux, les participants ont consacré plus de 40 % du temps total de la conférence à dialoguer avec l'assemblée. Ces échanges, reproduits dans le livre et inspirés de la discipline du dialogue utilisée pour approfondir les apprentissages collectifs en organisation[87] ne se sont pas limités à de simples questions et réponses entre l'auditoire et les conférenciers et conférencières. Ils ont permis une contribution réelle d'une partie des 200 personnes présentes au forum et constituent une synthèse exceptionnellement riche des interrogations et des expériences actuelles sur l'intégration de l'éthique et de la spiritualité en organisation par les gestionnaires mêmes.

Le livre est divisé en trois parties. La première partie est *analytique*. Elle décrit le champ d'étude et le balise. La seconde est *pratique* et propose six expérimentations conduites dans diverses organisations ; la troisième partie est *inspiratrice*, en ce sens qu'elle propose des pistes nouvelles.

---

87. Sur la discipline du dialogue et l'apprentissage collectif en organisation, voir P. SENGE, *The Fifth Discipline*..., 1990, et T. PAUCHANT et M. CAYER, « L'entreprise apprenante et l'apprentissage systémique », 1998.

La première partie traite de la nécessité de l'intégration de l'éthique et de la spiritualité en management et des défis à relever. Dans le chapitre 1, Jean-Marie Toulouse suggère que cette intégration fait partie de l'un des six enjeux complexes auxquels les gestionnaires d'aujourd'hui sont confrontés dans le monde. Dans le chapitre 2, Ian I. Mitroff présente les résultats d'une première enquête détaillée conduite aux États-Unis sur la spiritualité au travail. Dans le chapitre 3, Solange Lefebvre discute des connotations associées aux notions de valeurs, d'éthique, de spiritualité et de religion. Le chapitre 4 présente un dialogue collectif sur ces thèmes.

Dans la seconde partie, les leaders de six organisations expliquent comment ils ont intégré l'éthique et la spiritualité dans leur milieu de travail; ces organisations œuvrent dans différents secteurs, soit: le système bancaire (chapitre 5, par Claude Béland); la publicité (chapitre 6, par Madeleine Saint-Jacques); le secteur de l'alimentation (chapitre 7, par J.-Robert Ouimet); une organisation publique (chapitre 8, par Vera Danyluk); le secteur de la santé (chapitre 9, par Yves Benoît); et une école de commerce (chapitre 10, par Peter Sheldrake et James Hurley). Le chapitre 11 présente un dialogue collectif sur les cas et les thèmes qui ont retenu l'attention.

La troisième partie du livre propose trois pistes permettant de mieux intégrer l'éthique et la spiritualité dans l'économie, le management et le travail en entreprise. Dans le chapitre 12, Thierry Pauchant présente les vues de la philosophe et ouvrière Simone Weil sur la spiritualisation du travail; dans le chapitre 13, Roger Berthouzoz prône l'utilisation de l'approche systémique en management, thème récurrent dans ce livre; et dans le chapitre 14, Michel Dion examine les similitudes et les différences dans les points de vue des juifs, des chrétiens et des musulmans sur l'économie. Le chapitre 15 présente un dialogue collectif sur les pistes et les thèmes abordés durant les deux jours du forum.

Enfin, dans le chapitre 16, je présente une évaluation du premier forum de FIMES, je suggère que toute décision ou toute action managériale présuppose une certaine conception du vrai, du bien et du beau, et je présente plus en profondeur le modèle systémique proposé par Ken Wilber. Je tire aussi des conclusions générales sur le chemin parcouru dans ce livre.

LA NÉCESSITÉ ET LES DÉFIS DE L'INTÉGRATION DE L'ÉTHIQUE ET DE LA SPIRITUALITÉ EN MANAGEMENT

La première partie de ce livre présente la nécessité et les défis de l'intégration de l'éthique et de la spiritualité en management. Dans le chapitre 1, Jean-Marie Toulouse suggère que cette intégration fait partie de l'un des six enjeux majeurs auxquels sont confrontés les gestionnaires d'aujourd'hui, partout dans le monde. Dans le chapitre 2, Ian I. Mitroff présente les résultats d'une première enquête détaillée conduite aux États-Unis sur la spiritualité au travail; dans le chapitre 3, Solange Lefebvre discute des connotations associées aux notions de valeurs, d'éthique, de spiritualité et de religion. Le chapitre 4 présente un dialogue collectif sur les thèmes traités dans cette première partie.

1 Les valeurs et l'éthique

L'une des six questions les plus difficiles à résoudre en gestion

Jean-Marie TOULOUSE

L'École des Hautes Études Commerciales (HEC) de Montréal a été créée en 1907, à la suite de dix ans de discussion entre le gouvernement du Québec, la Chambre de commerce de Montréal et le milieu des affaires, en particulier le milieu des comptables. Au cours de ces quelque 90 années d'histoire, les HEC ont su former les spécialistes des affaires et de l'économie dont la société avait et a toujours besoin.

Un examen attentif de notre histoire montrerait qu'à chaque époque, nous avons accompli les gestes appropriés pour atteindre les objectifs de l'institution, pour réaliser sa mission. Ce même examen historique montrerait également que durant toute son histoire, quatre valeurs fondamentales ont primé. Ces valeurs sont : l'enracinement dans notre milieu, l'internationalisation de l'action des HEC, l'innovation pédagogique et l'équilibre entre la formation spécialisée et la formation générale.

Vous avez sans doute noté que l'innovation, en particulier l'innovation pédagogique, joue un rôle central pour nous. Qu'il s'agisse de l'utilisation de la projection cinématographique, dès 1910, pour enseigner la géographie, de l'enseignement de la comptabilité professionnelle par correspondance dans les années 1930, de l'enseignement par l'audiovisuel à la fin des années 1970 ou encore de

Jean-Marie Toulouse, directeur de l'École des Hautes Études Commerciales (HEC) de Montréal, l'École de commerce la plus ancienne et l'une des plus prestigieuses au Canada, affiliée à l'Université de Montréal, a tenu personnellement à ouvrir le forum. Dans son intervention, il souligne le fait que ce forum est une première mondiale : jamais auparavant les notions de management, d'éthique et de spiritualité n'avaient été associées explicitement et discutées publiquement dans une école de commerce. Il insiste également sur le fait que le thème du forum s'inscrit dans la lignée des grandes valeurs qui ont animé l'École des HEC de Montréal depuis sa fondation au début du siècle, en particulier son souci de préserver un équilibre entre la formation spécialisée et la formation générale des gestionnaires. Enfin, il se dit convaincu que discuter ouvertement de questions d'éthique et de spiritualité en gestion répond véritablement à un besoin du milieu des affaires, ces questions étant parmi les plus difficiles à résoudre pour toute entreprise, au même titre que les questions de structure, de direction, d'efficience, d'environnement et d'entrepreneurship.

l'utilisation intensive des nouvelles technologies de l'information, depuis 1996, dans le nouvel édifice, l'École a toujours essayé d'innover.

Vous avez aussi noté, j'en suis sûr, la quatrième et dernière valeur que j'ai mentionnée. Voici un extrait du texte destiné à l'assemblée des professeurs, le 9 septembre 1998[1] :

> La quatrième valeur représente l'équilibre entre la formation spécialisée et la formation générale. Nos programmes ont toujours cherché à respecter cet équilibre. Les révisions récentes de nos programmes ont été faites en s'assurant de bien conserver cet équilibre.

Dans la vie quotidienne, les entreprises et leurs gestionnaires sont aux prises avec des questions, des problèmes, qui dépassent les limites techniques, les dimensions plus pratiques. Je pense ici aux questions de valeurs, d'éthique, de justice sociale. Je pense aussi au rôle des gens d'affaires dans la société, aux attentes de la société à leur égard, aux considérations à long terme par rapport aux préoccupations à court terme. Une grande école comme les HEC, qui valorise l'équilibre entre la formation générale et la formation spécialisée,

---

1. Voir J.-M. TOULOUSE, document interne aux HEC, 1998.

doit trouver la façon de préparer ses diplômés à affronter ces réalités au moment où ceux-ci arriveront sur le marché du travail ou durant toute leur vie professionnelle.

Ce forum sur le management, l'éthique et la spiritualité s'inscrit dans la foulée de nos valeurs. Il répond aux préoccupations du milieu. Il est une innovation d'envergure mondiale : on n'a jamais associé, lors d'un séminaire, les mots *management, éthique* et *spiritualité* ; et, surtout, ceux qui rêvaient de ce projet n'imaginaient pas qu'il pourrait se réaliser dans une école de gestion, une faculté d'administration ou encore moins aux HEC. Ce forum pose de façon exemplaire le problème de l'équilibre entre la formation spécialisée et la formation générale et il s'inscrit merveilleusement bien dans la tendance internationale actuelle.

Je m'attarderai un peu sur la pertinence de ce forum en regard des préoccupations du milieu et de l'internationalisation, car les autres aspects sont peut-être un peu plus évidents. Au Québec, au Canada et pratiquement dans tous les pays, les entreprises sont au cœur d'une mouvance exceptionnelle. Elles doivent faire face à des événements, des problèmes qu'on appelle parfois mondialisation, internationalisation, mouvance dans les marchés (ceux qui parmi vous suivent le cours des actions à la Bourse savent très bien ce que cela veut dire), affirmation des identités nationales, régionales et religieuses, émergence des nouvelles technologies qui rendent plus facile l'accès à l'information, circulation massive des informations spécialisées et populaires (pensons à Internet), rôle déterminant de la technologie dans la capacité concurrentielle, éclatement des rôles traditionnels et expérimentation de nouveaux rôles, en particulier ceux associés aux femmes, aux professionnels et aux jeunes.

Dans cette mouvance, les entreprises ont appris à gérer, à perfectionner leur mode de fonctionnement, leur structure de gestion ; elles ont découvert comment maintenir la personne humaine au cœur de la gestion, comment gérer les grandes fusions avec les avantages, les risques et les inconvénients que cela comporte ; elles ont appris à vivre en dépit de leur fragilité, de leur vulnérabilité. Aucune entreprise, même la plus grande, n'est à l'abri des tempêtes. Les entreprises ont aussi appris à gérer en s'assurant que les ressources, les coûts et les avantages sont bien évalués. Elles ont aussi appris à trouver la place qui convient aux petites et moyennes entreprises dans un marché dominé par de très grandes entreprises. Cependant, les entreprises ont aussi constaté, durant toute cette période, que certaines questions sont plus difficiles à résoudre et nécessitent réflexion, discussion et, pourrait-on dire, recherche fondamentale. Selon moi, ces questions sont au nombre de six. Lors de ma nomination comme directeur des HEC, j'avais résumé ces questions de la façon suivante.

1 Les structures

Il est clair que le modèle pyramidal n'est plus le seul modèle viable. Les entreprises parlent de structures virtuelles. Elles parlent de structures en réseau, d'organisation horizontale, d'association, de partenariat, de «mariage» et de concertation. Au-delà de la restructuration, au-delà des réingénieries, au-delà de l'aplatissement des structures et du renversement des pyramides, les entreprises sont en train d'élaborer ce que l'on pourrait appeler une nouvelle conception de l'entreprise, mais personne ne sait encore quel modèle sera dominant ni si un tel modèle existera.

2 La direction

L'observation de la vie des entreprises permet de constater que diriger ne veut pas dire chercher des mécanismes qui retardent l'exercice du jugement ou la nécessité de choisir. Diriger, c'est travailler avec d'autres dans des rapports de confiance et de collaboration, en vue de réaliser un projet. Les entreprises nous demandent, à nous, les écoles de gestion, de les aider à préparer les futurs dirigeants. Elles nous demandent de les éclairer sur l'exercice de la direction, de préparer les jeunes d'aujourd'hui à devenir les dirigeants de demain.

3 La décroissance et l'efficience

Les entreprises ont épuisé les moyens usuels pour gérer la décroissance ou pour augmenter l'efficience. Elles ont dégraissé, elles ont coupé dans le gras, elles ont congédié, elles ont supprimé des postes et réduit des coûts. Et après, quoi faire? Le secteur public vit cette question avec beaucoup d'acuité. Comment peut-on arriver à gérer lorsque les ressources ne sont plus là? Les entreprises sont profondément tiraillées par ces questions. Elles cherchent des réponses et l'expérience quotidienne leur permet de constater que les recettes toutes faites ne fonctionnent pas.

4 L'environnement

L'environnement est une question difficile. Certaines entreprises se cherchent, d'autres nient la question, d'autres font des exercices d'image publique, d'autres attendent que cela passe. Les entreprises attendent que les spécialistes de la gestion leur fournissent des concepts, des modes d'approche, des outils de travail concrets et réalistes pour aborder la question de l'environnement.

5 L'entrepreneurship

Sur cette question, je vous rappelle un article de *Business Week*, publié en 1993, dont le titre était : « How Entrepreneurs Are Reshaping the Economy and What Can Big Companies Learn[2] ». Je pense qu'une école comme les HEC doit s'assurer que ses étudiants développent leur sens de l'entrepreneurship, peu importe leur champ professionnel.

6 Les valeurs et l'éthique

La pratique de la gestion et son enseignement ne peuvent se faire en évitant de parler de valeurs ou d'éthique. C'est dans les gestes concrets que les questions de valeurs ou d'éthique se posent. Pensons aux licenciements, au déplacement de la production d'un lieu à un autre, d'un pays à un autre. Pensons aux modes et aux critères de rémunération, aux choix des investissements, aux priorités d'action en regard des gains à court terme. Toutes ces questions renvoient aux valeurs, à l'éthique et à la spiritualité, qui sont le thème de ce forum.

Je crois que ces quelques éléments nous indiquent comment le forum actuel vient s'insérer dans la continuité de nos préoccupations. En terminant, je voudrais vous souhaiter une bonne lecture sur ces sujets primordiaux.

---

2. *Business Week*, 1993.

2 La spiritualité au travail

Le prochain défi majeur en management

Ian I. MITROFF

J'AIMERAIS VOUS PRÉSENTER quelques résultats d'une étude que je viens de réaliser avec ma collègue Elizabeth Denton sur le thème de la spiritualité au travail. À ma connaissance, cette enquête systématique est la première à avoir été menée d'un point de vue managérial. Le simple fait qu'aucune recherche n'avait encore été faite sur ce sujet en management est révélateur des problèmes qui existent dans ce champ scientifique en général ainsi que dans la communauté des chercheurs en gestion en particulier. Je reviendrai sur ce point à la fin de ma présentation. En premier lieu, je décrirai la recherche que nous avons entreprise, ensuite je présenterai les résultats principaux, pour la plupart contraires à ce à quoi on aurait pu s'attendre. Je terminerai par une typologie des diverses voies que peuvent prendre les gestionnaires pour intégrer les valeurs spirituelles ou éthiques dans leur organisation.

1 La recherche

Je suis professeur et chercheur dans une école d'administration. J'agis aussi à titre de consultant pour toutes sortes d'organisations, privées, publiques, gouvernementales ou associatives. Je travaille surtout dans le domaine de la gestion des crises ; et pourtant, au cours

Dans ce chapitre, Ian I. Mitroff, professeur influent en management ainsi que consultant reconnu, nous présente les résultats d'une des premières études empiriques sur la spiritualité en milieu de travail. L'étude, réalisée récemment, a fait appel à 230 gestionnaires et directeurs d'entreprises aux États-Unis. Les résultats sont surprenants: par exemple, nous apprenons que 92 % des gestionnaires aimeraient intégrer des principes spirituels dans leurs organisations, mais qu'ils s'empêchent de le faire pour plusieurs raisons, tels le manque d'exemples et de modèles pratiques, le besoin de rester critiques et de ne pas s'associer avec le mouvement du «Nouvel Âge» ou la volonté de respecter les autres et eux-mêmes. De plus, ces gestionnaires établissent clairement la distinction entre la notion de spiritualité et celle de la religion. Ils sont tous et toutes d'accord pour dire que davantage de spiritualité au travail les aiderait à vivre une vie mieux intégrée et donnerait à leurs organisations une réputation de «qualité mondiale». Cette enquête importante nous révèle aussi les conditions et processus nécessaires pour que la pratique du management devienne plus spirituelle et éthique: le besoin d'une crise pour déclencher le processus de transformation; le besoin d'une aspiration éthique plus élevé ainsi que des règles déontologiques différentes; le besoin de remettre en question la pensée traditionnelle qui veut que la spiritualité ne soit que personnelle, et faire en sorte que la spiritualité puisse s'institutionnaliser. Le chapitre conclut avec une typologie des diverses voies que peuvent prendre les organisations pour se transformer. Ian Mitroff exprime aussi l'outrage moral qu'il ressent du fait que la recherche scientifique, en sciences administratives, ait jusqu'à maintenant ignoré un sujet d'étude si important.

de la dernière année, j'ai réalisé, avec ma collègue Elizabeth Denton, des entrevues auprès de plusieurs gestionnaires et directeurs de diverses organisations afin de déterminer ce que la spiritualité signifiait pour eux.

Nous avons réalisé cette étude non seulement pour définir ce qu'est la spiritualité dans le contexte du travail, mais aussi, et plus important encore, pour décrire comment elle est pratiquée. Je n'ai pas le temps ici d'entrer dans tous les détails de la recherche. J'essayerai du moins de vous transmettre l'essentiel. Pour ceux et celles parmi vous qui aimeraient l'approfondir, nous venons tout juste de publier un livre qui en présente les résultats[1]. Pour cette recherche, nous avons réalisé 230 entrevues avec des gestionnaires et des directeurs provenant de secteurs et d'organisations diverses. Certaines des organisations étaient plus traditionnelles, mues par des valeurs strictement économiques. D'autres étaient fortement préoccupées par la promotion de valeurs spirituelles et éthiques en affaires. Ces caractéristiques nous ont permis de comparer ces différents types d'organisations et de nous concentrer sur les pratiques et comportements organisationnels qui présentent des orientations radicalement différentes.

Nos résultats ont été colligés à partir de deux groupes de données : 131 questionnaires retournés par des entreprises classées *Fortune 500*, et 99 entrevues menées en profondeur auprès de gestionnaires et de directeurs, dont certains étaient des P.-D.G. Nous avons commencé les entrevues avec des questions d'ordre plus général portant, par exemple, sur des données démographiques et professionnelles, afin de mettre les individus à l'aise. Nous leur avons ensuite posé plusieurs questions en utilisant différents types d'instruments. Par exemple, nous leurs avons demandé quel était le but et le sens de leur travail ; à quel point ils avaient peur de perdre leur emploi et combien de mises à pied leur organisation avait subies ; comment leur activité professionnelle contribuait à donner du sens à leur vie ; quelles étaient les valeurs principales qui guident leur vie, etc.

Nous avons aussi demandé l'affiliation religieuse de l'individu, celle de ses parents et celle de son conjoint ou de sa conjointe ; s'il croyait en une déité ou une « force supérieure ». Nous avons aussi posé des questions sur ce que les mots *spiritualité* et *religion* signifiaient pour eux. Nous ne voulions pas leur fournir nos définitions. Nous étions plutôt intéressés à connaître les leurs. Nous leur avons demandé aussi si le concept de spiritualité s'appliquait mieux à leur organisation que celui plus abstrait de « valeur ».

Élément primordial, nous leur avons aussi demandé s'il existait des processus dans leur organisation qui permettaient de développer ou d'intensifier la spiritualité au travail. Par exemple, nous leur avons demandé, à propos de la prière, la fréquence avec laquelle ils priaient en général, s'ils priaient au travail et si leur organisation avait mis en

---

1. Voir I.I. Mitroff et E. Denton, *A Spiritual Audit of Corporate America...*, 1999.

place un processus pour faciliter la pratique de la prière au travail. Nous avons aussi posé des questions afin de savoir s'ils pouvaient exprimer leurs émotions profondes pendant leur travail et, le cas échéant, comment ils les exprimaient.

Enfin, nous avons aussi dépeint le portrait de chaque organisation à partir des perceptions des participants afin de pouvoir les comparer les unes aux autres. Nous avons demandé aux participants et participantes, par exemple, de décrire leur organisation en fonction de plusieurs échelles de valeurs : de « chaude » à « froide », de « flexible » à « inflexible », de « rentable » à « non rentable », etc. Ils ou elles devaient aussi classer la spiritualité et la religion selon des échelles : de « tolérant » à « intolérant », de « ouvert d'esprit » à « fermé d'esprit », de « inclusive » à « exclusive », etc.

2   Quelques résultats de l'enquête

Il est important de mentionner dès maintenant que la plupart de nos résultats sont surprenants et contredisent souvent l'opinion populaire. Je ne puis m'attarder ici à vous donner tous les détails, mais je vous présenterai ce que je crois être l'essentiel.

2.1   Presque la totalité des managers favorisent l'intégration de valeurs spirituelles au travail

Un des résultats plus fondamentaux de cette enquête est que 92 % de nos répondants, parmi les 230 gestionnaires et directeurs travaillant dans toutes sortes d'organisations, ont une perception positive de la spiritualité ou de la religion et qu'ils cherchent des façons de mieux les intégrer dans leurs activités quotidiennes au travail. Comme l'a mentionné avec justesse Jean-Marie Toulouse, discuter de la problématique des valeurs, de l'éthique et de la spiritualité au travail est un besoin primordial dans les milieux d'affaires (voir le chapitre 1). Notez bien que cette demande n'émane pas d'une minorité de gestionnaires, ni même d'une simple majorité, mais bien de la presque totalité d'entre eux et d'entre elles (92 %), du moins aux États-Unis. Seulement 8 % de nos répondants et répondantes ont une attitude négative quant à l'importance de ces thèmes en organisation.

2.2 Il existe un manque de modèles et d'outils d'intégration de la spiritualité au travail

Affirmer que 92 % de nos participants et participantes désirent mieux intégrer la spiritualité au travail ne signifie en rien que ce soit facile ou que ce vœu ne rencontre pas d'obstacles à sa réalisation. Notre étude suggère qu'il existe une crainte profonde chez ceux et celles qui veulent intégrer ces valeurs dans leurs activités quotidiennes de travail et de gestion. Ces personnes souffrent de ce que j'appellerais le *dilemme de Faust* : elles veulent pouvoir pratiquer leur spiritualité au travail alors qu'elles ne connaissent ni les manières ni les modèles concrets qui leur permettraient de le faire. Elles ont aussi peur, car la plupart d'entre elles ont déjà souffert au travail, ayant été ridiculisées ou humiliées à plusieurs reprises. Ces personnes sont bien conscientes que si elles osaient investir tout leur être dans leur travail, y compris leurs idéaux spirituels, elles risqueraient d'être ridiculisées plus encore, l'humiliation touchant cette fois le centre même de leur âme.

L'autre raison pour laquelle ces gestionnaires et directeurs hésitent à parler de leur spiritualité au travail est associée au désir de conserver leur sens critique et de ne pas offusquer leurs collègues. Certains d'entre eux s'empêchent d'utiliser les mots « esprit » ou « âme », parce qu'ils sont ternis aux yeux de leurs collègues. La plupart des répondants, aussi, se dissocient fortement du mouvement du « Nouvel Âge » qu'ils considèrent puéril et sans fondement. D'une part, ces gestionnaires désirent rester critiques et ne pas être associés à des mouvements plutôt suspects et, d'autre part, ils désirent respecter leurs collègues.

Et pourtant, malgré ces difficultés, ces gestionnaires et directrices ne veulent pas abandonner leur quête de spiritualité au travail. Sur le plan individuel, ils ou elles cherchent au travail quelque chose qui les dépasse et ils désirent trouver des façons de vivre une vie mieux intégrée. Au plan organisationnel, ces personnes se rendent compte aussi que si les organisations ne trouvent pas les moyens d'accéder à cette force, aucune organisation ne pourra vraiment offrir des services et des produits de « classe mondiale » qui pourraient être bénéfiques pour l'humanité tout en étant en harmonie avec l'esprit et la nature.

2.3   Les gestionnaires ont une vue homogène de la spiritualité

Un autre de nos résultats est tout aussi fondamental et surprenant. Alors que les répondants ont utilisé plusieurs notions différentes pour définir la spiritualité au travail et qu'ils ont clairement fait la distinction entre les notions de spiritualité et de religion (un sujet sur lequel je reviendrai plus tard), tous nos interlocuteurs avaient plus ou moins la même définition de la spiritualité. Tous et toutes ont exprimé sous une forme ou une autre que leur plus grand souci concernant la spiritualité au travail était de *surmonter leur expérience de fragmentation*, de vivre une vie plus « intégrée », plus « systémique ». Essentiellement, ni les gestionnaires, ni les directrices, ni les P.-D.G. ne désirent vivre une vie fragmentée. Ces personnes constatent que leurs vies sont divisées et fragmentées en milles morceaux. Leur « quête de sens » est perpétuelle, comme l'ont relevé Thierry Pauchant et ses collègues dans leur livre portant ce titre[2]. Limiter cette quête aux seules heures hors travail ou à une ou deux journées par semaine est vécu comme une situation absurde. Comme l'a mentionné un de nos répondants : « Nous venons travailler pendant huit heures et ils nous ridiculisent, en plus d'humilier notre âme. Nous sommes ensuite libres de rentrer chez nous afin de soigner nos blessures durant le temps qu'il nous reste. »

De plus, malgré les différences de discours, à peu près toutes les personnes à qui nous avons parlé ont affirmé qu'il existe une « force supérieure » : elles croient qu'il existe un sens et un but à l'univers et qu'elles sont sur terre pour « faire le bien ». Pour elles, le monde n'est ni absurde ni dénué de sens et, par conséquent, leur monde du travail devrait aussi avoir un sens et un but. Comme l'a exprimé une personne :

> La spiritualité est le sentiment profond de faire partie de tout ce qui nous entoure et d'y être relié, avec tout l'univers physique et toute l'humanité... Nous avons été mis sur cette terre pour accroître le bien, pas seulement pour gagner de l'argent.

Encore une fois — et il me semble très important d'insister sur ce fait —, il est scandaleux que plusieurs de ces questions métaphysiques et croyances spirituelles n'aient pas vraiment été étudiées de

---

2. Voir Thierry Pauchant *et al.*, *La quête du sens*, 1996.

façon scientifique au cours des dernières décennies, à quelques exceptions près. Nous savons pourquoi : peur, manque de courage, dédain de la métaphysique par la science positiviste, séparation entre l'Église et l'État qui présume que les individus laissent leur spiritualité à la maison quand ils sont au travail, etc.

Ce manque d'intérêt pour la question de la spiritualité au travail devient encore plus absurde dans une ère comme la nôtre, alors que de plus en plus d'organisations sont à la recherche de façons d'amener la personne *entière* au travail, afin qu'elle utilise la totalité de sa créativité dans un monde qui devient de plus en plus global. Cela est encore plus absurde quand on pense que les organisations veulent de plus en plus obtenir l'engagement total et l'enthousiasme de leurs employées, gestionnaires et directrices. Nous l'oublions souvent, mais le mot « enthousiasme » est une notion spirituelle. Il est formé du grec *en*, qui signifie « à l'intérieur », et *thuos*, qui signifie « dieu ». Être « enthousiaste » signifie littéralement « avoir Dieu (ou une force spirituelle) à l'intérieur de soi ».

Finalement, malgré les différences dans le vocabulaire et les référents, le fait que la notion de spiritualité soit exprimée de façon homogène par les gestionnaires et les directeurs signifie qu'elle peut être étudiée et même mesurée scientifiquement. Je suis encore une fois d'accord avec Jean-Marie Toulouse (voir le chapitre 1) lorsqu'il affirme que les questions d'éthique et de spiritualité sont parmi les plus importantes en gestion. Si la question de la spiritualité au travail peut être considérée comme un sujet *soft*, il est véritablement *hard* de l'aborder en gestion. La question est fondamentale, non seulement pour le bien-être des employés, des gestionnaires, des directrices et des P.-D.G., mais aussi pour celui de l'ensemble des organisations et des communautés de notre fragile planète.

2.4 L'« organisation spirituelle » présente des caractéristiques spécifiques

Une « organisation spirituelle » est une organisation dans laquelle le P.-D.G., les directeurs et les gestionnaires tentent d'actualiser certaines valeurs éthiques et spirituelles dans leur vie quotidienne. Bien que nous disposions de peu de renseignements sur les caractéristiques de ces organisations particulières, notre enquête préliminaire suggère que ces dernières ne sont pas traditionnelles. S'il fallait les classer, elles seraient plutôt hybrides et se situeraient entre les organisations à but lucratif et celles à but non lucratifs. Ces organisations semblent former une espèce nouvelle. Ben & Jerry's, qui a son siège social au Vermont, en est un exemple. Sans toutefois idéaliser cette entreprise, l'une de ses premières réalisations a été de supprimer la notion de « seuil ». Les gestionnaires de Ben & Jerry's ont affirmé que, peu importe le salaire qu'ils gagneraient, ils allaient contribuer plus substantiellement aux causes charitables que ceux des entreprises traditionnelles. Ils savaient que s'ils avaient établi un seuil à partir duquel ils donneraient de l'argent, jamais ils ne l'atteindraient. Dans cette entreprise, 10 cents de chaque premier dollar gagné est offert en don afin d'améliorer le sort du monde. Cet exemple rend bien compte de la différence qui existe dans les « organisation spirituelles » : elles tentent de fonctionner à un niveau éthique plus élevé ; elles suivent des règles différentes.

Cette caractéristique est aussi évidente au niveau individuel. Quand nous avons demandé à nos répondants ce qui apportait du sens à leur travail, ils placèrent en première position « la possibilité de réaliser entièrement leur potentiel humain ». En deuxième et troisième positions se trouvaient « faire un travail intéressant » et « travailler dans une organisation éthique ». La rémunération venait seulement en cinquième position sur l'échelle des priorités.

Gagner de l'argent en exerçant un métier ou une profession est, sans contredit, quelque chose d'important. Cela est d'autant plus vrai pour quelqu'un qui travaille tout juste pour atteindre un niveau de subsistance. Par contre, comme l'a proposé Abraham Maslow il y a plusieurs années, aussitôt que le niveau de subsistance est atteint, d'autres valeurs deviennent plus importantes (voir le chapitre d'introduction). Cela implique, comme l'ont indiqué nos répondants, que la spiritualité doit être pratiquée pour elle-même : les organisations et les individus qui s'engagent dans une voie spirituelle pour gagner plus d'argent vont échouer. Cependant, le contraire est peut-être vrai : les organisations qui embrassent la voie spirituelle par besoin de valeurs plus élevées, et non par appât du gain, peuvent devenir plus rentables, ce qui constitue un paradoxe fondamental. Les paradoxes fondamentaux se rencontrent souvent quand on touche aux questions essentielles. Les relations qui existent entre la recherche du profit et la mise en pratique de valeurs plus élevées sont un sujet sur lequel la recherche scientifique devrait s'attarder. Mais une chose semble claire : les organisations les plus ouvertes à la spiritualité ne sont pas nécessairement celles qui sont à but non lucratif, et, inversement, les organisations à but lucratif peuvent présenter un haut degré de spiritualité.

2.5 Une crise est souvent nécessaire pour amorcer le processus de transformation

La nécessité d'une crise dans le processus de transformation vers la voie spirituelle est un autre résultat intéressant de notre enquête. Les gestionnaires ne se réveillent pas un matin en décidant que leur organisation va s'ouvrir à la spiritualité parce que c'est simplement « une bonne chose à faire ». Une crise — ou même plusieurs — qui les a blessés personnellement est, le plus souvent, à l'origine de leur démarche. Nous avons traité, dans les études antérieures, de la nécessité d'une crise pour amorcer le processus de transformation vers la voie spirituelle[3]. L'exemple de Tom Chappell, de Tom's of Maine, est très éloquent. Tom connaissait un immense succès : il avait une maison superbe, une grande voiture, une épouse merveilleuse, etc. Mais un matin, à son réveil, sa vie lui est soudainement apparue vide de sens. Au lieu d'aller voir un thérapeute, ce qu'il aurait pu facilement faire, il a fait quelque chose d'encore plus radical : il est allé rencontrer le prêtre de son église. Il s'est ensuite inscrit pour deux ans à la Divinity School de Harvard afin d'apprendre tout ce qu'il fallait pour devenir un être « spirituel ». Il s'était rendu compte que son problème, très profond, était davantage d'ordre spirituel que psychologique. Carl Jung a constaté la même chose il y a plusieurs années pour le traitement de l'alcoolisme. La maladie dont souffrent les alcooliques est une perte d'âme et d'esprit. Et pour que la guérison puisse commencer, une crise est nécessaire[4]. Dans le vocabulaire des Alcooliques anonymes, la personne doit atteindre « le fond du baril ». Alors qu'il n'est pas donné à tous d'atteindre l'« illumination » (peu importe ce que cette notion implique), la majorité des gens ne s'engagent sur la voie spirituelle qu'après une crise majeure.

---

3. Voir T. C. PAUCHANT et I.I. MITROFF, *La gestion des crises et des paradoxes...*, 1995, ou I.I. MITROFF et H.A LINSTONE, *The Unbounded Mind...*, 1993.

4. Sur ce sujet, voir I.I. MITROFF et E.A. DENTON, *op. cit.*, 1999.

Dans une organisation, la crise ne doit pas être liée à une simple perte d'argent, de parts de marché ou de profits. Elle doit être liée à une véritable perte de sens; elle doit être « existentielle ». La crise doit amener les personnes de l'organisation — gestionnaires, employées ou directrices — à admettre que la façon dont elles gèrent leur vie et leur entreprise ne garantit pas le développement de leur plein potentiel en tant qu'humains.

2.6 Les gestionnaires perçoivent une grande différence entre la spiritualité et la religion

Le dernier résultat que j'aimerais commenter ici porte sur les différences que les gestionnaires établissent entre les notions de «spiritualité» et de «religion». La plupart des gestionnaires de notre étude font clairement une distinction entre ces deux notions. La religion a une connotation extrêmement négative. Elle est perçue comme dogmatique, intolérante, plus préoccupée par l'organisation que par l'individu. La spiritualité est nettement en opposition à la religion. La preuve statistique que j'en ai est la plus forte que je n'ai jamais vu dans ma carrière de chercheur scientifique! La spiritualité est perçue comme une forme d'ouverture d'esprit, de tolérance; elle se fonde davantage sur l'individu, et ne répond à aucune exigence bureaucratique ou formelle, contrairement à la religion. Je reviendrai sur ce sujet un peu plus loin.

3 Une première typologie des organisations spirituelles

L'un des résultats les plus importants de notre enquête est la découverte de cinq modèles différents d'intégration des valeurs spirituelles et éthiques dans les organisations. Aucun de ces modèles, à notre connaissance, n'a été décrit en détail et la plupart des répondants en ignorent l'existence. Alors que cette typologie est encore incomplète et qu'elle nécessite d'autres études scientifiques, elle pourrait quand même aider les gestionnaires à découvrir, comme ils nous l'ont confié, les modèles qu'ils recherchent afin de développer la spiritualité dans leur organisation. Cette typologie est fondée sur les perceptions négatives et positives de nos répondants à l'égard de la spiritualité et de la religion, comme le montre la figure 4.

Dans cette figure, nous avons indiqué le pourcentage des personnes qui ont une perception positive ou négative de la religion et de la spiritualité : 30 % d'entre elles ont une perception positive des deux notions, tandis que 60 %, la majorité, ont une perception positive de la spiritualité mais une perception négative de la religion. Il est intéressant aussi de noter que seul un pourcentage minime, soit 8 %, ont une perception négative de la religion et de la spiritualité, et que seulement 2 % des répondants, même s'ils ont une perception positive de la religion, ne perçoivent pas la spiritualité sous un jour positif. Le plus important à noter, malgré toutes les différences, est que *92 % des répondants — gestionnaires, directrices ou P.-D.G. — ont une perception positive de la spiritualité ou de la religion.* Ce résultat nous démontre, comme nous l'avons déjà dit, l'importance fondamentale de la spiritualité au travail et la nécessité de conduire des recherches scientifiques sur ce sujet.

Figures 4   Différentes voies permettant de devenir
une « organisation éthique » ou « spirituelle »

Spiritualité

	Perception positive	Perception négative
Perception positive	30 % 1. Organisation basée sur la religion	2 %
Perception négative	2. Organisation en voie d'évolution 3. Organisation en voie de guérison 4. Organisation socialement responsable 60 %	5. Organisation basée sur les valeurs spirituelles 8 %

Religion

À partir des exemples que nous ont donnés les répondants et de notre analyse de la foisonnante documentation scientifique sur le sujet[5], nous avons pu classer quelques-unes des voies ou des «designs» qu'une organisation peut emprunter pour devenir plus «spirituelle».

La première voie, *l'organisation basée sur la religion*, est située dans les deux quadrants supérieurs du modèle, où religion et spiritualité sont toutes deux des sources de croyances fondamentales et de valeurs universelles. Ces organisations peuvent avoir été créées par plusieurs communautés religieuses, ou encore avoir élaboré leurs principes à partir d'une tradition religieuse particulière, comme l'a fait Ouimet-Cordon Bleu, une entreprise canadienne du secteur alimentaire dont le cheminement spirituel est décrit dans ce livre (voir le chapitre 7).

La deuxième voie est formée par trois types d'organisations: *l'organisation en évolution*, *l'organisation en voie de guérison* et *l'organisation socialement responsable*. Même si ces organisations ont une perspective positive de la spiritualité, elles n'utilisent pas obligatoirement les normes d'une religion en particulier.

L'«organisation en évolution» a été fondée par une organisation religieuse mais elle est devenue strictement œcuménique avec le temps. Tom's of Maine et la YMCA en sont deux excellents exemples. J'ai parlé avec le P.-D.G. de la YMCA de Los Angeles. Il m'a confié que le fait d'être à la fois juif et président d'une des plus grandes division de la YMCA montre bien que l'organisation a aujourd'hui une vocation œcuménique ou interreligieuse.

L'«organisation en voie de guérison», le deuxième type de cette voie, est fascinante. Pour un grand nombre d'organisations que nous avons visitées, les hauts dirigeants avaient pour la plupart un problème de dépendance à l'alcool. Ils étaient tous membres des Alcooliques anonymes (AA). Ces gestionnaires tentaient d'appliquer et d'adapter les principes des AA à la direction de leur entreprise.

---

5. Voir en particulier: L. BOLMAN et T.E. DEAL, *Leading with Soul...*, 1996; A. BRISKIN, *The Stirring of Soul in the Workplace*, 1996; T. CHAPPEL, *The Soul of a Business...*, 1994; B. DEFOORE et J. RONESH, *Rediscovering the Soul of Business...*, 1995; M. NOVAK, *Business as a Calling...*, 1996, et J.K. SALKIN, *Being God's Partner...*, 1994.

Comme ils n'étaient pas des spécialistes en théorie organisationnelle, ils affrontaient de nombreuses difficultés. Pourtant, puisqu'ils assistaient tous aux réunions des AA, ils tenaient tous le même langage lorsqu'il s'agissait de parler de la spiritualité d'une manière non religieuse, c'est-à-dire d'une manière qui pouvait plus facilement être acceptée par tous leurs employés et employées. Ils apprenaient à parler de spiritualité d'une manière « nuancée ». Une des leçons que nous avons apprises de notre étude est qu'il semble nécessaire de développer dans l'organisation une « écoute » et un « parler » spirituels. Il ne faut pas entendre par là qu'il faille devenir secret ou mystérieux à propos de la spiritualité. Cependant, il semble tout à fait nécessaire de développer des notions, processus et pratiques qui n'offensent personne. Même si je fais surtout allusion ici à l'alcoolisme, les mêmes remarques pourraient s'appliquer à la dépendance aux drogues, à la violence, à l'amour de l'argent, au sexe, à la boulotmanie, etc.

Finalement, le troisième type d'organisation de cette voie, l'«organisation socialement responsable», émerge souvent directement de la vision du fondateur et est guidée par des principes spirituels et des valeurs sociales. Un bon exemple de celle-ci est Ben & Jerry's. Pour ses dirigeants, la spiritualité s'exprime par les efforts à résoudre les problèmes de la société.

L'«organisation fondée sur des valeurs» est la quatrième voie possible pour une organisation qui veut devenir plus éthique. Dans ce cas, ce ne sont pas des valeurs religieuses ou spirituelles qui établissent ou animent l'organisation. Ces organisations sont plutôt mues par des valeurs séculaires, sociales ou environnementales. En guise d'exemple, on pourrait citer la corporation Kingston Technologies, un fabricant d'équipements informatiques dans l'Orange County (Californie).

Ce modèle permet une classification initiale des différentes voies que les organisations peuvent prendre afin de devenir plus éthiques ou spirituelles. Chaque voie est conditionnée par le passé propre de l'organisation, chacune ayant ses forces et ses faiblesses particulières et chacune étant valide en elle-même. Aussi, chacune de ces voies a ses crises propres au moment de son émergence, son propre «principe d'espoir», ses propres sources de sagesse et de foi, tels des textes ou des histoires, son propre langage et ses propres mécanismes pour établir les orientations, les pratiques, ainsi que pour prévenir les excès, par exemple l'imposition de règles pour contrer l'amour de l'argent.

Il faut toutefois insister sur les précautions à prendre. La voie, pour qu'elle survive au passage des générations, doit être *institutionnalisée*. Cela signifie que les principes éthiques ou spirituels doivent être mis en pratique dans *tous* les processus et composants importants de l'organisation, tels que les politiques et les modes de fonctionnement dans les domaines des ressources humaines, de la finance, du marketing, de la comptabilité, de la stratégie, du leadership, de la conception des produits, de la sécurité et ainsi de suite. L'inspiration d'un seul leader ou même d'un groupe de leaders ou d'une famille perd souvent sa légitimité lorsque les individus quittent l'organisation. Cela nous amène à un autre paradoxe : même si la spiritualité est souvent perçue comme une expérience personnelle, elle doit, pour survivre et s'épanouir, s'institutionnaliser, c'est-à-dire transcender l'expérience individuelle et devenir *systémique*.

Conclusion

Un de mes meilleurs amis et collègues de la University of Southern California, Warren Bennis, m'a demandé pourquoi je menais toutes ces entrevues. Alors que la plupart des résultats que j'ai présentés me semblaient passablement évidents après seulement un trentaine d'entrevues, je continuais quand même à en faire. Je lui ai répondu que c'était ma manière de vivre ma propre spiritualité.

Plus je passe de temps dans le monde universitaire, plus ma relation d'amour et de haine envers lui grandit. Je considère que c'est une trahison morale que nous n'ayons, pour ainsi dire, effectué aucune recherche sérieuse sur le thème de la spiritualité au travail, malgré quelques cas isolés. Sincèrement, je considère comme moralement inacceptable le fait que des professeurs titulaires, des personnes protégées financièrement et socialement, ne déploient pas l'énergie nécessaire pour aborder ces questions et aider ainsi les gestionnaires qui n'ont ni le temps ni la connaissance pour poursuivre de telles recherches. D'après moi, cette première étude systémique sur la spiritualité au travail et en organisation est importante, car elle a le potentiel nécessaire, je l'espère du moins, pour aider l'humanité dans sa quête d'enrichissement spirituel. Les professeurs et les chercheurs des écoles de gestion ont le devoir moral d'effectuer de telles recherches. S'ils ne le font pas, ils ne sont pas « éthiques » vis-à-vis de leur propre profession, ils ne pourront donc s'actualiser pleinement et notre monde naturel et spirituel en sera appauvri.

3 La «crise du croire» en entreprise et la nécessité d'un dialogue sur la signification du travail

Solange LEFEBVRE

L'UN DE MES GRANDS PLAISIRS, comme théologienne, est de rencontrer des professionnels qui ne sont pas de mon milieu et d'entendre leurs propres discours spirituels et éthiques, d'apprendre sur leurs propres pratiques. La réflexion théorique se construit entre autres à partir de cet effort que tous et toutes font dans la société pour repenser les questions éthiques et spirituelles.

Ces derniers mois, en préparant cette intervention, une parole de Sherry Connolly, rapportée récemment dans le journal *The Globe and Mail*, m'a inspirée. Cette cadre de la Banque Royale a participé à l'organisation d'un colloque sur les rapports entre spiritualité et management à Toronto. Elle confiait: « La spiritualité n'est pas un sujet courant de conversation dans mon milieu de travail. Ce n'est pas évident[1]. » On peut s'interroger sur les raisons de cette situation.

Plusieurs raisons peuvent expliquer que nous ayons des difficultés à aborder cette question dans nos milieux de travail. Avant de traiter à fond de ce problème, mes deux premiers points de réflexion porte-

---

1. S. CONNOLLY, *The Globe and Mail*, 22 mai 1998, p. B 21.

Dans ce chapitre, Solange Lefebvre, en tant que théologienne et anthropologue, retrace les différentes significations attribuées aux notions de religion, de spiritualité et de travail à travers les siècles et suggère que la «crise du croire» observée actuellement en entreprise et dans la société en général requiert l'urgente tenue d'un dialogue sérieux sur ces notions. En se basant sur les entrevues très élaborées qu'elle a réalisées en entreprise, elle aborde les tabous entourant les notions de spiritualité et de religion en entreprise et les connotations négatives attachées généralement au travail. Elle insiste aussi sur les besoins de «respect» et de «raccord» exprimés par de nombreuses personnes face à leur expérience de «fragmentation», expérience évoquée par Ian I. Mitroff dans le chapitre précédent.

Rappelant que le bonheur se trouve aussi dans les difficultés et que l'une des fonctions de la religion et de la spiritualité est de permettre aux personnes de prendre conscience de leurs limites — de réaliser qu'elles ne sont des déesses ou des dieux — Solange Lefebvre propose qu'une éthique et une spiritualité du travail se fondent non pas sur une fuite du monde mais sur l'impératif de la vie en commun et sur une réinterprétation de la notion même du travail. Elle propose de plus que l'intégration de l'éthique et de la spiritualité en entreprise soit soutenue par des actions particulières, comme la valorisation de modèles de vie et la pratique de rituels. Enfin, elle affirme qu'il est fondamental que le monde des organisations et de l'économie, à la base même des échanges vitaux, intègre des valeurs éthiques et spirituelles dans ce siècle où, comme elle le dit joliment, «le progrès nous est rentré dans le corps».

ront sur le fait que, dans les années 1990, nous nous interrogeons beaucoup sur les questions éthiques et spirituelles, et ce, dans tous les milieux professionnels. Je situerai d'abord brièvement la distinction que les gens font entre spiritualité, valeur et religion, au plan de l'expérience et du point de vue historique. Après avoir abordé quelques sources des résistances à l'égard de la spiritualité au travail, je questionnerai certaines visions habituelles de la spiritualité. Et comme je travaille aussi depuis dix ans sur les rapports entre générations, que ce soit sous l'angle de la transmission des valeurs, de la solidarité ou des tensions, j'évoquerai cette question, en terminant, sous l'angle du défi de la vie en commun.

1   Spiritualité, valeurs ou religion : détour historique

Nombre de gens ont une définition très personnelle de ces trois mots : spiritualité, valeur et religion. À tel point qu'ils excluront de leur vocabulaire l'un ou l'autre. Il s'agit de perceptions très empiriques qu'il est utile de rappeler ici, car elles indiquent des tendances plus profondes.

Comme vient de nous le suggérer Ian Mitroff (voir le chapitre 2), faisant référence à l'enquête qu'il a menée sur la spiritualité aux États-Unis et comme il l'explique plus en détail dans son dernier livre[2], certains répondants préféreraient parler de « valeurs » plutôt que de « spiritualité ». Cela leur semblerait moins menaçant, moins chargé d'émotion et les placerait à bonne distance des querelles autour des appartenances confessionnelles ou religieuses. Il ne s'agit cependant pas de la majorité. Au Québec, je pense que c'est une tendance dominante. Les gens parlent plus facilement de valeurs. Depuis quelques années, lorsqu'on m'invite dans divers milieux professionnels, c'est pour aborder la question des valeurs. Les organisateurs de ce forum ont d'ailleurs hésité au départ sur la formulation du thème, se demandant : « Est-ce qu'on va mettre le mot *spiritualité* ou est-ce qu'on va mettre le mot *valeurs* ? » C'est vous dire à quel point les mots sont porteurs de sens. Ils ont finalement opté pour les mots « management, éthique et spiritualité ».

Pour bien des gens aussi, la spiritualité se distingue très clairement de la religion. La première référerait à une expérience plus subjective et plus libre, alors que la seconde se rattacherait à des structures, des systèmes contraignants, au sein desquels le sujet ou la personne a le sentiment d'avoir peu de place et peu de liberté d'interprétation. De manière générale, l'individu moderne s'affirme parfois « contre » les institutions. Mais, qu'on le veuille ou non, l'histoire occidentale, comme toute l'histoire du monde, reste fortement marquée par la question religieuse. Aussi, même si nous préférons parler de valeurs ou de spiritualité, on ne peut éviter de nous référer à nos racines religieuses pour *comprendre* nos décisions éthiques, nos visions du monde et du travail, nos résistances, nos choix et un ensemble d'attitudes ayant trait à la spiritualité.

---

2. I.I. MITROFF et E.A. DENTON, *A Spiritual Audit of Corporate America…*, 1999.

Par exemple, il est utile de situer à grands traits l'importance qu'ont prise ces dernières années les questions des valeurs et de la spiritualité. Pourquoi, présentement, y a-t-il de nouvelles quêtes, des expressions qui se cherchent, de nouvelles pratiques aussi ? Le contexte dans lequel les valeurs et la spiritualité traditionnelles se sont développées a profondément changé.

Rappelons-nous que la société d'avant-guerre avait intériorisé des valeurs d'austérité dans une économie pauvre, sur l'horizon d'un primat de la religion. D'où la religion de sacrifice, axée sur la pauvreté, sur la terre dite « vallée de larmes ». On donnait ainsi un sens religieux aux conditions de survie, et un certain pessimisme régnait. Une aînée me racontait qu'autrefois, lorsqu'il faisait très beau, on disait : « We're gonna pay for it[3]. » Et l'au-delà représentait la promesse d'une vie enfin heureuse.

L'après-guerre a favorisé l'émergence de valeurs plus matérielles, alors que la société aspirait à la prospérité et au confort. Le bonheur, jusqu'alors différé dans l'au-delà, est cherché ici et maintenant. Peu à peu les aspirations modernes prennent le pas sur les valeurs austères de la « religion de sacrifices ». Les nouvelles valeurs de liberté et de bien-être prennent corps, un équilibre se cherche entre elles et l'héritage.

Durant les décennies 1960-1970, les grandes réformes laïques s'opèrent dans tous les domaines et de nouvelles élites s'affirment, notamment dans le monde des affaires. En même temps, on met l'accent sur les valeurs de qualité de vie, de libéralisation des mœurs, d'autonomie personnelle et morale. Elles vont déboucher sur un investissement dans l'affectivité et la subjectivité : « il faut que ça fasse du bien », « il faut que ça me convienne ». Ces attitudes connotent les nouvelles spiritualités qui émergent dans les années 1970 : l'individualité, l'expérience, l'intériorité, l'émotion, le senti, le corps sont au centre de nos préoccupations. On affirme l'importance de l'acteur et de l'individu interprète. Les grandes organisations bureaucratiques et un certain univers envahi par la science positiviste rebutent les gens. C'est alors que commence à émerger la différence entre la religion et la spiritualité : la religion désignerait un système codé de pratiques prescrites autour d'un credo défini ; la spiritualité évoquerait une

---

3. « On va payer pour ça. »

expérience plus libre, plus individuelle, centrée sur l'émotion et l'expérience justement; une spiritualité que d'aucuns vivent du dedans ou à distance d'une institution religieuse.

En même temps, la famille et les appartenances de base sont ébranlées par cette affirmation de l'individu et de l'affectivité. Comme dans d'autres parties du monde, le Québec est porté par les grandes promesses d'avenir: progrès illimité aux plans économique, social, culturel et politique. La critique ou le rejet de la religion traditionnelle se vivent comme une émancipation, une réappropriation de soi, de sa vie, de sa conscience, avec la poussée de nouvelles croyances et de nouvelles pratiques.

Durant la décennie 1980 s'affirment toujours des valeurs spirituelles, sur fond de « crise », pour reprendre le mot choisi par Thierry Pauchant au début de son livre de management intitulé *La quête du sens*[5]. Par exemple, une importante récession a lieu vers le début des années 1980, et l'on commence alors à parler d'une difficulté structurelle d'insertion des jeunes dans les milieux du travail. On se bute aux limites des progrès escomptés et des réformes entreprises. Et l'on rencontre alors de nouvelles quêtes du sens de la vie, un nouvel intérêt spirituel, un questionnement moral et des interrogations sur les valeurs. Les valeurs et les aspirations de la modernité demeurent fortes, les valeurs économiques prennent plus d'importance, mais elles sont assombries par les premières récessions économiques et les impératifs de survie qu'affrontent plusieurs citoyens. On se ressource (ou on se replie) dans la vie privée et affective. Les quêtes spirituelles se poursuivent, mais elles sont accompagnées par des questions éthiques majeures, soulevées notamment par la crise économique et environnementale.

Dans ce prolongement, les années 1990 semblent marquées par un mouvement de révision et de recomposition des valeurs, l'expression « intégrer les diverses dimensions de sa vie » référant à cela. Cette révision s'exprime souvent en termes d'« équilibre »: pragmatisme du pain et profondeur de l'âme, matériel et spirituel, enjeux sociaux et épanouissement personnel, liberté et responsabilité, vivre au présent et préparer l'avenir; croire, savoir et savoir faire[6]. On essaie de

---

5. T. C. Pauchant *et al.*, *op. cit.*, 1996, p. 13.

6. Soulignons que dans nos entrevues avec des personnes de tous âges, la requête éthique a mis à l'avant-plan la valeur du *respect*. Cela exprime le travail

rattacher ce qui est séparé, divisé ; on cherche à intégrer les diverses dimensions de sa vie, d'où la recherche d'équilibre.

Pour conclure ce petit tour d'horizon, notons qu'il y a aussi un besoin de raccords entre la rationalité, la productivité, la « techno-science » d'une part, et les valeurs humanistes telles que la justice, la tendresse et la compassion, d'autre part. Tout est arrivé si vite au XXe siècle : le progrès nous est entré dans le corps. En ce moment, beaucoup prennent une certaine distance et se demandent où l'on s'en va avec tout cela. Nous nous sommes dotés d'outils et de moyens extra-ordinaires. Mais comment les gérer et assurer un « vivre-ensemble » juste et bon ?

Le rapport entre technique, gestion et sens se pose partout. Dans les milieux hospitaliers, on cherche à « humaniser les soins de santé », comme en témoignent ouvrages, colloques et articles sur le sujet et comme Yves Benoît en discute au chapitre 9 de ce livre. Dans les milieux scolaires, on cherche à redéfinir la formation fondamentale ou, à un niveau plus existentiel, on entend le cri de cette jeune décrocheuse de 17 ans, devant une assemblée de professionnels et de hauts fonctionnaires : « Nos écoles n'ont pas d'âmes. » Dans la gestion et le management, on cherche à arrimer les pratiques et les discours, sur des horizons de sens et d'éthique. Tout cela témoigne de ce besoin de « raccord ».

À ce sujet, qu'il me soit permis de citer un extrait de l'encyclique publiée en 1961, *Mater et Magistra*, du pape Jean XXIII, sur la justice sociale :

> Le travailleur ne vit pas seulement de pain [...] Si les structures, le fonctionnement, les ambiances d'un système économique sont de nature à compromettre la dignité humaine de ceux qui s'y emploient, à émousser systématiquement leur sens des responsabilités, à faire obsta-

---

profond des consciences qui pressentent que sans respect il n'y a pas de valeur possible. Le respect se trouve au fondement de toute philosophie de la vie individuelle et collective. À travers entrevues et échanges dans les divers milieux, cet appel au respect semblait vouloir faire contrepoint aux diverses banalisations de l'autre, de la politique, des professionnels, des institutions, à la méfiance aussi qui connote les rapports sociaux : « Cela, je le respecte ; je ne dépasse pas cette limite, etc. » Sur cette approche historique des valeurs, je réfère au chapitre premier de Jacques GRAND'MAISON, dans J. GRAND'MAISON, L. BARONI et J.-M. GAUTHIER, *Le défi des générations*, 1995.

cle à l'expression de leur initiative personnelle, pareil système économique est injuste, même si, par hypothèse, les richesses qu'il produit atteignent un niveau élevé et sont réparties suivant les règles de la justice et de l'équité[7].

Dans cette veine, et au-delà des milieux de travail, s'est développé ces dernières années le courant dit « anti-utilitariste » en sciences sociales, qui nous amène à réfléchir sur l'« humus » et le sens profond des rapports sociaux. Par exemple, on parle souvent de ces derniers en termes de négociations et de transactions, comme s'il s'agissait de transactions financières! Jacques T. Godbout est l'un des représentants de ce courant. Dans son dernier ouvrage, *L'esprit du don*, il soutient que la touche humaine d'une société, à travers tous ses rapports sociaux, se traduit par la pratique du don, dans ce petit « surplus de sens » gratuit qui dépasse la règle mécanique et syndicale, le lien obligé, le rapport purement fonctionnel ou instrumental. Le don est ce que la conscience est aux individus, la démocratie à la politique. Il écrit:

> Comment, « par quel tour de force », les sciences sociales arrivent-elles à parler des liens sociaux sans utiliser les mots qui les désignent dans la vie courante: l'abandon, le pardon, le renoncement, l'amour, le respect, la dignité, le rachat, la réparation, la compassion, tout ce qui est au cœur du rapport entre les êtres et est nourri par le don[8]?

Sur ce fond de scène, le forum que nous vivons ensemble prend toute sa pertinence et son actualité. Après ces remarques générales sur le rapport entre le travail et la spiritualité, regardons un peu pourquoi il est difficile d'aborder la question spirituelle en milieu de travail.

2 Blocages et résistances

Aborder la question spirituelle en milieu de travail est loin d'être chose acquise. C'est même très difficile, et ce, pour plusieurs raisons. Rappelons-nous la parole de cette gestionnaire de la Banque Royale que je citais au début: « Ce n'est pas évident de parler de spiritualité

---

7. JEAN XXIII, *Mater et Magistra*, 1961.
8. J. T. GODBOUT, *L'esprit du don*, 1992, p. 309.

dans nos milieux de travail.» Il y aurait donc des blocages et des résistances. Pourquoi est-ce si difficile? Je vous propose quelques pistes.

2.1 Tabou et résidu

D'une part se trouvent des raisons de passions: comme la politique, en effet, la religion ou la spiritualité soulèvent des passions, fruits de la conviction. C'est bien connu, ici au Québec, mais cela est vrai aussi dans d'autres parties du monde, il est coutume d'éviter les discussions religieuses ou politiques autour de la table du repas, pour permettre une harmonieuse digestion! Je le dis avec humour, mais cela a beaucoup de portée. Je pense qu'il va falloir se poser le défi de réapprendre à discuter de ces questions en ayant une conscience saine de son identité, de ses propres convictions, tout en respectant et accueillant l'autre avec ses différences, ce qui est loin d'être évident. Voilà ce que serait un dialogue véritable sur les questions spirituelles.

Et il est difficile aussi de parler de questions religieuses, pour des raisons historiques: premièrement, la modernité a provoqué une situation de repliement du religieux dans la sphère privée, familiale et individuelle. Des normes sociales implicites reconnaissent un droit de cité aux croyances diverses, à condition qu'elles ne troublent pas l'ordre social ou ne violent pas les libertés individuelles. Parler de sa spiritualité, encore plus de son adhésion à un groupe religieux, même traditionnel, peut facilement faire figure d'ingérence. Une personne qui désire aborder ce sujet a souvent peur d'être mal reçue.

Comme l'était la sexualité autrefois, la religion ou la spiritualité a été frappée d'un certain tabou. Par tabou, j'entends ici le sens large d'un interdit subtil, inavoué, mais qui pèse sur les actions des membres d'une société de façon très efficace. Il n'est pas mal vu d'avoir une vie spirituelle ou de pratiquer une religion, mais il est mal vu d'en parler, de l'afficher.

Au plan de la pensée, même si on a évolué depuis un siècle, subsiste, consciemment ou non, la conviction, affirmée, par exemple, par le sociologue Émile Durkheim, qu'à mesure que la société progresse, la religion disparaîtrait. Même si maints débats et la réalité même des gens nous amènent au-delà de cela, cette première idée de la modernité se perpétue. Toujours présente, la spiritualité ou la religion n'en demeurera pas moins aux yeux de plusieurs un phénomène résiduel ou compensatoire de l'angoisse de vivre et de mourir.

2.2   Déficit de références

Mon second point concernant la difficulté d'aborder cette question, c'est le « déficit de références ». Tout compte fait, on dispose de peu de références positives pour aborder les questions spirituelles en milieu de travail. Par exemple, dans notre grande histoire occidentale, il y a deux aspects négatifs qui pèsent sur la spiritualité au travail : premièrement, le travail a été vu comme une chose très pénible ; deuxièmement, le repos dominical était le temps où l'on ne travaillait pas.

En d'autres termes, la conception antique du travail a pénétré l'histoire, avec un certain pessimisme : le travail était indigne de l'être humain libre. Dans le livre de la Genèse, le travail est une malédiction. Il faut dire que nous sommes dans un contexte agraire de survie, où la technique est très rudimentaire et, par le fait même, le travail dur et pénible. Et le travail fut longtemps considéré comme incompatible avec le temps dominical réservé à la prière : le dimanche, tu ne dois pas travailler, le dimanche, tu pries.

Donc, le spirituel, au sens le plus élevé et le plus noble du terme, était surtout *en dehors* du travail. Le sommet de cela résidait dans la vie monastique. Pourtant, les moines travaillaient beaucoup ; ils ont contribué aux premiers pas de l'imprimerie, ils furent de grands érudits et des créateurs de denrées recherchées, etc. Mais il n'en demeure pas moins que dans l'imaginaire des gens, le sommet de la vie spirituelle, et cela est particulièrement vrai dans le christianisme, impliquait une « sortie du monde ». La Réforme protestante a voulu notamment valoriser la vie laïque, y compris le travail, mais nos racines anciennes continuent néanmoins de nous marquer.

Mais réfléchissons sur des discours plus récents et plus près de nous dans le temps. En 1962, le théologien baptiste américain Harvey Cox a observé que les attitudes à l'égard de la technologie et du travail étaient étroitement liées par les présupposés religieux de celui qui porte le jugement. Les symbolisations de Dieu ou de la réalité ultime, de la nature et de l'ordre, influencent les conceptions de la politique, du travail et des outils[9]. La même année, le théologien

---

9. Voir H. Cox, *Religion and Technology...*, 1962, où l'auteur considère la religion comme la composante la plus élevée de la culture, comme système symbolique qui oriente les valeurs et les choix d'une société (p. 79), suivant son maître à penser, Paul Tillich.

calviniste Gabriel Vahanian a observé pour ainsi dire l'inverse : « La maîtrise technique doit nécessairement amener chez l'homme le sentiment d'une relation différente à Dieu, sinon supprimer cette relation[10]. » Ici, c'est le contraire qui se produit : ce n'est pas la conception de Dieu qui influence la vision du travail et de la technique, ce sont plutôt ces derniers qui amènent une révision du rapport à Dieu ou, plus largement, à la spiritualité.

Le constat de Cox demeure vrai pour les gens qui naissent et vivent dans des sociétés ou des milieux imprégnés par la religion : leur voie religieuse ou spirituelle influence leur vision du monde. Mais dans les sociétés de la modernité avancée, nos sociétés, c'est souvent l'inverse. On aura accès au domaine spirituel ou on vivra sa propre tradition du dedans de sa condition de travailleur et de citoyen. Vahanian évalue bien la distance qui nous sépare présentement des sociétés antiques qui ont façonné les commencements des grandes traditions religieuses : la finalité du sacré aurait été alors de changer de monde, de fuir le monde. À l'inverse, l'utopisme de la technique, loin de fuir le monde, l'honore en le changeant. Il s'agit là d'une véritable révolution spirituelle.

En présupposant que la technique est la charpente de l'Occident moderne et contemporain, Vahanian entend la technique non pas d'abord au sens moderne de technologie ou de science appliquée, mais surtout en tant que déploiement de la *technè* grecque comme « art de vivre ». Dépassant le sens instrumental commun, la *technè* est appréhendée comme une « technique de l'humain, dotée même de sa propre religiosité [dont les] applications concernent l'homme dans son être tout entier[11] ». Elle n'est pas elle-même un supplément à l'humain mais signifie que tout ce qui est conçu l'est par l'humain et comporte par le fait même une dimension éthique.

Au-delà de ces concepts qui demandent réflexion, retenons que dans la modernité avancée comme la nôtre, ce sont le monde et ses réalités multiples qui forment la grammaire de nos spiritualités, et non pas l'inverse, c'est-à-dire la religion qui définit notre vision du monde et du travail, bien que nous soyons influencés tout de même par notre patrimoine sacré.

---

10. G. Vahanian, *Dieu et l'utopie*, 1977.
11. *Ibid.*

Mais un défi demeure : trouver un sens à nos activités, créer des pratiques spirituelles du dedans de nos expériences du travail et de la gestion. Ce n'est pas nécessairement de l'invention pure ; nous pouvons puiser à même notre patrimoine, nos traditions, mais cela ne se fait pas sans interprétation, sans reformatage.

Le travail dans sa forme actuelle représente un exemple frappant de ce besoin de réinterprétation. En effet, ainsi que je le disais, ce sont le travail agraire, le cycle de la nature qui marquaient les temps du travail de l'humain. C'est cela qui a formé beaucoup de symboliques spirituelles traditionnelles. Et c'est la fuite du monde qui a inspiré les plus hautes spiritualités, avec à leur sommet la vie monastique. D'ailleurs, beaucoup de nouvelles spiritualités se présentent avec un certain désir de retour à la nature, de retrait du monde, assorti parfois d'une critique de la technologie et de la société industrielle, bureaucratique, d'un refus même.

Dans l'une des entrevues effectuées dans le cadre de ma recherche sur la transmission en milieu de travail, on demande à un superviseur de service, dans une entreprise de haute technologie, s'il y a de la spiritualité dans son milieu. Il évoque ainsi l'attitude d'un collègue :

> Dans mon équipe des cinq superviseurs, il y en a un qu'on traite de grand gourou, parce qu'il est toujours calme ; il a suivi tous les cours de philosophie, il fait du chant à l'extérieur. Il a toujours l'air calme, posé et puis nous autres, on a toujours l'air d'être sur le nerf. L'image qu'il projette, c'est comme... spirituel... des fois, c'est drôle, on se demande s'il est toujours là ou pas là. Des fois, il sort des affaires... Tu te demandes d'où il sort...

Voilà qui est révélateur de ce qu'évoque pour bien des gens « le spirituel » : une réalité qui se trouve « ailleurs », un peu décrochée de la réalité. Il faut dire que bien des images traditionnelles de la spiritualité évoquent le retrait : repos, silence, solitude. S'interroger sur les rapports entre spiritualité et travail amène pourtant à chercher aussi du sens dans les activités laïques : les prises de décision rapides et graves, la difficile gestion du profit et du personnel, la pression quotidienne, l'insécurité liée à la compétition. Bien sûr, il ne s'agit pas de nier les vertus spirituelles du silence et du retrait, du repos et de la nature, de la beauté des temples. Mais il importe de les chercher aussi dans l'activité humaine.

Je ferais une analogie avec le bonheur. Les définitions reçues du bonheur tournent autour de la famille, de la maison, de la « bonne job », comme on dit au Québec. Or quand on creuse, on se rend compte que le bonheur se vit au-delà de ces lieux reçus : le bonheur s'expérimente aussi à travers les défis. Lors d'une conférence, je racontais cela à un haut gestionnaire d'une commission scolaire. Il me répondit : « Je ne suis pas d'accord. Le bonheur ne peut se trouver dans les défis difficiles ! » Une demi-heure plus tard, je lui demandai : « Alors, vous, monsieur le directeur, le moment où vous avez été le plus heureux, c'est pendant vos vacances familiales fantastiques l'été passé ? » « Non, me dit-il, c'est lorsque j'ai dû mener une grosse réforme. J'ai mobilisé l'équipe, on s'est serré les coudes et on a réussi à passer à travers. Ç'a été parmi les meilleurs moments de ma vie. » Le bonheur n'est peut-être pas le plus profond là où l'on pense ; ainsi en va-t-il du spirituel...

3   Chercher un sens au travail

Tout en cherchant des voies nouvelles, j'estime que les sagesses héritées des ancêtres sont fondamentales. J'éprouve beaucoup de respect pour les traditions vécues par de larges communautés, transmises, transformées dans l'histoire, mises à l'épreuve à travers le temps. Or, lorsque je les interroge, ces spiritualités traditionnelles ou nouvelles ont en commun de vouloir donner un sens à l'insatisfaction au cœur de l'humain, et non pas la nier.

Nous vivons avec le sentiment de divisions profondes, en nous et entre nous ; nous éprouvons l'angoisse des déchirements ; nous aspirons à l'unité ou à l'intégration. « Quand on travaille, dit cette ex-professionnelle durant une entrevue récente, on est obligé de mettre de côté beaucoup de goût, d'aptitudes, beaucoup de désirs. On ne peut pas réaliser certaines dimensions de nous-mêmes, parce que le travail nous mobilise d'une façon qui est incompatible avec ce côté artistique ou spirituel. » Ce sentiment fait écho à la notion de « fragmentation » proposée par Ian Mitroff (voir le chapitre 2).

Un temps pour le travail, un temps pour le repos et la réflexion, pourrait-on dire. Mais il y a autre chose. L'intégration, l'harmonie de l'être et de la vie demeurent des buts vers lesquels nous tendons, mais sans pouvoir les atteindre tout à fait. Or nos avancées scientifiques, médicales et technologiques semblent nous rendre encore plus ambitieux au plan de l'intégration personnelle et de l'harmonisation de notre existence : nous supportons très mal l'ambiguïté, le doute, le manque, les limites. La sociologue de la religion Danièle Hervieu-Léger observe avec justesse que la modernité produit d'immenses aspirations et désirs : progrès, confort, biens matériels, épanouissement, évolution personnelle. Mais du même souffle, la modernité est incapable de satisfaire totalement ces aspirations. Ce mélange d'aspirations fortes et d'impuissance à les satisfaire produit toutes sortes de nouvelles croyances[12]. La montée de la pensée magique, par exemple, relève d'une réponse simple et facile à tous les problèmes : « Pray God and make money », « Pratique le yoga et tu réussiras en affaires », « Je suis Dieu, je peux tout », etc.

Selon le rapport d'une commission parlementaire française sur les sectes, qui attirent de plus en plus des élites du monde des affaires et de la politique, bien des individus supporteraient mal le doute présentement. La commission ne dresse pas « un profil déterminé préexistant » de l'adepte, lequel correspond souvent aux critères de la « normalité ». Mais elle observe qu'« un épisode dépressif semble un facteur favorable à l'attirance pour un groupe sectaire ». Pourtant, la vulnérabilité n'est pas le facteur dominant. Celui-ci serait plutôt *l'attrait pour le « perfectionnement individuel »*, surtout chez les élites scientifiques et intellectuelles. Pourquoi ? Eh bien, il semble que ces élites supporteraient très mal « l'idée de doute » et, par conséquent, seraient fortement attirées par « des mouvements proposant des explications globales ». Et ce qui les rend encore plus vulnérables, c'est justement « leur certitude de ne pas être manipulables[13] ». Tout cela nous renvoie à notre difficulté de vivre avec nos propres ambiguïtés.

Or l'une des grandes fonctions d'une religion ou d'une spiritualité est de maintenir en nous, qui sommes des êtres de démesure, qui nourrissons d'immenses rêves et de fortes aspirations, *le sens de la*

---

12. Au terme de son analyse, Danièle Hervieu-Léger définit la sécularisation de la manière suivante : « Le processus de réorganisation permanente du travail de la religion dans une société structurellement impuissante à combler les attentes qu'il lui faut susciter pour exister comme telle. » Voir *Vers un nouveau christianisme?*, 1986, p. 29.

13. Voir le rapport *Les sectes en France*, janvier 1996, effectué par une commission d'enquête de l'Assemblée nationale française et publié par le journal *Le Monde*, dans ses « Dossiers et Documents », « Sectes, le défi de l'irrationnel », décembre 1997. Voir aussi T. LARDEUR, *Les sectes dans l'entreprise*, 1999.

limite. C'est ce que signifie cette inscription gravée dans la pierre antique : « Connais-toi toi-même », c'est-à-dire « Sache que tu es humain et non pas un dieu ».

4 Travailler au XXIᵉ siècle : un défi de vie commune

Répétons de nouveau ce mot éclairant : « Le travailleur ne vit pas seulement de pain... » Dans la majeure partie de nos entrevues, les interrogés de toutes professions disent constater la dégradation du sentiment d'appartenance à son milieu de travail. Chacun fait son affaire ; dans l'angoisse du chômage, de la perte d'emploi, de la compétition farouche, on se concentre sur son rôle, ses responsabilités et ses fonctions, et on accorderait peu de temps aux liens sociaux. Or le sens et la spiritualité passent par la qualité de la relation à autrui.

Pourtant, si l'on se rapporte à la question spirituelle, cela permet aussi d'évoquer une certaine exaltation de la solitude qui traverse beaucoup de pensées morales et religieuses. Dans son livre *La vie commune*, le penseur français Tzvetan Todorov attire l'attention sur certaines traditions philosophiques européennes « asociales » qui postulent implicitement que « la vie en commun n'est généralement pas conçue comme étant *nécessaire* à l'homme[14] ». Selon les philosophes modernes tels que Hobbes, entre autres, les humains suivent sous contrainte les règles de la vie sociale, mais ils seraient foncièrement égoïstes et intéressés. La société et la morale iraient contre la nature humaine : « C'est cette conception de l'homme, la conception immoraliste, qui l'a emporté sur celle des moralistes ; et c'est encore elle que l'on trouve à l'œuvre dans les théories psychologiques et politiques les plus influentes aujourd'hui », estime Todorov[15]. S'opposant à cette tendance, il considère que l'être humain est foncièrement social, qu'il ne peut exister sans les autres. Chercher leur reconnaissance, poursuivre des activités pour être, agir et vivre avec eux, c'est accomplir ce lien social vital.

Cette pensée fort juste illustre le fait que des courants éthiques et spirituels exaltent la solitude et le détachement du groupe. Parmi les

---

14. T. TODOROV, *La vie commune...*, 1995, p. 15.
15. *Ibid*, p. 17.

défis d'une spiritualité et d'une éthique contemporaines, en lien avec les milieux du travail et des affaires, l'impératif de la vie en commun m'apparaît central.

Concrètement, pour remédier à la solitude et donner du sens à cette vie en commun, je désire rappeler l'importance des petits rituels dans les groupes de travail et des lieux modestes d'appartenance. Plusieurs de nos répondants en signalent la disparition (repas de fête au restaurant, anniversaire, célébration d'un départ à la retraite, etc.). Et, plus important, l'accueil des jeunes, leur initiation, la reconnaissance de l'expérience acquise, les rituels de départ à la retraite, qui peuvent faire cruellement défaut.

On trouve en outre un lieu d'humanisation dans la valorisation des modèles, tels les mentors, tuteurs ou parrains. Au cœur des crises actuelles, alors que beaucoup ont peur de perdre leur emploi, on se méfie de celui qui arrive, on se méfie les uns des autres en somme. Cela ne facilite pas les relations. Mais une figure peut transcender ces difficultés relationnelles : c'est le modèle. Quand on demande aux gens : « Avez-vous eu un modèle dans votre vie professionnelle ? » Les personnes prennent alors un tout autre ton. Elles font allusion à des valeurs et souvent même à une spiritualité. Le modèle, c'est cette personne qui ne se sent pas menacée par l'autre, qui l'accueille inconditionnellement, qui est là pour l'appuyer dans les difficultés professionnelles actuelles, pour le guider et lui ouvrir des portes. Le modèle, le mentor, est une personne qui, dans l'entreprise, conserve une gratuité. Je pense qu'il faut souligner l'importance de ces expériences qui peuvent fournir une véritable oasis dans la vie de travail difficile actuelle. Et souvent, il s'agit de relations établies entre personnes d'âges différents, ce qui représente aussi une richesse d'échange.

Conclusion

Je conclus en proposant qu'en ce moment, au-delà d'une crise spirituelle et éthique, il y a une « crise du croire » fondamentale. Il est très difficile pour les gens de croire en l'autre, en l'avenir, chez les jeunes et les moins jeunes. Particulièrement dans les milieux d'affaires, vous vous trouvez pour ainsi dire sur la ligne de front : vous pouvez faire beaucoup aux plans éthique et spirituel pour restaurer cette confiance chez vos collègues et dans votre collectivité. Il s'agit d'une lutte fondamentale contre le désespoir et le scepticisme ambiants, souvent reliés aux enjeux économiques. L'économie se trouve pourtant à la base d'échanges vitaux et signifiants entre nous.

4 Dialogue sur la première partie

Un DIALOGUE est beaucoup plus qu'une période de questions et de réponses, régie par le souci de l'information ou de l'argumentation. Son objet n'est pas, non plus, seulement « communicationnel » où l'on prône l'affirmation de soi et l'écoute de l'autre. Plus fondamentalement, la discipline du dialogue permet l'exploration des suppositions de base entretenues par les personnes dans une société donnée, sans obligatoirement suivre une suite logique, une structure préétablie[1].

Dans le dialogue qui suit, le lecteur ou la lectrice se sensibilisera aux questions, aux espoirs, aux expérimentations et aux colères des intervenants et des participants ainsi qu'aux manifestations de désespoir, de souffrance, de réussite et de joie. Le manque apparent de structure d'un tel dialogue semble particulièrement adapté à l'ambi-

---

1. Pour l'application du dialogue en entreprise, voir L. BORREDON et C. ROUX-DUFORT, « Pour une organisation apprenante... », 1998 ; M. CAYER, *An Inquiry into the Experience of Bohm's Dialogue*, 1996 ; W. ISAACS, *Dialogue and the Art of Thinking Together*, 1999 ; M. E. MARCHAND, *L'exploration réflexive dans la pratique du dialogue de Bohm...*, 1999 ; T. C. PAUCHANT et I.I. MITROFF, *La gestion des crises et des paradoxes...*, chap. 8, 1996 ; P. SENGE, *The Fifth Discipline...*, 1990 ; ou D. ZOHAR, *Rewiring the Corporate Brain...*, 1997.

guïté inhérente à un sujet comme celui de l'intégration de l'éthique et de la spiritualité en management. Son cheminement est aussi déroutant, parfois, que le sujet qu'il explore. Ce livre comporte trois dialogues. Celui-ci est le premier, tenu après la première partie du forum. Il révèle quelques-unes des affirmations et des interrogations exprimées par un auditoire d'environ 200 personnes, dont 140 œuvrant comme consultants, cadres ou dirigeantes dans des organisations privées, publiques, gouvernementales et associatives.

Thierry C. Pauchant

* *

*

Un intervenant anonyme. — J'ai une question pour le professeur Mitroff. J'ai constaté que, dans votre recherche, vous vous êtes penché sur les valeurs de chaque individu et je me demandais si vous aviez remarqué, au niveau individuel ou organisationnel, la présence d'un « champ invisible » qu'on pourrait peut-être appeler un « champ d'amour » ?

Ian I. Mitroff. — Ce que tous ces modèles de pratique de la spiritualité au travail ont en commun est le fait qu'ils ont chacun un langage distinct ; qu'ils atteignent tous leur but aussi, mais de façons différentes ; et qu'ils s'inspirent chacun de textes et de sources de sagesse spécifiques. Pourtant, le langage, malgré son importance, n'est pas suffisant. Le plus important est ce que nous appelons une « épiphanie » ou une transformation profonde dans l'existence d'une personne.

Je vous donne un exemple. À Atlanta, il y a une entreprise qui s'appelle Inner Face. Elle fabrique des tapis. Le propriétaire s'est « réveillé » un jour ; il a vécu une « épiphanie ». Il s'est rendu compte que le produit qu'il fabriquait était toxique pour l'environnement. Il se considérait spirituel et croyait en la notion de « connectivité ». Il s'est alors posé la question suivante : « Comment puis-je croire que toutes choses sont interliées et, en même temps, fragmenter ma vie et les conséquences engendrées par mes activités d'affaires ? » À partir de ce moment, son entreprise a commencé à tester les tapis. À leur surprise, les dirigeants ont découvert que ces tapis étaient constitués de plus de 2500 produits chimiques, 95 % d'entre eux étant nocifs. Ils ont alors commencé à fabriquer des tapis contenant essentiellement des produits non toxiques pour l'environnement. De plus, quand on achète aujourd'hui un tapis de cette entreprise, il ne vous appartient pas. Vous le louez. Quand le tapis est usé, l'entreprise le reprend et le recycle de façon écologique.

Pour répondre à votre question, oui c'est «un champ d'amour», mais cette notion ne capte pas l'essentiel. Elle est trop éthérée. Une organisation spirituelle se manifeste à travers des actions concrètes. Le point que je désire soulever est que les personnes qui poursuivent cette voie ne sont ni des philosophes, ni des académiciens. Elles sont absentes du niveau théorique. Elles apprécient les concepts et utilisent un langage différent, mais si leurs idées ne sont pas actualisées concrètement, leur entreprise sera en mauvaise position. Souvent ceux qui jouent avec les mots deviennent cyniques. J'en connais qui parient de l'argent sur celui qui pourra deviner quelle sera la nouvelle mode en management l'année suivante. Tel est le niveau du cynisme! Oui, c'est une question de langage, mais il doit être accompagné par des actions concrètes réellement significatives qui transforment l'organisation dans son ensemble. Pour moi, c'est le seul «champ» qui compte vraiment.

Pierre-Paul Bélanger (coordonnateur des pays francophones de l'Union mondiale des aveugles). — Mon propos ne sera ni théorique ni philosophique. J'aimerais offrir un témoignage au sujet de la définition du bonheur que nous a proposée Mme Lefebvre. Elle nous a suggéré que le bonheur, c'est passer à travers une épreuve ou une crise. Personnellement, je peux vous dire qu'en passant à travers l'épreuve de la perte d'un sens, tel que la vue, l'on ressent à l'intérieur, même si c'est parfois fort difficile, un certain bonheur.

Solange Lefebvre. — Je trouve très important de réaliser cela. Je ne voudrais pas valoriser l'épreuve outre mesure ou même la rechercher. Mais il est vrai que l'on n'aime pas la souffrance. Ce qui nous agace dans la souffrance, c'est que cela nous change. Il y avait aussi, dans l'exemple que j'ai donné, le mystérieux sens du défi qu'a l'être humain de franchir des obstacles, de réaliser des choses qui paraissent impossibles. Mais c'est ce que vous confirmez par votre témoignage, car la santé est une valeur centrale pour beaucoup de peuples. Vous nous rappelez encore plus fondamentalement ce que j'ai proposé durant ma présentation et vous dépassez mes propos. Merci beaucoup.

Roger Berthouzoz. — Ce témoignage est très important. Il faudrait trouver le moyen de pouvoir partager ce qui a permis à cette personne, au travers de cette épreuve, de connaître le bonheur. Comme théologien et éthicien, je n'ai rien d'autre à dire à l'égard de la souffrance ou de la perte, sinon que c'est un malheur, que c'est absurde, que cela n'a pas de sens. Par contre, dans l'expérience vécue, il y a peut-être une présence ; la présence d'autres personnes, certainement, ou la présence de l'autre ou la présence de Dieu qui permet, qui appuie cette expérience du bonheur. Je crois que lorsque l'on arrive à partager cette expérience du bonheur à travers une épreuve, c'est tout à fait décisif. Il peut, alors, y avoir une début de transformation.

Stéphane Cloutier (psychothérapeute et écrivain). — Je suis très content que l'on essaie de poser des questions auxquelles on n'a pas de réponses. Je trouve aussi intéressante l'hésitation à savoir si l'on parle d'éthique, de spiritualité ou de religion. C'est que, quelque part, on ne sait pas de quoi on parle et c'est cela qui est intéressant ! C'est à mon avis pourquoi le silence ne nous sert pas à faire le vide mais le plein. On essaie, des fois, de transcender nos différences en essayant de voir comment des mots pourraient les décrire. Mais cela ne mène pas très loin. Soit on dilue sa différence, soit on disparaît complètement, ou encore on peut affirmer sa différence de façon intégrée. Je propose de ne pas tenter d'aller *au-delà* de nos différences, mais *en deçà* de nos différences. Même les concepts que je ne connais pas m'habitent. Il y a un lien entre le monde des hindous et celui de Carl Jung. Et, pourtant, ce sont deux mondes étrangers. Je prétends qu'il faut éviter la confrontation des langages, mais il faut trouver quelque part une voix du silence qui est bien *en deçà* de tous les discours que l'on pourrait tenir. M. Bélanger a eu une perte sensorielle qui l'a amené à une quête de sens. Même si je n'ai pas vécu cette expérience, il y a quelque chose en moi qui fait que je peux vivre cette expérience. Il y a un propos qui n'est pas nécessairement théorique.

Roger Berthouzoz. — Je rejoins ce qui vient d'être dit. Mais dans un forum, il est nécessaire de nommer ou de s'efforcer de nommer cette expérience. Ne pas vouloir parler de spiritualité, d'éthique ou de religion, à cause des connotations ou des contextes d'expériences différents, je le comprends. Mais je crois qu'il faut aussi, et c'est une de nos tâches durant ce forum, essayer de communiquer cette expérience pour permettre à d'autres d'y accéder. Pour moi, cela rejoint le thème de la foi. Une foi qui n'est pas simplement la foi théologale chrétienne, mais ce mouvement qui nous fait aller jusqu'au surgissement de la vie, jusqu'à une source de vie, jusqu'à convergence dans les expériences avec d'autres.

Je ne sais pas si vous connaissez cette très belle image d'un Père de l'Antiquité, Dorothée de Gaza, qui exprime cela dans l'expérience spirituelle en disant :

> Nous sommes dans des positions extraordinairement différentes, un peu comme sur une sphère. Alors, si nous nous promenons d'expériences en expériences dans le sens de la religion, on sera très sensible à la distance et à la différence. Si on creuse, alors, en avançant chacun dans sa propre expérience, on se rapproche les uns des autres.

Ian I. Mitroff. — Une des raisons pour lesquelles je trouve intéressant le modèle que je vous ai montré, basé sur les différences de perceptions entre la religion et la spiritualité, est qu'il indique que les personnes ont une signification différente de ces notions. Et pourtant cela ne veut pas dire que nous ne pouvons pas en parler. Pour certains la religion et la spiritualité sont inséparables, pour d'autres elles sont séparables. L'important est de réaliser que nous pouvons parler de chacune de ces orientations.

La chose qui m'a surtout intéressé est le fait que presque tout le monde décrit la spiritualité de la même manière, malgré les significations variées de la spiritualité et de la religion. Toutes ces personnes ont parlé d'un sentiment de « communion avec l'univers », de « faire partie de lui », de sentir qu'il existe une « force immanente ». La spiritualité est, par définition, un sujet ambigu. Mais cela ne devrait pas nous empêcher d'en parler ni de l'intégrer dans les théories et les pratiques managériales.

La notion que nous essayons de discuter dans ce forum (et presque personne n'essaye dans d'autres facultés d'administration) est la notion de « gestion de la vérité ». C'est une notion dangereuse parce que nous sommes des êtres humains et que, en tant qu'êtres humains, nous sommes faillibles. Et pourtant nous avons besoin de parler enfin de la « gestion de l'esprit ». De nouveau, aucune école de gestion, à ce que je sache, n'en parle ; et pourtant, en management, nous tentons chaque jour de « gérer la vérité » ainsi que de « gérer l'esprit », même si cela n'est pas conscient. Il est grand temps que nous parlions de ces sujets, car c'est ce que nous avons fait tout au long de l'histoire et beaucoup d'entre nous n'aimons pas les conséquences de ces actes de management, ni en affaires ni dans la société en général. Le travail fait partie autant de la vie que de la spiritualité. La spiritualité est le désir fondamental de ne pas fragmenter son âme en mille morceaux. La spiritualité est à la base du management et l'a toujours été, depuis la nuit des temps. Nous avons grand besoin de pouvoir en parler.

Thierry C. Pauchant. — Je pose cette question à Ian Mitroff. Durant votre présentation, vous avez parlé du manque de courage d'un grand nombre de professeurs et chercheurs dans les écoles de commerce. Ainsi, la mission de ces écoles, c'est-à-dire aider les étudiants et les étudiantes ainsi que les gestionnaires à s'améliorer et à améliorer le monde autour d'eux à travers leur travail, n'est pas accomplie. D'après vous, que faudra-t-il pour que ces personnes trouvent le courage d'accomplir la mission de leur institution et de leur vocation ?

Ian I. Mitroff. — C'est une excellente question qui touche à la racine même du problème. Si une crise est nécessaire, au niveau individuel, pour entreprendre le cheminement spirituel, comme l'a exprimé Joseph Campbell avec sa notion du « mythe du héros[2] » — utilisez l'expression qui vous convient —, cela implique qu'au niveau organisationnel, dans les écoles de commerce, nous devons établir des politiques et des procédures d'admission ainsi qu'un processus d'apprentissage qui soient fondamentalement différents : personne ne s'inscrit dans une institution de cycle avancé sans avoir vécu un drame ou une crise personnelle. Cela doit être bien compris et être la

---

2. Voir J. CAMPBELL, *The Hero with a Thousand Faces*, 1949. Pour l'application de ce cheminement au développement féminin, voir M. MURDOCK, *The Heroine's Journey Workbook*, 1998.

pierre angulaire des gestes accomplis. Le désir d'apprendre des faits fragmentés ou de poursuivre une carrière en faisant de la recherche insignifiante — et nous avons formidablement réussi à faire exactement cela dans les écoles de commerce jusqu'à maintenant — doit être contrecarré. Quelques programmes pour les «cadres en action» tentent d'accomplir cela. Dans ces programmes, on comprend que ces personnes sont en quête de sens et qu'il est nécessaire de conceptualiser et d'orchestrer un programme qui pourra les aider dans ce processus. Le cas du Royal Melbourne Institute of Technology qui sera présenté plus tard dans ce forum tente de faire cela (voir le chapitre 10).

Toutefois, la plupart des programmes sont structurés — consciemment ou non — pour étouffer l'esprit de chaque personne. L'éducation universitaire et la formation managériale sont si fragmentées qu'elles tuent l'esprit humain. La voie spirituelle est une quête d'intégration. Nous nous devons d'employer des professeurs différents, d'inventer des programmes différents, de mettre en place des processus différents qui permettront à cette recherche systémique de sens et d'action de croître. Cette transformation pourra commencer quand les écoles de commerce et les facultés d'administration connaîtront une crise majeure qui les forcera à prendre conscience de leur état.

J'aimerais ajouter un point fondamental. Comment osons-nous penser, dans le monde universitaire en général et le monde des sciences administratives en particulier, que les entreprises doivent se restructurer afin de survivre et réussir dans une économie de plus en plus globale, alors que ce besoin de transformation est né dans les écoles de commerce elles-mêmes ainsi que dans le monde universitaire en général? Quelle hypocrisie!

Jacqueline Avard (animatrice du forum). — Quelqu'un ici pourrait, peut-être, partager avec nous une expérience dans le milieu universitaire où il y aurait effectivement eu une crise de conscience et une transformation?

Graham Weeks (collège Dawson). — Je travaille au collège Dawson et une de mes tâches principales est d'être ombudsman. Dans cette fonction, je joue un rôle proactif auprès des professeurs qui ont des problèmes avec des étudiants. Je pose bien sûr des questions sur la pédagogie utilisée, mais je pose surtout des questions sur le « manque d'âme » dans nos programmes. Nous sommes les victimes d'un système d'éducation hautement centralisé et autocratique, système qui se retrouve dans d'autres établissements. Bien que nous soyons l'un des plus gros collèges de la province, je suis certain que nous ne sommes pas les seuls à ressentir ce genre de vacuum moral où nous fonctionnons de façon très mécanique : les étudiants rentrent et les diplômés sortent...

Monsieur Mitroff a parlé d'un manque d'outils dans le domaine spirituel. Pour notre part, nous utilisons l'approche développée par le Canadien Lance Secretan[3]. Secretan, qui a avancé la notion de « communauté élevée[4] », parle de la nécessité de travailler sur différents niveaux : premièrement sur sa maîtrise, ce qui veut dire sa compétence ; deuxièmement sur sa chimie, c'est-à-dire son entregent ; troisièmement sur la livraison, c'est-à-dire sur la nécessité de répondre à un besoin. Lorsque j'interviens dans mon collège, je ne mentionne pas le nom de M. Secretan et je ne parle pas d'« amour » ou de « spiritualité ». Je parle simplement de maîtrise, de chimie et de livraison ; et cette façon de conceptualiser les choses, de leur donner un langage qui permet d'agir différemment, donne des résultats positifs.

Nous faisons aussi des ateliers avec des jeux de rôles filmés, avec rétroaction par la suite. Tout cela aide et j'aimerais comparer notre approche avec d'autres afin d'améliorer encore nos interventions. Nous avons tellement besoin de tels outils afin de combler le manque d'âme dans nos programmes.

Carole Charbonneau (diplômée des HEC et étudiante en théologie). — Les exemples fournis par M. Weeks m'ont frappée. Ils m'ont rappelé certaines des choses proposées par Solange Lefebvre, comme sa suggestion que la spiritualité n'est pas toujours là où l'on pense. C'est, par exemple, un grand défi de trouver des lieux de spiritualité. Je regardais les personnes à la pause : elles se précipitaient sur leur téléphone cellulaire, elles étaient pressées, elles étaient nerveuses. Pourquoi penser à une spiritualité de méditation plutôt qu'à une spiritualité d'action ? On semble souvent oublier que la spiritualité ne se vit pas seulement dans le silence, mais aussi dans la pratique. Mais les gens qui bougent beaucoup ont de la difficulté à s'arrêter...

---

3. Voir L. SECRETAN, *Reclaiming Higher Ground*, 1996.
4. En anglais « higher ground community ».

Lawrence Freeman a proposé une approche intéressante à ce sujet, appelée la « méditation pour les citadins » : méditer devant un arbre est parfois assez facile, mais quoi faire sur un boulevard en pleine activité ?

Jean-Marie Sala (directeur des affaires environnementales, Société d'électrolyse et de chimie Alcan). — Ma question s'adresse à M. Mitroff. Dans votre modèle qui montre d'un côté la perception de la religion et de l'autre celle sur la spiritualité, il est en fait question non d'individus mais d'organisations. Ce sont elles qui sont classées et non les individus. Mais la recherche de la spiritualité existe avant tout à l'intérieur de chaque individu.

Aussi, j'ai trouvé que chaque modèle renvoyait encore à une approche *top-down*. Et pourtant, j'avancerais l'hypothèse que des choses réelles peuvent se passer quand les gens se sentent appelés à se réaliser pleinement et se réunissent et agissent librement.

Ian I. Mitroff. — J'ai trouvé le travail de Ken Wilber[5] très utile sur ces points. Wilber propose une structure intéressante pour parler de la spiritualité. Il présente quatre dimensions dans une matrice qui les combine : la vie intérieure et la vie extérieure, l'individu et la société (voir le chapitre 16 dans ce livre pour ce modèle). Comme l'a proposé Solange Lefebvre, dans la société occidentale nous associons la spiritualité avec la vie intérieure de l'individu, c'est-à-dire dans un des quatre quadrants décrits par Ken Wilber, la vie intérieure individuelle. Et pourtant, le niveau systémique, la vie extérieure et la réalité sociale sont aussi importants.

Je vous donne des exemples. Même si nous avions une organisation dans laquelle tout le monde serait spirituellement accompli, cela ne garantirait pas nécessairement que les activités de cette organisation soient fondées spirituellement. Par exemple, alors que les gestionnaires chez GM prônent des valeurs décentes, GM a produit la voiture Pinto avec tous les problèmes que nous connaissons. Le crash de l'avion de la TWA est un autre exemple. Toutes les parties de cette entreprise fonctionnaient relativement bien, mais c'était le système dans sa globalité qui ne fonctionnait pas. C'est pour cette raison que je parle de « système ».

---

5. Voir K. WILBER, *A Brief History of Everything*, 1996.

Prendre au sérieux la dimension sociale de la spiritualité implique l'étude de la nature des activités concrètes accomplies par une organisation dans la société. Cela est très important, car tout le développement intérieur prôné par les adeptes du Nouvel Âge est individualiste et intérieur, c'est-à-dire très fragmenté, ne couvrant que l'un des quatre quadrants proposés par Wilber. Le niveau individuel — la dimension intérieure, subjective de l'individu — est bien sûr fort nécessaire. Mais à lui seul, il ne pourra affecter le niveau organisationnel ou sociétal, c'est-à-dire le monde extérieur et concret. La spiritualité inclut les quatre dimensions dont parle Wilber.

Pour répondre à votre question du *top-down*, je suis d'accord avec vous que l'approche autocratique tue l'esprit. Mais la YMCA n'a pas une structure organisationnelle *top-down*. Nous avons besoin de nouvelles structures organisationnelles. Le même constat est vrai au niveau social. Nous ne pouvons pas nous attendre à développer des individus sains dans une société malsaine. L'inverse est aussi vrai. Le contexte social a un impact sur le développement individuel. Aux États-Unis, nous rêvons de devenir une société saine avec 220 millions d'armes à feu disponibles dans la population... Cela est absurde. Il faut réaliser que le niveau systémique inclut et transcende en même temps le niveau individuel.

Robert Corbeil (directeur du marketing et des communications, Vision Mondiale). — J'aimerais offrir une réflexion à la suite de ce que Mme Lefebvre a proposé, c'est-à-dire que nous évoluons de plus en plus dans un monde de mobilité, de communication. Dernièrement, j'ai reçu chez moi durant un mois un collègue qui est africain, du Tchad précisément. À la fin de son séjour, il fit le constat suivant: «Les technologies de communications que vous avez sont simplement fantastiques... mais vous n'êtes plus capables de vous parler vraiment! Le matin maman écoute les nouvelles, papa lit son journal et les enfants sont devant la télé. Mais personne ne se parle et vous êtes pourtant dans un monde de communications!»

Monsieur Mitroff a proposé que nous laissions un peu notre foi et notre religion de côté quand on va travailler, de peur, entre autres, de manquer de respect envers soi-même ou les autres. Si on veut essayer d'intégrer des valeurs spirituelles dans notre travail, il y a peut-être un premier travail de terrain à faire à la maison. Souvent, on n'apporte pas non plus nos valeurs dans notre propre foyer. On ne prend pas le temps de se parler des vraies choses...

Intervenante anonyme. — Je suis professeur de droit et je viens de l'Université Populaire de Chine. Je suis très contente qu'il y ait en Occident tant de personnes qui s'impliquent dans cette recherche de l'intégration des valeurs économiques, éthiques et spirituelles. Mais je me demande comment traduire concrètement tout cela. Qui aura, par exemple, la charge de définir et de contrôler l'application des codes d'éthique ou de déontologie?

Dernièrement, j'ai participé à Pékin à une conférence sur la crise financière asiatique où l'on a parlé du rôle dévastateur des spéculateurs. Un représentant de la Banque Mondiale a, lui, surtout parlé de la faiblesse financière interne de ces pays. Durant son exposé, je pensais que si un voleur entrait dans une banque avec une mitraillette et volait un million de dollars, il serait poursuivi, si possible arrêté, condamné et mis en prison. Et pourtant cela ne s'est pas passé ainsi pour tous les spéculateurs qui ont ruiné en Asie des milliers et des milliers de personnes. Bien sûr, ils n'avaient pas de mitraillettes, mais l'effet est le même. De nouveau, qui peut décider du contenu des codes d'éthique et contrôler leur application?

Je connais très peu la religion chrétienne, mais d'après ce que j'en comprends, Dieu a établi un certain nombre de règles dans la Bible. Et il existe une forme de contrôle si on ne veut pas aller en enfer. Je ne sais pas si cela est efficace, mais du moins cela fait peur. Je comprends aussi que, dans cette religion, il suffit de croire pour être sauvé. Mais alors, M. George Soros[6], après toutes ses spéculations, sera lui aussi sauvé s'il croit? Je ne comprends pas cette logique!

Monique Nadeau (présidente, Carrefour Humanisation Santé). — Monsieur Mitroff et Mme Lefebvre ont tous deux insisté sur l'importance des mots et du langage. Il y a deux ans, nous avons décidé de changer le nom de l'association dont je fais partie qui contenait le mot «chrétien». Ce mot faisait peur à plusieurs personnes dans le domaine de la santé et les éloignait des activités que l'on essayait de mettre en place afin de rapprocher les gens.

---

6. Voir G. SOROS, *Le défi de l'argent*, 1996.

Nous essayons de redonner des valeurs humaines, spirituelles et éthiques dans le milieu de la santé, où je suis infirmière dans un centre hospitalier. Vous savez que notre milieu connaît actuellement des difficultés très importantes pour différentes raisons. Malgré le fait que je sois née dans un bain religieux, je ne parle plus en termes religieux aujourd'hui, mais j'utilise des notions comme la « spiritualité » ou les « valeurs », comme l'ont souligné les intervenants. Cela facilite les dialogues.

Dernièrement, je suis allée à une rencontre dans le milieu de la santé où M. Pauchant parlait des difficultés actuelles dans le réseau et de ce « tourbillon de vie ». Il a aussi proposé de créer des « cercles de dialogue » afin que nous puissions ralentir un peu, nous asseoir et réfléchir ensemble, afin de retrouver un sens entre nous, le sens d'être, pour ensuite pouvoir le transmettre au sein de l'organisation et du réseau. J'essaie de faire cela dans mon milieu tout en trouvant cela fort difficile : on est pris dans des restructurations, dans des crises, des besoins ; on est toujours en effervescence ; trop de feux à éteindre ; trop d'objectifs à très court terme. Je recherche des approches qui pourraient m'aider à retrouver un certain sens, une certaine intégration. Nous sommes actuellement fort fragmentés.

Intervenante anonyme. — Je suis une femme d'affaires. J'ai quitté le monde des affaires pour retourner aux études et faire mon MBA à 54 ans. Je voulais savoir ce que l'on montre aux patrons pour qu'ils manquent à ce point de respect fondamental à l'égard des personnes. Comme M. Mitroff, je trouve cette situation moralement outrageuse et je suis en colère. Pour moi, l'éthique et la spiritualité commencent avant tout par le respect de l'autre, ce qui a été souligné par Mme Lefebvre. Dieu est présent dans chaque être humain. Ce n'est que lorsque j'entendrai ce nouveau discours que, peut-être, je serai moins en colère.

Jon Husband (consultant en management). — Je me demande ce qui inspire les personnes au travail quand nous parlons de gestion, de travail et de spiritualité. Nous avons mentionné la motivation, la mobilisation, l'enthousiasme, mais nous n'avons pas posé la question fondamentale, qui est la manière dont le travail est perçu. Je crois bien que le professeur Mitroff a écrit un livre il y a plusieurs années, intitulé *Frame Break*, dans lequel il parlait du besoin de remettre en question des notions fondamentales[7]. Moi aussi je ressens ce besoin.

J'ai travaillé dans plusieurs grandes organisations. Dans la plupart d'entre elles, la majorité des gestionnaires et directeurs refusent d'explorer des réalités plus profondes. Moi je considère la gestion comme une religion, ou un dogme, soutenu par ceux et celles qui sont gestionnaires. Personne ne veut se risquer à poser des questions fondamentales. Et pourtant, comme nous l'avons mentionné ici, il y a une demande importante pour un apprentissage plus flexible, pour devenir une «organisation apprenante», pour trouver du sens dans son travail, et ainsi de suite. Mais comment changer les choses quand un consultant est capable de gagner 200 000 $ en faisant des analyses de compétences ou des évaluations d'emplois ? Ces approches nous fournissent des outils pratiques, mais elles ne remettent pas en cause les notions fondamentales.

Ian I. Mitroff. — Plusieurs des dernières interventions tournaient autour du même sujet : comment une organisation traditionnelle peut-elle rompre le moule malgré la prééminente présence de forces contraignantes ?

Reprenons Ben & Jerry's comme exemple. J'aime cet exemple, car il n'est pas parfait. Ben Cohen est décrit comme étant un «dictateur charitable», avec une insistance sur la dictature et non la charité. Gérer une organisation spirituelle est très difficile. Ce n'est certainement pas plus facile que de gérer une organisation traditionnelle : les organisations spirituelles affrontent les mêmes problèmes que les traditionnelles et, en plus, elles essayent d'inventer quelque chose de nouveau. Elles ont souvent besoin d'une notion intégrative ou «notion parapluie» pour opérer. Par exemple, la notion utilisée par Cohen est le «capitalisme soucieux[8]». C'est une contradiction de termes qui mène à toutes sortes de dilemmes : «Comment faire le bien ? Il faut faire de l'argent. Nous sommes cotés en bourse. Si nous réalisons un profit X et en donnons un pourcentage, un profit encore plus important nous permettrait de donner encore davantage.» Vous voyez, eux aussi peuvent sombrer dans la spirale de la croissance et de la recherche de l'argent à tout prix. Considérez d'autres para-

---

7. I.I. Mitroff, R. Mason et C. Pearson, *Frame Break*, 1994.
8. En anglais, *caring capitalism*.

doxes : « Engageons-nous des personnes qui sont en harmonie avec notre mission spirituelle ou des MBA qui ont une expertise professionnelle ? »

Ce que j'essaye de dire est que Ben & Jerry's a compris le besoin fondamental d'innovation et de changement *continuel*. Ils en ont fait un pilier central de leur stratégie. Ils ont compris qu'ils doivent être constamment habiles, non pas pour faire de l'argent, mais pour modifier les règles du capitalisme contemporain tout en travaillant en son sein.

Mais Ben & Jerry's a aussi des lacunes importantes, par exemple ce que j'appelle le « paradoxe du missionnaire ». Ben s'est tellement préoccupé du monde extérieur qu'il a négligé les enfants à la maison. Les employés de Ben & Jerry's ne se sentent pas « nourris ». Ce genre de situation est comparable à celle vécue pour repeindre le pont du Golden Gate à San Francisco. À quel moment peut-on s'arrêter de peindre ce pont ou la tour Eiffel ? Jamais ! Car nous n'avons pas de peinture antirouille parfaite. Mais les innovations et les expérimentations ne sont pas seulement laissées au hasard. Fondamentalement, il est nécessaire de bâtir une « infrastructure spirituelle » pour l'organisation. Si seulement une partie de l'organisation est impliquée dans la spiritualité, c'est-à-dire si l'approche déployée n'est pas *systémique*, cette introduction de la spiritualité ne durera pas.

L'INTÉGRATION DE L'ÉTHIQUE ET DE LA SPIRITUALITÉ DANS LE MANAGEMENT D'ENTREPRISES DE DIFFÉRENTS SECTEURS : SIX ÉTUDES DE CAS

Dans cette seconde partie, les leaders de six entreprises présentent comment l'éthique et la spiritualité sont aujourd'hui intégrées dans leur organisation. Ces entreprises ou organisations œuvrent dans différents secteurs : le système bancaire au chapitre 5, par Claude Béland ; la publicité au chapitre 6, par Madeleine Saint-Jacques ; l'alimentation au chapitre 7, par J.-Robert Ouimet ; une organisation publique au chapitre 8, par Vera Danyluk ; la santé au chapitre 9, par Yves Benoît ; et une école de commerce au chapitre 10, par Peter Sheldrake et James Hurley. Le chapitre 11 présente un dialogue collectif sur ces cas d'entreprise.

5 Éthique et spiritualité dans le mouvement coopératif du système bancaire

Claude BÉLAND

Existe-t-il une éthique particulière aux entreprises coopératives ? Si je me réfère à ma propre expérience d'une douzaine d'années à la présidence d'une grande institution financière coopérative au Québec, je répondrai affirmativement à cette question. En effet, il existe une éthique propre aux coopératives. Celle-ci prend son inspiration dans l'idée que chacun et chacune peut trouver un sens à sa vie par la participation directe au développement solidaire de son milieu de vie. Une éthique portée par les valeurs de démocratie, d'entraide et de responsabilité mutuelle et par cette vision d'une société où il y aurait une place et un rôle pour chacun et chacune. Le monde coopératif croit à la célèbre devise : *un pour tous, tous pour un*. Oui, il y a une spiritualité et une éthique coopérative.

Cependant, sous le souffle des grandes mutations qui bouleversent le monde depuis quelques années, je constate que cette éthique est aujourd'hui mise à rude épreuve. Je ne saurais citer d'exemples concrets de désintégration de l'éthique et de la spiritualité, mais il m'apparaît utile de souligner, sur le plan des valeurs, des défis importants pour le monde coopératif.

Dans ce chapitre, Claude Béland, président d'une institution financière importante, présente une philosophie et un design organisationnels qui favorisent l'éthique et la spiritualité. À titre de président du Mouvement Desjardins, qui emploie plus de 40 000 personnes et gère un actif financier de plus de 70 milliards de dollars, M. Béland décrit l'esprit du mouvement coopératif comme un «projet de société», retrace l'histoire du Mouvement Desjardins à travers celle de son fondateur, Alphonse Desjardins, résume les mutations récentes du marché qui vont à l'encontre des valeurs du mouvement coopératif et donne des exemples précis sur la façon dont son institution s'est adaptée à la réalité dominante de l'économie de marché[1]. En conclusion, M. Béland explique les raisons pour lesquelles, d'après lui, le mouvement coopératif est un gage d'avenir dans un monde en «quête de sens» et plaide en faveur de l'éducation à la citoyenneté, à la démocratie, à la responsabilité et à la solidarité afin d'humaniser l'économie et la société.

Exemple «d'entreprise évolutive» décrite par Ian I. Mitroff (voir le chapitre 2), le Mouvement Desjardins a réussi à enraciner son origine chrétienne dans le mouvement coopératif et à prospérer dans un marché où prédominent d'autres valeurs. Ces deux victoires lui valent de nombreuses critiques: Certains lui reprochent de n'être pas assez capitaliste et de manquer d'efficacité et de rentabilité, alors que d'autres l'accusent d'avoir «vendu son âme» et de trop transiger avec le monde capitaliste[2]. Et pourtant, comme s'est expliqué lui-même Claude Béland dans un livre récent[3], le Mouvement Desjardins a préservé sa flamme coopérative. Encore aujourd'hui, d'importantes décisions sont prises par quelque 14 000 dirigeants, cadres et sociétaires suivant le principe «une personne, un vote». Desjardins est aussi l'une des rares institutions financières à s'être opposée récemment aux fusions des banques canadiennes. Faire partie du monde économique dominant, tout en prônant des valeurs sociales, est le paradoxe managérial discuté dans ce chapitre par M. Béland.

---

1. Sur l'histoire du Mouvement Desjardins, voir P. POULIN, *Histoire du Mouvement Desjardins*, tomes I, II et III, 1990, 1994 et 1998.

2. Pour un exemple de ces critiques, voir l'éditorial de la revue *Commerce*, août 1999.

3. Voir C. BÉLAND, *Inquiétude et espoir*, 1998.

Pour mieux saisir mes propos, laissez-moi d'abord présenter, à ceux qui ne le connaissent pas, le Mouvement des Caisses Desjardins. Il s'agit d'un grand regroupement de coopératives financières locales, que nous appelons les Caisses populaires. Les premières virent le jour au tout début du XXe siècle. Depuis, elles n'ont cessé de croître et de se développer. Nous comptons aujourd'hui plus de 1100 Caisses populaires au Québec. Ce sont des entreprises qui, en vertu de leur statut de coopératives, appartiennent à leurs membres et dont les dirigeants bénévoles sont élus chaque année dans le cadre de l'assemblée de leurs membres. Comme groupe, nous les désignons sous le nom de «Mouvement des Caisses Desjardins», et cette organisation est devenue la principale institution financière du Québec. Le Mouvement Desjardins emploie plus de 40 000 personnes. Il repose sur l'engagement de quelque 14 000 dirigeants et dirigeantes bénévoles. Il offre ses services à 5 millions de membres et ses actifs se chiffrent à plus de 70 milliards, en dollars canadiens.

Ce modèle coopératif n'est pas unique. En plus d'assumer la présidence du Mouvement des Caisses Desjardins, j'ai le privilège de présider à l'«Association internationale des banques coopératives». De ce fait, j'ai eu maintes fois l'occasion de côtoyer des coopératives financières sur tous les continents, particulièrement en Europe où l'on retrouve les plus grandes banques coopératives au monde. Ces coopératives sont toutes porteuses des mêmes valeurs.

Dès ses origines, le coopératisme se présente comme un véritable projet de société. Il naît au XIXe siècle, en réaction aux abus du libéralisme économique et propose de résister à la théorie du «laisser-faire» qui consacrait la *lutte pour la vie,* alors que les pionniers de la coopération proposaient plutôt celle de *l'union pour la vie.* De plus, les penseurs de la coopération refusaient de s'accommoder d'un double standard de moralité: l'un pour la vie sociale, l'autre pour le monde des affaires. Ils n'appréciaient guère cette conception de l'être humain qui, pour orienter sa conduite, doit se référer à des règles différentes selon la nature de ses activités, soit une morale pour le commerce, une autre pour la vie familiale, une autre pour la vie politique, une autre pour la vie spirituelle, etc. Nous retrouvons ici le rejet de la «fragmentation» décrit par Ian Mitroff (voir le chapitre 2). Ces penseurs voulaient plutôt un système qui reconnaît l'être humain comme un tout, comme un être global et non pas comme un être, tantôt père de famille, tantôt commerçant, tantôt ami, ou un être tantôt avec une âme et tantôt sans âme.

Dès ses débuts, le coopératisme vise à reconnaître au travailleur et au consommateur leur qualité d'être humain. C'est pourquoi l'entreprise coopérative accorde le pouvoir aux membres usagers. Elle les invite à assumer leurs responsabilités, à contribuer activement au progrès de leur entreprise, à travailler avec les autres et à vivre la solidarité, cette dernière étant le mortier essentiel au développement de toute société digne de ce nom. Aussi, en proclamant que l'activité économique n'est pas une fin mais un moyen, les pionniers de la coopération prônaient ce que nous pourrions appeler une éthique du bien commun et de la responsabilité, et ce, dans l'espoir de mettre un frein aux effets négatifs de l'éthique beaucoup plus étroite du profit.

Le fondateur du Mouvement Desjardins, M. Alphonse Desjardins, s'inspira de cette éthique coopérative. Étant lui-même chrétien, il retrouvait dans le coopératisme les valeurs de solidarité, d'entraide, de fraternité et de charité que lui enseignait sa religion. D'ailleurs, dans la lutte qu'il mena pour faire naître ici les premières coopératives, il fit de Dieu son principal allié. Dans certains documents appartenant à Alphonse Desjardins, nous retrouvons cette belle prière, écrite alors qu'il travaillait à lancer la première Caisse populaire et qu'il doutait de la faisabilité de son projet. Dans cette prière, il dit au Seigneur : « Si tu crois que cette aventure dans laquelle je m'engage est inspirée par l'orgueil, si tu penses que c'est une folle idée qui n'aidera pas mes compatriotes, chasse de mon esprit cette idée folle, je compte sur Toi. » Pour qu'Alphonse Desjardins persiste dans son œuvre, il fallut qu'un des évêques d'un diocèse du Québec, Mgr Grondin, lui vienne en aide en lui disant : « Non, ceci est vraiment la volonté de Dieu. »

Le fondateur du grand mouvement coopératif québécois était très préoccupé par la pauvreté et par la vulnérabilité d'un grand nombre de ses compatriotes qui souvent étaient exploités par les usuriers ou étaient victimes, à l'époque, d'une mauvaise organisation de l'agriculture. Alphonse Desjardins, alors sténographe au Parlement du Canada, à Ottawa, était témoin de tous les débats qui s'y tenaient. Par solidarité, il cherchait un moyen concret et efficace de redonner une certaine dignité à ses concitoyens.

Au fil de ses recherches et de ses lectures, Alphonse Desjardins découvrit le coopératisme tel qu'on le pratiquait en Europe, et après plusieurs mois d'études et de correspondance avec plusieurs dirigeants européens de coopératives d'épargne et de crédit, il résolut de fonder ici des Caisses populaires. Il lança cette invitation dans les termes suivants, et je cite de mémoire :

Créez dans tous vos groupements ce foyer d'épargne et de crédit, trésor où se multiplieront vos forces, vos énergies, et vous mériterez le respect de tous. À côté du clocher paroissial, fondez la Caisse populaire où s'épanouiront vos activités économiques, où vos vertus civiques trouveront un champ d'action admirable.

Vous le devinez, ceux qui ne croyaient pas au projet de M. Desjardins — ils étaient nombreux à l'époque — ont manifestement sous-estimé les forces de la solidarité et du dynamisme qui peuvent émerger de tout projet humainement généreux, inspiré par une action commune et par la volonté de faire le bien, non seulement pour soi-même, mais pour les autres. Améliorer sa vie en même temps que celle de la collectivité, par le regroupement des épargnes dans une entreprise où les membres sont égaux, cet apport, si minime soit-il, est ainsi valorisé. Cela s'avéra un objectif capable de mobiliser les gens et de susciter plusieurs décennies d'efforts et de travail acharnés.

Le Mouvement Desjardins aura bientôt 100 ans. Il constitue chez nous, certes, une belle réussite. Sa mission aujourd'hui est toujours la même : par l'action concrète, contribuer au mieux-être économique et social des personnes et des collectivités, tout en faisant l'éducation à la démocratie, à l'économie, à la responsabilité et à la solidarité. Mais si la mission fondamentale du Mouvement Desjardins n'a pas changé et si sa structure coopérative est toujours intacte, il faut toutefois admettre que l'esprit coopératif et les pratiques de gestion qui en résultent fleurissaient jadis dans un terreau beaucoup plus fertile, comme l'a expliqué Mme Lefebvre dans son rappel historique (voir le chapitre 3). À cette époque où l'éducation à une éthique du bien commun était à l'ordre du jour, où nous vivions de façon plus spontanée les valeurs de solidarité, d'entraide et de secours mutuel, où le sens de la communauté était vigoureux et où les gens partageaient et pratiquaient une même religion, les entreprises mutuelles, fraternelles et communautaires foisonnaient, puisque les pratiques quotidiennes de ces organisations rejoignaient les valeurs du plus grand nombre. C'était l'époque où les valeurs collectives étaient suffisamment fortes pour que les gens des différents milieux ne se laissent pas influencer par les conceptions plus libérales ou capitalistes véhiculées par de nombreux théoriciens et économistes. Ces derniers exprimaient des opinions fort différentes : selon eux, les préoccupations sociales des gens d'affaires ne pouvaient être que nuisibles à la bonne marche de l'économie. Ces défenseurs de l'éthique du profit n'hésitaient pas à adresser des reproches aux entrepreneurs, entre autres de se laisser distraire par des préoccupations humanistes qui n'avaient, toujours selon eux, rien à voir avec l'objectif primordial des entreprises, celui de faire des profits.

J'ajouterais, en second lieu, qu'il était plus facile de vivre l'esprit coopératif alors que les moyens de communication étaient limités. L'isolement des populations favorisait l'émergence d'un fort sentiment d'appartenance à leur milieu et à leurs institutions ou à leurs entreprises. Il en résultait des relations plus étroites entre la coopérative d'épargne et de crédit et ses membres, ce qui autorisait même certaines exceptions aux règles de gestion généralement admises. Cela permettait même de faire du crédit, parfois uniquement sur la valeur morale des individus. Mais depuis quelques décennies, l'évolution des technologies de communication a facilité les déplacements, dilué ce sentiment d'appartenance et ouvert de nouveaux horizons au point de rapetisser la planète. Aujourd'hui, la mondialisation des marchés profite, avant tout, à ceux qui ont la capacité d'envahir les nouveaux marchés qui leur étaient jusqu'alors inaccessibles. Ce sont les entreprises de grande taille qui réussissent à prendre place sur les nouveaux marchés. Ainsi, nous assistons aujourd'hui à la création de méga-entreprises par voie d'acquisition, de fusion ou de nouveau partenariat. Cette mondialisation a fait naître des concurrences nouvelles sur tous les marchés et a eu des effets sur le comportement des consommateurs, y compris les membres des coopératives ; et cela, non seulement au Québec, mais partout dans le monde.

Aujourd'hui, l'individualisme du consommateur est sans cesse stimulé. Il en est ainsi particulièrement dans le domaine des services financiers où les choix, sous l'influence de conseillers financiers formés à l'éthique du profit, sont de plus en plus motivés par le seul enrichissement personnel. Les achats, les placements ou les investissements obéissent désormais à la seule logique du rendement ou du gain individuel et font peu de cas de leurs conséquences sur l'enrichissement collectif ou le développement du milieu. À cela, il faut ajouter que les échanges, ainsi devenus plus nombreux entre les peuples, ont entraîné une certaine normalisation dans l'élaboration des règles auxquelles chacun doit se soumettre. La loi du marché étant dominante, elle accorde la première place à l'éthique du profit.

Sous l'effet de ces changements et de l'évolution des exigences des membres d'aujourd'hui, les pratiques des coopératives financières ont nécessairement évolué. Ainsi, face aux « mégabanques », les petites organisations financières ont rapidement constaté qu'elles ne disposaient pas de moyens suffisants pour répondre à l'ensemble des besoins de leurs clients ou, dans le cas des coopératives, de leurs membres. Pour affronter la concurrence, les petites coopératives financières ont dû s'équiper des technologies les plus avancées et embaucher des spécialistes aux compétences toujours plus grandes (pas nécessairement des gens formés à la coopération). Pour assumer ces nouveaux coûts, il a fallu mobiliser d'importantes ressources financières, ce que les petites entreprises coopératives ne pouvaient faire seules et ce qui les a obligées à se regrouper, à déléguer des responsabilités, à faire des alliances et parfois à fusionner. Cette évolution ne s'est pas faite sans quelques tensions. Je vous donne quelques exemples.

Comme vous le savez, dans les entreprises capitalistes, le capital est la mesure de la propriété que détient un investisseur dans l'entreprise. Si vous détenez 50 % des titres d'une entreprise, vous êtes propriétaire de celle-ci à 50 %. C'est aussi la mesure des droits de vote que vous pouvez exercer comme actionnaire. C'est aussi la mesure du partage des profits. De plus, ce capital acquiert une plus-value et a une valeur spéculative qui permet son inscription en bourse. Or, dans les coopératives, un tel capital n'existe pas. Il ne peut pas exister, puisque le contrôle de l'entreprise s'exerce démocratiquement. La règle du *une personne = un vote* confirme le caractère démocratique de la coopérative. Et sur le plan du partage des bénéfices, les coopératives versent des ristournes, non pas en proportion du capital investi, mais en proportion des activités que le membre a eues avec sa coopérative.

Ces règles coopératives, quant à la propriété et au contrôle de l'entreprise et quant au partage des bénéfices, sont donc différentes de celles des entreprises traditionnelles. Dans un marché protégé, ces règles trouveraient plus aisément leur place. Mais, déjà, la normalisation des règles qu'impose le système dominant — c'est-à-dire le système capitaliste — exerce des pressions sur les pratiques dans les coopératives. Par exemple, lorsque les coopératives se présentent sur les marchés internationaux pour faire des transactions financières, elles doivent s'adapter à la seule règle reconnue, celle du capitalisme, ce qui les oblige souvent à faire des contorsions juridiques multiples et peut laisser croire qu'elles sont de plus en plus semblables aux banques traditionnelles.

De même, il n'y a pas si longtemps, à défaut de trouver suffisamment de capital dans les rangs coopératifs pour renforcer sa capitalisation et son développement — les règles de la capitalisation n'étant plus alors décidées à Lévis, au Québec, mais à Bâle, en Suisse, pour toutes les institutions financières dans le monde —, Desjardins a été obligé de former une entreprise à capital-actions qu'on appelle Capital Desjardins inc., une entreprise capitaliste dont toutes les actions, fort heureusement — ce qui apaise notre conscience —, sont détenues par les coopératives. Les coopératives n'ont pas le choix d'agir autrement lorsqu'elles entrent dans les marchés financiers internationaux ; à moins de choisir de s'isoler et de limiter leurs moyens, elles sont contraintes de jouer les règles du système dominant et de transiger avec des institutions et des instruments capitalistes. Le capitalisme est désormais si dominant qu'il est impensable que ce soient les institutions capitalistes qui s'adaptent à la spécificité des entreprises coopératives. En conséquence, de nombreuses pratiques commerciales des Caisses ont été modifiées au cours des dernières décennies, et chaque modification a soulevé des débats éthiques.

Voici un autre exemple. Il n'y a pas si longtemps, les membres des Caisses acceptaient volontiers des taux d'intérêt équivalents pour les dépôts des petits épargnants et ceux des grands détenteurs d'épargne. C'était une application concrète de la règle du partage équitable de la richesse. Le raisonnement était très simple. Les 1000 $ du petit épargnant avaient pour lui, certes, la même importance que les 50 000 $ ou les 100 000 $ du grand détenteur et l'on convenait que cela valait la même rémunération. Mais la concurrence des entreprises capitalistes a modifié les façons de voir des épargnants. La concurrence rémunérant davantage les grands détenteurs d'épargne, les membres des Caisses qui se trouvaient dans cette catégorie devinrent moins fidèles à l'égard de leur Caisse. Ils exigèrent, pour ne pas transférer leurs avoirs ailleurs, une rémunération comparable à celle accordée par les concurrents ; ce qui obligea les coopératives financières à modifier leurs règles, à mettre un bémol sur le partage équitable de la richesse, à instaurer une forme de rémunération croissante selon le montant des dépôts et à contribuer ainsi, et bien malgré elles, à élargir l'écart entre les riches et les pauvres.

Un changement semblable a dû être instauré quant aux frais d'utilisation de services. Il fut un temps, en effet, où il n'y avait aucuns frais de services dans les Caisses, ces frais étant assumés par l'ensemble des Caisses, peu importe le nombre de transactions qu'un membre effectuait dans sa coopérative. Mais, sous la pression des membres qui faisaient peu de transactions et qui refusaient de payer pour les autres, les coopératives furent contraintes de changer les règles.

De même, et je m'en souviens fort bien pour l'avoir vécu, le mot « marketing » ne faisait pas partie du vocabulaire coopératif. Cela n'était pas très bien vu. Nous parlions plutôt de l'« éducation des membres ». Mais avec l'avènement de la société de consommation et devant la force du marketing et de la concurrence, dont l'influence sur le comportement de nos membres était évidente, il a fallu aussi modifier nos façons de faire.

À la fin des années 1960, le même genre de débat moral a entouré l'avènement du crédit à la consommation, et à la fin des années 1970, celui de la carte de crédit. L'évolution de la demande sociale et les exigences de nos membres ont ainsi entraîné la mise en place de pratiques, perçues par plusieurs comme venant heurter l'éthique de la coopération et la mission traditionnelle de la Caisse. Cette mission avait, jusqu'à maintenant, été de libérer les membres de l'endettement et de les habituer à l'épargne et à la prévoyance.

Il en fut de même pour nos échelles salariales. En 1985, nous nous référions à une « échelle coopérative de salaires ». L'écart entre le salaire le plus bas et le plus haut était beaucoup moins accentué que dans les entreprises capitalistes concurrentes. Mais il devint nécessaire d'attirer les gestionnaires de haut niveau, dont les coopératives avaient besoin et, encore là, elles furent obligées de modifier leur politique salariale pour la rendre plus conforme à ce qui se faisait ailleurs.

Ce sont là quelques exemples qui illustrent les modifications que les coopératives financières ont été obligées d'apporter à leurs pratiques, sous la pression de leurs membres et de leur environnement extérieur. Ce faisant, elles s'éloignaient, à l'occasion, de l'esprit coopératif, tel que conçu et vécu dans le passé.

Est-ce à dire que la différence coopérative dans les pratiques de gestion est maintenant chose du passé, et qu'il n'y a plus de place dans nos sociétés pour une éthique du bien commun qui se démarquerait du libéralisme et de l'individualisme ambiants ? Je ne le crois pas. Je pense plutôt qu'il s'agit, pour les coopératives financières, d'une adaptation temporaire ou transitoire, mais nécessaire, en vue d'assurer leur pérennité. Pour survivre et progresser, les coopératives se doivent d'être le miroir de la majorité de leurs membres, dont les valeurs sont actuellement influencées par des sollicitations nouvelles qui s'alimentent, pour la plupart, à l'éthique du profit. Mais à mon avis, pour plusieurs raisons, ces courants sont réversibles.

Dans un premier temps, il importe de savoir que, malgré toutes les concessions qu'elles doivent faire, les coopératives financières n'en conservent pas moins leur spécificité et leur structure (cela étant essentiel). Elles demeurent toujours des entreprises gérées démocratiquement. D'ailleurs, il y a à peine trois ans, le congrès de l'Alliance coopérative internationale a confirmé les règles propres aux coopératives, dans une charte connue sous le nom de *Charte de l'identité coopérative*. Là, se retrouvent ce que l'on pourrait appeler les « fondements mêmes de l'éthique de la coopération ».

En second lieu, les coopératives demeurent aujourd'hui des instruments au service de leur collectivité. Chaque Caisse doit nécessairement réinvestir les épargnes de ses membres dans leur milieu. À la fin de l'année, les trop-perçus sont retournés à la collectivité, ce qui n'exclut pas la constitution de réserves dont les fonds sont utilisés au développement de projets communautaires.

Troisièmement, il faut savoir que les hauts dirigeants du mouvement coopératif ne cessent de se battre pour faire valoir leurs droits à la différence. L'inspiration originelle qui a fait naître le mouvement coopératif est toujours présente. La flamme n'est pas éteinte, et cette vision d'une société faite pour tous et toutes, dans un esprit de continuité et de pérennité, qui donne un sens à la vie, est toujours présente. C'est d'ailleurs parce que l'éthique coopérative est encore vivante que les changements exigés par les autorités réglementaires, ou ceux qui font suite aux pressions des membres, soulèvent toujours et autant de questionnements et de débats.

Quatrièmement, il faut ajouter que, si les coopératives subissent l'influence du système dominant, elles le modifient subtilement aussi en retour. Il y a là une tension permanente, une dialectique qui peut être un facteur d'humanisation dans le monde d'aujourd'hui. Jamais n'a-t-on tant vu de nouvelles coopératives se former et jamais n'a-t-on tant vu d'entreprises à capital-actions se doter de codes déontologiques, et même oser traiter de spiritualité. Ce forum est un exemple de cette tendance.

Finalement, parce que les coopératives permettent justement aux populations de s'organiser face aux grands bouleversements qui secouent la planète, je pense qu'elles deviennent de plus en plus pertinentes et que parallèlement au développement d'une économie mondiale, elles contribuent à faire de nous des citoyens du monde. Du même coup, les populations reconnaissent la nécessité de développer une économie locale ou régionale pour continuer à vivre là où elles veulent. Pour ce faire, les gens ont besoin d'outils communs leur permettant de se responsabiliser. Comme pour toute coopérative, les gens gagneraient à se regrouper et à développer des institutions et des entreprises fortes, qui leur appartiennent et qu'ils contrôlent.

Les effets pervers de la mondialisation et du libéralisme débridé que nous connaissons soulèvent de plus en plus d'inquiétude et de questionnement. La concentration de la richesse, le nombre grandissant d'exclus et de sans-voix et une pauvreté plus étendue font que plusieurs s'exclament (on le lit et l'entend de plus en plus, comme M. Thierry Pauchant nous le rappelle dans le chapitre d'introduction) : « Tout cela n'a plus de sens ! » Quand il n'y a plus de sens, il n'y a plus de vie.

Il est intéressant de constater que, dans leur lutte pour mettre un peu plus d'humanité dans l'économie et les affaires collectives, les coopérateurs ont toujours eu de nombreux alliés. Il existe, en effet, un ensemble de plus en plus important de gens et d'organisations qui, dans les diverses régions du monde, militent aujourd'hui en faveur d'une société plus humaine. Ils souhaitent remettre la personne au centre de toutes les préoccupations ; ils travaillent de façon à ce que l'économie soit au service des sociétés, et non l'inverse. De plus en plus d'organisations et d'entreprises se réclament désormais de ce qu'on appelle l'*économie sociale* ou encore l'*économie solidaire*. D'ailleurs, au dernier sommet économique tenu au Québec, comme vous le savez, un « chantier » sur l'économie sociale fut même créé et, aujourd'hui, il continue à se développer, puisqu'il est devenu pratiquement permanent. Cette recherche sur l'intégration de l'éthique et de la spiritualité dans la gestion et le leadership en entreprise est certainement au cœur de ce forum et corrobore l'importance de ce besoin actuel dans le milieu des affaires, comme l'a souligné M. Jean-Marie Toulouse, directeur des Hautes Études Commerciales de Montréal (voir le chapitre 1).

Il me reste un souhait à exprimer. Sous le souffle de la mondialisation, de toute évidence, il a fallu agir rapidement et troquer l'éducation pour l'enseignement. Il a fallu, sans perdre de temps, transférer des connaissances financières, économiques et techniques, pour rattraper ceux qui possédaient déjà ces connaissances. Ce faisant, il m'apparaît que nous avons négligé l'éducation à la citoyenneté, à la démocratie et à la solidarité. Cette éducation doit être remise à l'avant-plan, afin d'humaniser l'économie et la société. Voilà, à mon avis, l'enjeu de notre temps ; un enjeu éthique, s'il en est un. Et pour que l'existence ici-bas conserve un attrait et un sens aux yeux du plus grand nombre, réussir cet enjeu n'est plus un choix, mais une nécessité.

6 L'éthique, la spiritualité et la publicité: un ménage à trois réalisable

Madeleine SAINT-JACQUES

C'EST AVEC FIERTÉ que j'œuvre dans le milieu de la publicité depuis plus de 40 ans. Mais je sais très bien que le sentiment de fierté que j'éprouve à y travailler n'est pas partagé par tous. La publicité a mauvaise presse. Un célèbre publicitaire a même un jour dit: «Ne dites surtout pas à ma mère que je suis un publicitaire, elle me croit pianiste dans un bordel!» On multiplie les reproches au sujet de la publicité. On l'accuse de tous les maux, de manipuler les consciences, de faire fi de la vérité, de ne reculer devant rien pour atteindre ses objectifs, ordinairement mercantiles. On dit également qu'elle crée des besoins factices, qu'elle suscite le désir de posséder à tout prix des choses dont on n'a nullement besoin. On dit même que la publicité viole la liberté d'un grand nombre de personnes qui se trouvent sans défense devant la puissance et l'étendue de ses moyens de séduction. Quel portrait on lui fait!

La publicité est dénigrée un peu partout et par des ténors de la société. Des sociologues et philosophes moralisants, des «historialistes rationalisants», même par des curés du haut de leur chaire de vérité. Dans un pareil contexte, la publicité peut-elle prétendre s'accommoder d'une éthique? Plus encore, avec une certaine

Dans ce chapitre, Madeleine Saint-Jacques, présidente d'une grande agence de publicité montréalaise, déclare sa fierté d'exercer le métier de publicitaire. Elle rappelle que, même si la publicité a mauvaise presse, celle-ci est avant tout une forme de communication qui véhicule un message. Pour Mme Saint-Jacques, une éthique et une spiritualité de la publicité sont possibles et devraient être évaluées d'après la nature du message véhiculé, selon qu'il exploite le facile et le grossier, qu'il informe simplement le public ou qu'il atteigne les profondeurs de l'être humain. Madame Saint-Jacques affirme que la publicité doit respecter des valeurs essentielles, compte tenu du fait que cette dernière est un instrument puissant dans notre société, exerçant le pouvoir omniprésent du «faiseur d'images» — une personne est exposée en moyenne à plus de 2500 messages par jour! Après nous avoir rappelé que toute l'industrie est régie par un code déontologique strict, elle prend l'exemple de sa propre agence où chaque message véhiculé est en accord avec les valeurs personnelles et profondes de sa présidente.

Si, dans le chapitre précédent, M. Béland expliquait les façons par lesquelles une institution financière peut être différente malgré les pressions du marché, Mme Saint-Jacques fait ici de même dans le domaine de la publicité. En outre, elle montre que le message publicitaire peut, si on le désire, véhiculer «le souffle qui fait vivre» et elle nous en donne des exemples concrets. De plus, elle nous fait constater que les valeurs n'émanent pas seulement du monde social, des modes ou des institutions. Comme je l'ai suggéré par la notion de «niveau de développement de la conscience» (voir le chapitre d'introduction), Mme Saint-Jacques suggère que ces valeurs proviennent aussi d'une aspiration profonde de l'être et, pour être fière de son métier de gestionnaire publicitaire, elle doit attribuer à cette aspiration une «attention particulière», comme aimait le dire la philosophe Simone Weil (voir le chapitre 12).

bienveillance, pourrait-on imaginer une quelconque relation de la publicité avec la spiritualité?

Mon propos est de vous dire ce que je crois moi-même, candidement, peut-être naïvement, mais réellement, à savoir qu'il y a dans la publicité des éléments compatibles avec un code d'éthique, et que ces éléments peuvent inspirer une véritable spiritualité ou s'en inspirer, d'où le titre de ma présentation.

Nous serons tous d'accord sur le fait que la publicité est une forme de communication. Elle transmet un message, elle dit quelque chose à quelqu'un. La publicité, ce n'est pas seulement les annonces de bière et l'incitation aux plaisirs faciles. C'est aussi des informations qu'un gouvernement transmet à tous les citoyens ; c'est une liste de prix, des produits alimentaires que l'on veut bien connaître avant de les consommer ; c'est l'incitation à la modération ou à la prévention que nous transmet Éduc-Alcool ou l'Association des assureurs automobiles ; c'est même une destination de voyage, un choix d'école, un chalet d'été, un loisir ou un emploi. Bref, la publicité c'est une foule de messages, des plus terre à terre aux plus humains, qui peuvent servir l'ensemble de la population.

Théoriquement, toutes les publicités ont la prétention de nous dire des choses qui peuvent nous être utiles, nous rendre service, nous apporter des avantages ou des bienfaits qui nous aideront à mieux vivre. Dans ce sens, toute publicité transmet un message. En soi, la publicité est bonne et vise le bien-être des citoyens en offrant différents messages qui peuvent tout simplement les informer, ou encore les persuader d'entreprendre une action, de modifier un comportement. Si l'on discrédite tant la publicité, si bonne soit-elle en théorie, c'est qu'elle demeure un instrument puissant dont on peut user ou abuser. Concrètement, elle est bonne ou mauvaise, selon qu'elle sert ou non les valeurs de la société, celles qui la font grandir. Sa grande puissance vient du fait qu'elle engendre des émotions avec des images ou avec des mots. Or nous connaissons la puissance de l'image, surtout dans le monde actuel. On dira du publicitaire qu'il est un « faiseur d'images ». Kundera a lui-même inventé ce néologisme pour souligner la toute-puissance de l'image dans notre société actuelle. Le pouvoir des « faiseurs d'images » serait de plus en plus important et donc de plus en plus utile ou dangereux selon les fins poursuivies ; selon que l'on crée des images pour assurer le mieux-être des citoyens, ou pour les écraser, les dominer, les exploiter.

Il faut ajouter que la puissance de la publicité tient de son omniprésence. Elle offre une masse de communications où la réalité dépasse souvent la fiction. Alvin Toffler, dans *Le choc du futur,* une œuvre datant d'environ une trentaine d'années, estimait que, tous les jours, 560 messages publicitaires nous atteignaient. Or, disait-il, même si on ne remarque que 76 d'entre eux, c'est déjà énorme. Grâce au travail de recherche de mon collègue Marcel Proulx, nous savons qu'aujourd'hui le consommateur moyen recevrait chaque jour entre 2500 et 3000 messages, ce qui est assez effarant !

Autrefois, la « morale » protégeait un ensemble de valeurs que la société voulait à tout prix conserver. À tel point qu'il existait de graves sanctions (la prison pour certains et l'enfer pour d'autres) pour ceux qui ne respectaient pas ces valeurs. Autres temps, autres mœurs, aujourd'hui ce simple mot « morale » rebute notre société qui ne veut plus en entendre parler. Le problème est que la société a toujours un certain nombre de valeurs qu'elle veut et doit protéger. Qu'est-ce que la charte des droits de la personne, sinon une codification de valeurs que la société veut absolument protéger ? On peut donc assimiler la charte à une certaine morale sociale. Mais la charte n'est pas la seule référence au sein des professions ou dans les milieux mentionnés. Chez nous comme ailleurs, un autre code gagne du terrain et semble vouloir prendre la place de la morale dans certains milieux de vie et dans certaines professions, et c'est l'éthique.

L'expression « Exit la morale et bonjour l'éthique », citée par un ami lors d'une conférence récente, exprime bien ma pensée ; les codes d'hier, même s'ils changent de noms, correspondent toujours à un besoin actuel de société. Que ces noms soient « morale » ou « éthique », il serait faux de dire que notre société fait abstraction des valeurs, que ces valeurs ne sont pas regroupées dans un système de pensée et qu'elles n'influencent pas les comportements. Il serait donc aussi faux de dire que notre société, dans ses diverses expressions, ne se réfère pas à ce qui fut jadis la morale, à ce qui est devenu, dans bien des aspects de notre vie, l'éthique. La publicité n'échappe pas à ces comportements. Si elle véhicule des messages, elle transmet des valeurs. Les valeurs qu'elle communique sont étroitement liées aux choix de la société.

Mais d'où viennent ces choix de la société qui déterminent nos valeurs ? Ils peuvent être le produit d'influences diverses. Je retiens trois de ces influences : celles qui viennent de modes passagères, celles qui viennent de nos institutions et celles qui viennent du plus profond de notre être.

D'abord, les influences qui viennent de modes passagères, comme l'attrait du spectaculaire, la prédominance du sensuel, la tendance à la facilité, au moindre effort, le goût de la solution rapide puisque que le temps nous presse, etc. Bref, une foule de choses peuvent être en elles-mêmes passagères, souvent très bonnes mais éphémères, et

donc risquent d'être rapidement remplacées par d'autres. Autres temps, autres mœurs.

Deuxièmement, les influences provenant de nos institutions sont nombreuses et, dans certains cas, fort importantes. Nos institutions et le personnel qui en a la responsabilité ont une très grande influence sur nos choix de société; corps enseignant, corps professionnel de la santé, du génie, du droit, des services sociaux de toutes sortes, etc. Il y a également les institutions religieuses — les Églises — qui, dans le passé, ont eu une profonde influence sur les valeurs de vie de notre société. Et bien sûr, les institutions politiques et les gouvernements qui jouent toujours un rôle majeur dans nos choix de société. Toutes ces institutions recherchent, en principe, le bien-être des citoyens. Et dans cet esprit, elles peuvent intervenir, voire imposer certains paramètres que nous devons respecter. Ainsi, l'industrie publicitaire, obligatoirement liée à ces institutions, doit se conformer à une réglementation précise touchant, entre autres, l'alimentation, les boissons alcoolisées et les médicaments sans ordonnance. Par ailleurs, l'industrie a son propre code. Le Code canadien des normes de la publicité, administré par le Conseil des normes, responsable en grande partie du respect de ses directives. Non seulement les publici-

taires se soumettent-ils aux exigences de ce code, mais ils voient, par le truchement de leur propre association professionnelle, à s'imposer une autodiscipline, une autoréglementation. Ainsi a-t-elle sollicité l'éclairage avisé de théologiens lors de la publication d'une brochure portant le titre *Publicité et vérité*.

Il y a aussi les influences qui viennent du plus profond de notre être. Elles sont le produit de notre réflexion, de notre vécu, de ce que nous ont transmis les gens que nous aimons et respectons et qui ont toujours mérité notre confiance. Elles reflètent ce que ces personnes ont vécu elles-mêmes et qui a donné sens à notre vie. Bref, elles sont ce qui fonde et définit ce que nous sommes, ce que nous voulons être en toute fidélité à notre nature. Il existe un mot pour désigner cette dimension de nous-mêmes qui nous oriente dans tout notre être. C'est la spiritualité, « le souffle qui fait vivre ».

Reprenons la question du début à la lumière de ce qui vient d'être dit. Est-il possible de transmettre des messages publicitaires qui véhiculent un ensemble de valeurs, non seulement les valeurs codifiées par la société, mais aussi les valeurs qui correspondent à ce que je suis, à ce que je pense, à ce que je crois, des valeurs qui correspondent à ma spiritualité? La spiritualité correspond, pour moi, à la

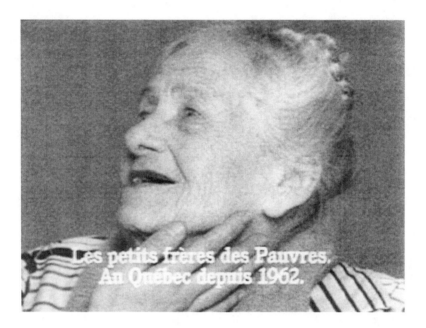

dimension la plus profonde de mon être, celle qui rejoint les valeurs fondamentales de ma vie et qui est en relation avec un absolu. Personnellement, je crois que cette spiritualité peut être vécue, pour les deux raisons qui suivent.

Tout d'abord, parce que je suis certaine que vous-mêmes, dans vos vies, très souvent, avez su transmettre des messages à ceux et celles que vous aimez. Des messages liés à des valeurs acceptées et reconnues par la société, mais fidèles à ce que vous croyez. En tant que publicitaire, je peux concevoir et produire des messages qui me respectent, qui sont conformes à mes références morales ou éthiques et qui s'inscrivent dans l'ensemble de mes valeurs spirituelles.

Deuxièmement, parce que j'ai un exemple concret réalisé par une agence de publicité de Montréal. Il arrive en effet, à l'occasion, qu'un client demande de transmettre un message en conformité avec ses valeurs. Un message qui communique ce qui l'identifie en ce qu'il a de plus profond, de plus essentiel, et qui correspond également aux propres valeurs du publicitaire. Ces messages publicitaires, qui sont reprodits au long de cet article, illustrent clairement cette relation de respect des valeurs d'un client et d'une équipe de publicitaires. Ces messages, pensés, réalisés et produits par une équipe de publicitaires de la firme Saint-Jacques, Vallée, Young & Rubicam inc., dont je suis la présidente, reflètent une éthique sociale et une spiritualité qui habitent des personnes et donnent sens à leur vie. Visant la pureté la plus totale, en noir et blanc, ces messages communiquent, croyons-nous, des valeurs d'aujourd'hui, comme la fraternité, la présence au monde, l'acceptation de l'être humain en son entier.

Vous avez pu voir dans ces messages, mieux que je peux moi-même l'exprimer, que le ménage à trois de l'éthique, de la spiritualité et de la publicité n'est pas un mythe mais une réalité qui contribue au bien-être des personnes et de la société tout entière.

7 Concilier bonheur humain et rentabilité de l'entreprise : mission possible, grâce à de nouveaux outils de management

J.-Robert OUIMET

D'ENTRÉE DE JEU, je tiens à remercier de façon particulière M. Jean-Marie Toulouse d'avoir bien voulu tenir le premier Forum international biennal sur le management, l'éthique et la spiritualité à l'École des Hautes Études Commerciales. Ce premier FIMES est le début de la réalisation d'un idéal et d'un rêve qui ont pris naissance dans mon cœur, au début des mes études aux HEC, et se sont développés subséquemment aux universités de Fribourg et de Columbia.

Permettez-moi maintenant de partager les résultats d'une expérience unique vécue au cours des vingt dernières années dans les trois entreprises que j'ai le privilège de diriger, expérience que j'ai consignée dans une thèse qui m'a valu le titre de docteur ès sciences économiques et sociales de l'Université de Fribourg, en Suisse[1].

---

1. J.-R. OUIMET, « De nouveaux outils de gestion pour l'entreprise. Apports au bonheur humain et à la profitabilité », 1998.

Dans ce chapitre J.-Robert Ouimet, président du conseil d'administration et chef de la direction de trois entreprises de taille moyenne dans l'alimentation, décrit comment des valeurs d'humanisation et de spiritualisation ont été institutionnalisées depuis une vingtaine d'années dans ses entreprises. D'inspiration chrétienne, mais ouverte à d'autres religions et traditions spirituelles, cette institutionnalisation est particulièrement sophistiquée : elle a fait l'objet de nombreuses recherches et expérimentations durant 40 ans ; elle fut le sujet d'une thèse de doctorat présentée récemment par M. Ouimet ; elle a intégré les observations de personnalités internationales, telle mère Teresa. Cette institutionnalisation est basée sur une définition du type de responsabilités et de valeurs à poursuivre. Elle a de plus engendré l'invention de 16 outils de management innovateurs. Et son efficience a été évaluée, jusqu'à maintenant, par 19 enquêtes systématiques.

Ce cas est une démonstration concrète de la nécessité d'utiliser les principes de la pensée *systémique* en management[1] (voir le chapitre 2), même si l'expérimentation de M. Ouimet touche surtout, pour le moment, « l'interne » de ses entreprises. Il insiste de plus sur les différences entre les « besoins d'humanisation » et ceux de « spiritualisation » (voir le chapitre d'introduction). Monsieur Ouimet, sur qui les magazines *Canadian Business*[2] et *L'actualité*[3] ont récemment publié des articles, conclut en affirmant que le succès de cette institutionnalisation prouve qu'il est possible de concilier la richesse économique avec les richesses éthiques et spirituelles en économie de marché et dans une industrie où la compétition est gouvernée par des entreprises de taille très importante. Il suggère de plus que cette institutionnalisation est transposable dans d'autres entreprises et d'autres cultures si trois conditions minimales sont respectées.

---

1. Pour des exemples d'applications de la pensée systémique en management, voir R.E. FREEMAN, « The Politics of Stakeholder Theory », 1994 ; C. HAMPDEN-TURNER, *Charting the Corporate Mind,* 1990 ; W. McWHINNEY, *Paths of Change...,* 1992 ; T. C. PAUCHANT et I.I. MITROFF, *Transforming the Crisis-prone Organization...,* 1992 ; R. TANNENBAUM, N. MARGULIES et F. MASSARIK, *Human Systems Development...,* 1985 ; E. TRIST, F. EMERY et H. MURRAY, *The Social Engagement of Social Science...,* 1997 ; ou P. SENGE, *The Fifth Discipline...,* 1990. Pour d'autres exemples de l'application d'une vue systémique dans des entreprises d'inspiration chrétienne, voir N. IBRAHIM *et al.,* « Characteristics and Practices of "Christian-based" Companies », 1991 ; et M. DION, « Les entrepreneurs chrétiens au Québec », 1996.

2. « *For God's Sake,* Montreal canned-food magnate J.-Robert Ouimet thinks he's found the way to make his employees happier and more productive », *Canadian Business,* 25 juin-9 juillet 1999.

3. « L'évangile selon Cordon Bleu », *L'actualité,* 1er septembre 1999, p. 50-55.

Je vais d'abord vous décrire brièvement l'expérience que nous avons vécue et que nous continuons de vivre dans nos trois entreprises, et que nous appelons *Notre Projet*. J'identifierai ensuite les principaux intervenants et leurs responsabilités, ainsi que les principales valeurs véhiculées dans *Notre Projet*. J'énumérerai, dans un troisième temps, les 16 outils de management innovateurs que nous avons découverts et expérimentés tout au cours de ces 20 ans. Finalement, après avoir fait état de certains résultats quantitatifs et qualitatifs obtenus, grâce à de nombreuses enquêtes, je tirerai les principales conclusions de cette expérience extraordinaire.

1 Ce qu'est *Notre Projet*

Pour l'essentiel, *Notre Projet* consiste en la recherche et l'expérimentation d'outils innovateurs de management permettant de développer des activités qui favorisent l'intégration des valeurs d'humanisation et de spiritualisation dans l'entreprise. Cette recherche et cette expérimentation ont été effectuées au Québec dans trois entreprises de produits alimentaires, entreprises que j'ai le privilège de diriger. Ces trois entreprises ont employé, depuis le début des enquêtes, jusqu'à 360 personnes à plein temps et une centaine à temps partiel.

Depuis le début, *Notre Projet* n'a poursuivi qu'un objectif fondamental : démontrer que, dans une entreprise qui fonctionne en économie de marché (où il est essentiel de réaliser des profits, non seulement pour exister mais pour se développer), il est possible de concilier le bonheur des personnes qui y œuvrent avec la rentabilité de l'entreprise.

Notre Projet n'est cependant pas sorti du sac du jour au lendemain. Il est le fruit de je ne sais plus combien d'heures de réflexion et d'analyse soit de la doctrine et de la pensée sociale chrétiennes, soit d'œuvres magistrales, comme celle d'Arthur Rich[1]. Il est également le fruit de nombreux échanges et discussions avec plusieurs personnalités, dont mère Teresa, qui a personnellement accepté de discuter et de commenter *Notre Projet*. C'est à partir de ces nombreuses réflexions, analyses et rencontres, que nous avons établi les assises de *Notre Projet* qui n'aurait pas été possible cependant, et nous l'avons établi dès le départ, si les deux conditions suivantes n'avaient pas été remplies.

---

1. A. RICH, *Éthique économique*, Genève, Labor et Fides, 1994.

— Première condition : la reconnaissance pleine et entière de la liberté individuelle et collective des participants à *Notre Projet*; cette condition implique aussi l'acceptation par quelques membres de la haute direction ou quelques actionnaires influents des outils de management innovateurs qui émaneront du projet.

— Deuxième condition : la reconnaissance tout aussi entière que *Notre Projet* ne saurait se réaliser sans la pratique de certaines formes de spiritualité telles que le silence, la réflexion et, dans certains cas, la prière, la spiritualité étant la pierre d'assise incontournable du projet.

2   Les type de responsabilités dans la réalisation de *Notre Projet*

Voyons maintenant quelles sont les responsabilités de ceux qui ont participé à la réalisation de *Notre Projet*. Nous identifions six types de responsabilités (les six cercles dans la figure 5), qui forment la structure de base de *Notre Projet*. Les flèches sur l'illustration indiquent le « mouvement des valeurs » entre les six types de responsabilités.

2.1   Premier type : les responsabilités envers les personnes qui œuvrent dans l'entreprise et envers leur famille

Ces responsabilités sont nombreuses, voici les deux plus importantes.

— Première responsabilité : l'entreprise doit reconnaître que le travail doit exister pour l'homme, et non l'homme pour le travail, et que la dignité humaine prime sur tout ; chaque personne représente ce qu'il y a de plus précieux dans l'entreprise, car chaque être humain est créé, habité et aimé par le Créateur, peu importe la façon dont on le perçoit.

— Seconde responsabilité : l'entreprise favorisera toute activité qui accroît la solidarité, la fraternité, la dignité humaine et l'épanouissement des personnes, le tout dans un climat de justice et d'équité, de liberté et de discipline, ainsi que dans un souci constant d'efficacité et de productivité.

Voilà tout un programme d'action ! Mais c'est mission possible !

Figure 5   Notre projet

Les valeurs en mouvement à travers nos responsabilités envers:

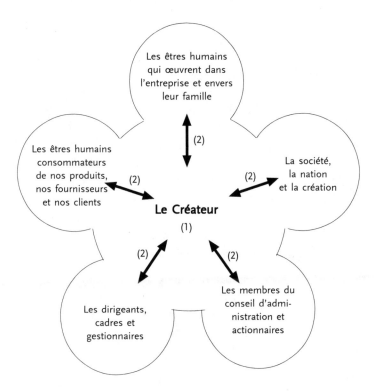

1. Chaque intervenant dans la vie de l'entreprise interprète librement la valeur de la Transcendance qu'il préfère. Il peut s'agir du Créateur, de l'être Suprême (Higher Power), du Dieu Amour, ou de toute ouverture à la Transcendance, ainsi que des différentes formes de silence qui disposent chaque personne à la prière de son choix.

2. Chacune des cinq flèches veut illustrer le mouvement des valeurs en boucle de rétroaction, entre les cinq groupes d'intervenants, lesquelles valeurs doivent circuler à travers le 6ᵉ cercle, et ainsi d'enrichir des valeurs et de l'aide que le Créateur, ou l'Être Suprême ou le Dieu Amour offre au choix des différents intervenants, particulièrement s'ils le sollicitent.

2.2 Deuxième type : les responsabilités envers les consommateurs de nos produits, nos fournisseurs et nos clients

Encore là, ces responsabilités sont nombreuses. Voyons-en deux :

— Première responsabilité : l'entreprise doit être à l'écoute des consommateurs, des clients, des fournisseurs. Si, en économie de marché, on considère que chaque consommateur, chaque client et chaque fournisseur est une personne créée, habitée et aimée de Dieu, alors cette économie de marché se trouve profondément transformée. Celle-ci s'en trouve humanisée et spiritualisée, sans rien perdre de sa productivité, au contraire !

— Seconde responsabilité : l'entreprise doit surtout, dans cette écoute du consommateur, faire preuve de créativité, de discipline, d'imagination, de détermination, d'intelligence, de jugement, de courage et de goût du risque.

2.3 Troisième type : les responsabilités des dirigeants, cadres et gestionnaires

Que dire d'autre ici, sinon cette seule phrase extraite de *Notre Projet* et qui est très lourde de sens : « Les dirigeants doivent donner l'exemple et vivre d'abord eux-mêmes ce qu'ils exigent des autres. » Chacun d'entre nous peut évaluer à sa juste mesure le contenu de cette phrase… j'en suis absolument convaincu !

2.4 Quatrième type : les responsabilités des membres du conseil d'administration et des actionnaires

Contrairement à ce que d'aucuns peuvent penser, les responsabilités sont ici très lourdes à assumer. Résumons en disant simplement que les membres du conseil d'administration et les actionnaires ont l'énorme responsabilité de gérer le présent et de bâtir l'avenir, en conciliant justement le bonheur de chaque personne qui œuvre dans l'entreprise avec la nécessaire rentabilité de cette même entreprise. Tout un défi, mais encore là : mission possible, nos recherches l'ont démontré.

2.5 Cinquième type : les responsabilités envers la société, la nation et la Création

Que dire d'autre ici, sinon rappeler que l'entreprise doit être un bon citoyen corporatif, en participant à la poursuite du bien commun, plutôt qu'en cherchant à satisfaire ses seuls intérêts.

2.6 Sixième type : les responsabilités ultimes envers le Créateur, ou l'Être suprême ou le Dieu Amour

Finalement, la réalisation de *Notre Projet,* qui est, je le répète «bonheur humain et entreprise rentable», ne sera possible ultimement que si les personnes intéressées acceptent non seulement de travailler très fort et très bien, mais aussi de faire appel, à leur façon et selon leurs choix, à l'aide de leur Créateur, ou à toute autre valeur transcendante.

3 Les valeurs associées aux six types de responsabilités de *Notre Projet*

Nous venons de survoler quelques-unes des principales responsabilités qui incombent à chacun des participants dans la poursuite de notre objectif. Nous avons constaté que *Notre Projet* véhicule au moins une vingtaine de valeurs humaines et chrétiennes. Nous indiquons, dans le tableau 3, certaines des valeurs ressortant de chacun des six types de responsabilité inhérents au projet. Il y en a d'autres, telles l'écoute de l'autre, la liberté, la paix, la sérénité, l'autorité, l'appréciation. Ces valeurs sont « interchangeables et en mouvement continuel dans le temps ». Elles varient selon les points de vue et les besoins changeants, la culture et la hiérarchie des valeurs de chaque personne au travail. Comme nous le verrons plus loin, nous avons réussi à identifier et même, en partie, à quantifier ces valeurs.

L'espace qui m'est alloué ne me permettra malheureusement pas d'identifier toutes les valeurs en mouvement dans l'entreprise. Permettez-moi d'en identifier seulement quelques-unes qui circulent à l'intérieur de deux types de responsabilités que nous avons décrits il y a un instant (voir la figure 5 et le tableau 3). Par exemple, en ce qui concerne les valeurs rattachées à notre responsabilité en tant que membres du conseil d'administration ou en tant qu'actionnaires, la prudence économique apparaît clairement comme une valeur de troi-

Tableau 3   Principaux groupes de valeurs associées à chacun des types
de responsabilités des intervenants dans *Notre Projet*

Types de responsabilités	Valeurs de premier rang	Valeurs de deuxième rang	Valeurs de troisième rang
Notre responsabilité envers les personnes qui œuvrent dans l'entreprise et envers leur famille	Dignité humaine	Justice Vérité	Productivité
Notre responsabilité envers les êtres humains que sont les consommateurs de nos produits, no fournisseurs et nos clients	Responsabilité	Productivité	Solidarité
Notre responsabilité en tant que dirigeants, cadres et gestionnaires	Efficacité	Authenticité Dignité humaine	Discernement Sagesse
Notre responsabilité en tant que membres du C.A. ou en tant qu'actionnaires	Humilité	Justice	Prudence économique
Notre responsabilité envers la société, la nation et la Création	Recherche du bien commun	Solidarité	Justice
Notre responsabilité ultime envers et avec le Créateur ou l'Être suprême, ou le Dieu Amour	Foi	Espérance Miséricorde Pardon	Charité-Amour Fraternité

sième rang, alors que la justice apparaît au deuxième rang et l'humilité, au premier rang. Oui, j'ai bien dit l'humilité au premier rang! Ce n'est qu'un exemple. Mais ce qu'il faut se rappeler, c'est que ces diverses valeurs sont, dans le temps (comme les flèches sur l'illustration l'indiquent), en mouvement continuel et en boucles de rétroaction. Et ces valeurs varient également selon les points de vue et les besoins, la culture et l'échelle de valeurs de chaque personne au travail dans l'entreprise.

4 Que sont ces fameux nouveaux outils de management non conventionnels?

La découverte et l'expérimentation des nombreuses valeurs en mouvement que l'on retrouve dans les six types de responsabilités identifiées par *Notre Projet* ne sont ni une vision de l'esprit ni une approche statique des choses. Bien au contraire, l'ensemble de ces valeurs (rappelons notre objectif: concilier bonheur humain et entreprise rentable) a donné naissance, au cours des années, à de nombreux outils de management à la fois innovateurs et non conventionnels; à ma connaissance, de tels outils n'ont jamais été utilisés pendant de nombreuses années dans la même entreprise, ailleurs dans le monde.

Je vous décris brièvement la gamme complète des 16 outils de management innovateurs et non traditionnels, découverts et expérimentés depuis 20 ans. Il s'agit d'ailleurs de la contribution la plus originale de notre travail.

Ces outils se classent en trois genres différents, selon les valeurs qu'on y préconise: sept offrent surtout des *valeurs d'humanisation*; cinq offrent un mélange équilibré de *valeurs d'humanisation et de spiritualisation* et quatre offrent surtout des *valeurs de spiritualisation*. Je tâcherai de décrire succinctement chacun de ces outils, bien conscient que je ne saurais rendre compte en quelques mots de toutes les dimensions de leur portée.

4.1 Les sept outils offrant surtout des valeurs d'humanisation

Premier outil: il s'agit d'*accomplir un geste*, souvent en groupes de cinq à dix personnes, sur une base volontaire, pour aider directement des gens dans le besoin. En outre, un *Prix du Cœur* vise à récompenser annuellement quelques personnes de l'entreprise qui ont fait montre de qualités humaines et morales exceptionnelles et qui ont accompli leur travail de façon exemplaire.

Second outil : cet outil de management, parmi les plus délicats, vise *à aider les personnes mises à pied* pour quelque raison que ce soit. Souvent, et on le comprendra facilement, ces personnes accusent difficilement le coup. Cet outil de management non conventionnel, utilisé de façon fort originale, apporte à ces personnes, *après leur départ de l'entreprise*, l'accompagnement ainsi que des valeurs d'humanisation et même de spiritualisation exceptionnelles. Par ailleurs, dans le cas de l'embauche d'un employé, on associera à la démarche, à la toute fin du processus d'entrevue, le conjoint ou la conjointe afin de façonner, dès le départ, l'esprit de solidarité qui doit exister dans l'entreprise autour de *Notre Projet*.

Troisième outil : *un boni partage annuel* est versé à tout le personnel de l'entreprise ; le montant varie selon les responsabilités de chacun et selon les profits réalisés par l'entreprise. *Un boni supplémentaire*, proportionnel au nombre d'enfants de chaque employé, est accordé au même moment.

Quatrième outil : *la création d'un poste d'ombudsman* qui veille au respect de la politique dite de « porte ouverte » préconisée par les actionnaires et la haute direction. Ce poste constitue en quelque sorte l'interface entre la haute direction et le personnel, et vise à assurer, en toutes circonstances, la justice et l'équité dans l'entreprise.

Cinquième outil : *la mise sur pied d'un réseau non conventionnel de communications internes* chaleureuses, fondées sur l'authenticité absolue — oui, je dis bien absolue... — et axées sur l'ouverture et l'écoute de l'autre, la chaleur humaine, l'entregent. Un réseau où l'on apprend à dire, simplement et honnêtement, un vrai « bonjour ! », un vrai « comment ça va ? », qui n'ont rien à voir avec la manipulation en vue de la productivité.

Sixième outil : il s'agit de *deux formes d'enquêtes internes essentielles*, effectuées tous les deux ans. La première forme d'enquête mesure le mouvement des valeurs dans le climat organisationnel et dans le bien-être et le bonheur humain. La deuxième forme d'enquête mesure l'apport des valeurs offertes par les outils de management innovateurs à leurs usagers.

Le septième outil, et non le moindre, est *l'élaboration d'un plan stratégique biennal de déploiement des activités des seize outils de management*. Ce plan stratégique d'un management humain, moral et spirituel complète de façon absolument essentielle le plan stratégique économique. Car ce dernier, que la plupart des entreprises possèdent, n'incorpore que fort rarement les besoins d'humanisation et de spiritualisation du personnel de l'entreprise.

4.2 Les cinq outils offrant un mélange équilibré de valeurs d'humanisation et de spiritualisation

Premier outil : il s'agit, au début de certaines *rencontres comme celles du C.A.* depuis 20 ans, de s'accorder de brèves périodes de silence, d'échanges, de réflexion et quelquefois de prière. Cet outil de management influence profondément, à long terme, la culture et le style de gestion de l'entreprise.

Les deuxième et troisième outils : selon les désirs du personnel, on prévoit les *témoignages mensuels* ou *semi-annuels* de personnes de l'entreprise, mais aussi et surtout de l'extérieur, qui viennent expliquer leur cheminement personnel ; ces témoignages permettent d'exprimer, souvent avec de grandes émotions, les joies et les souffrances, les réussites et les échecs qui jalonnent la vie. Il est essentiel que ces témoignages ne contiennent jamais aucun enseignement ou aucun conseil.

Le quatrième outil est absolument unique : il s'agit de l'*entretien personnel bilatéral annuel* entre membres du management ; cet entretien permet d'échanger sur une multitude de choses, qu'il s'agisse des tensions interpersonnelles, des problèmes de confiance ou d'incompréhension, et favorise la pratique des valeurs de solidarité, de fraternité et même, dans certains cas, de réconciliation et de pardon.

Cinquième outil : les *groupes de réflexion systématique* sur les textes de *Notre Projet* permettent de mieux connaître et d'approfondir l'ensemble des valeurs préconisées par *Notre Projet*.

4.3 Les quatre outils offrant surtout des valeurs de spiritualisation

Premier outil : il s'agit des *rencontres d'un petit groupe de soutien spirituel dans l'entreprise, outil de management essentiel.* Ces rencontres permettent à un petit groupe de personnes de l'entreprise qui le désirent d'affirmer discrètement, dans le silence et la prière intérieure, leur foi chrétienne ou toute autre conviction. Soulignons que cet outil peut être adapté à n'importe quelle entreprise, à n'importe quelle culture et à n'importe quel endroit dans le monde. Oui, mission possible! Nous y reviendrons.

Deuxième outil: la mise à la disposition d'*une salle de réflexion et de silence* pour les membres du personnel qui veulent s'y isoler, dans le silence intérieur, la détente et, si désiré, la prière. Il y a une salle dans chaque différent lieu géographique de travail. Cet outil de management permet également l'affichage, dans l'entreprise, d'*illustrations murales* véhiculant des valeurs diverses et enrichissantes.

Troisième outil: l'ensemble des *gestes de réconciliation*, d'excuse, d'humilité, accomplis par le personnel de l'entreprise, lorsque surviennent des frictions ou des tensions, courantes et normales en milieu de travail.

Quatrième outil: l'*accompagnement* qui consiste à mettre à la disposition des cadres et du personnel de l'entreprise qui le désirent un spécialiste capable de les aider dans une démarche humaine, morale ou spirituelle, qu'elle soit individuelle ou collective.

5 Les enquêtes sur les résultats de notre démarche

Depuis 1990, nous avons effectué 19 enquêtes dans le but de mesurer les résultats obtenus dans la poursuite de *Notre Projet*. Sept enquêtes ont porté sur le climat organisationnel et le bien-être, et 12 enquêtes sur les outils de management. Dans le tableau 4, nous retrouvons les 20 valeurs identifiées et mesurées par ces enquêtes.

De façon plus générale, toutes ces enquêtes ont permis d'identifier plusieurs grands mouvements et tendances des valeurs à l'intérieur de l'entreprise. En voici trois exemples. Le premier: un plus grand sentiment d'appartenance et d'adhésion du personnel à l'entreprise; le deuxième: une croissance graduelle de la liberté d'expression et de la participation aux activités de management innovatrices; le troisième: une amélioration considérable, à tous points de vue, des communications à l'intérieur de l'entreprise.

Plus généralement encore, toutes ces enquêtes ont permis d'établir clairement qu'il existe une corrélation étroite entre la croissance durable du bien-être psychique, intérieur et extérieur, et du bien-être physique du personnel, et la croissance durable de la rentabilité de l'entreprise.

Les enquêtes ont permis surtout d'établir que c'est en grande partie grâce à *Notre Projet* que, dans nos entreprises, il n'y a jamais eu

Tableau 4   Vingt valeurs identifiées et mesurées par les enquêtes

---

SEPT ENQUÊTES
SUR LE CLIMAT ORGANISATIONNEL

Celles-ci ont permis d'identifier *douze valeurs en mouvement* :

— La responsabilité	— La solidarité
— L'écoute	— La dignité
— Le discernement	— La productivité
— La justice	— La prudence
— L'efficacité	— La liberté
— L'authenticité	— La fraternité

DOUZE ENQUÊTES
SUR LES OUTILS DE MANAGEMENT

Celles-ci ont permis d'identifier *huit autres valeurs fondamentales* :

— La paix	— La foi et l'espérance
— La sérénité	— La vérité
— L'humilité	— L'appréciation et l'amour

---

de ralentissement ou d'arrêt de travail et que nos taux de roulement de main-d'œuvre, d'absentéisme et d'accidents de travail sont favorablement comparables à ceux de l'industrie ; et que, par voie de conséquence, pour l'ensemble de nos entreprises, le pourcentage des profits de même que celui de la croissance des ventes obtenues sont souvent supérieurs à ceux de toute industrie comparable au Canada. Oui, mission possible !

6   Les conclusions de la thèse

Je vous ai décrit le fonctionnement des activités associées à nos principaux outils de management, nouveaux pour la plupart et uniques au monde dans plusieurs cas. Nous les avons découverts et expérimentés dans notre entreprise, depuis un quart de siècle. Comme nous l'avons souligné, certaines des activités associées à ces outils sont plus faciles à exécuter que d'autres. Mais ce qui est encourageant et stimulant dans notre expérimentation, c'est que le cumul des valeurs offertes par les activités de nos 16 outils de management a donné des résultats fort positifs. D'ailleurs, les enquêtes ont prouvé que, au fil des ans, ce cumul des valeurs offertes à notre personnel a contribué notamment :

- à créer chez notre personnel un meilleur sentiment d'apparte-nance à l'entreprise ;
- à accroître la motivation, la productivité et la créativité ;
- à favoriser de meilleures communications et un climat de soli-darité ;
- à rendre les actionnaires et le conseil d'administration, puis le personnel de management, de plus en plus attentifs à la pri-mauté de la dignité humaine de chaque personne œuvrant dans l'entreprise, et à l'importance des relations humaines authenti-ques ;
- à créer un climat de liberté, où chacun se sent de plus en plus à l'aise de s'exprimer, et de critiquer de façon constructive, afin d'améliorer les choses ;
- à réduire l'absentéisme et le taux de roulement de notre per-sonnel sans qu'il y ait de ralentissement ou d'arrêt de travail ;
- à accroître le bonheur et le bien-être de tout le personnel, ainsi que la justice et l'équité ;
- et enfin, à assurer la rentabilité et la croissance de l'entreprise, ce qui est absolument nécessaire quand on connaît la concur-rence très forte qui caractérise le marché.

Ne croyez-vous pas que ces résultats sont encourageants pour nous tous ?

Dans la foulée de ce que nous venons de voir, et les recherches l'ont prouvé, nous pouvons conclure tous ensemble que *oui, notre mission était possible*, bien qu'elle comportait deux notions en appa-rence *contradictoires* :

- la première : gérer une entreprise qui est concurrentielle, *pro-ductive et rentable* ;
- la deuxième : s'assurer que le personnel qui y œuvre est *de plus en plus heureux*.

Nous savons que plusieurs personnes à l'extérieur de notre entre-prise pensaient, et probablement même souhaitaient, que cette expé-rimentation originale nous affaiblisse entre autres au plan financier. C'est le contraire qui s'est produit. Dans notre entreprise, qui a été fondée il y a 66 ans, nous nous apprêtons à injecter 16 M$ en immobilisations de toutes sortes. Nous recherchons des acquisitions importantes et nous avons investi plusieurs millions de dollars durant les trois dernières années en publicité directe aux consommateurs.

Nous sommes convaincus, de plus, que *Notre Projet peut être universalisé*. Bien sûr, le choix des outils de management variera d'une entreprise à l'autre, chaque entreprise devra procéder à son rythme et selon sa culture propre. Mais le *Projet* est universalisable à quatre conditions, quant à moi incontournables.

Première condition : il est essentiel que l'expérimentation de tout projet semblable au nôtre se réalise dans un climat de *complète liberté individuelle et collective*.

Deuxième condition : *obtenir l'approbation préalable de certaines personnes influentes*. Il est essentiel également que la haute direction de l'entreprise ou un groupe influent d'actionnaires soient convaincus que la poursuite de la croissance durable du bonheur humain dans l'entreprise et la poursuite de la rentabilité de cette même entreprise *ne sont pas deux objectifs opposés*. Il faut également que les initiateurs du projet soient prêts à prendre des risques ainsi qu'à assumer les coûts de l'expérimentation et de la mise en place graduelle d'outils de management innovateurs.

Troisième condition : *la formation d'un petit groupe de soutien spirituel*. Il faut qu'au moins un petit nombre de personnes travaillant dans la même entreprise ou organisation conviennent de vivre librement et systématiquement, ensemble, une ouverture à la transcendance, et que ces personnes croient à la démarche. Cette ouverture à la transcendance peut se vivre en choisissant, selon les désirs du petit groupe, certaines formes de silence intérieur, de partage et, si désiré, de prières, sollicitant l'aide du Créateur, de Dieu, dans l'universalisation et l'actualisation durable du *Projet*.

Quatrième condition : *avancer très lentement dans l'implantation des activités* associées aux outils de management. Il faut être patient. Le rodage est long et souvent difficile. Si ces quatre conditions minimales ne sont pas remplies, je suis convaincu que le *Projet* n'aura aucune chance de se réaliser et de se développer pendant de nombreuses années, dans un grand nombre d'entreprises et d'organisations, dans de nombreux pays et sur les cinq continents.

Conclusion

Je suis absolument convaincu que *Notre Projet* est universalisable dans d'autres entreprises et organisations — grandes et petites — et sur d'autres continents, et que la durabilité du Projet est assurée si quatre conditions précises sont remplies. Ainsi, le monde économique, en ce début du 3ᵉ millénaire, sera un peu plus humanisé. Il pourra également être un peu plus spiritualisé, ce qui d'ailleurs n'enlèvera rien, et la thèse l'a prouvé, à l'efficacité de toute organisation et à sa rentabilité concurrentielle en économie de marché. Au contraire ! Ainsi, le monde économique aura un peu plus d'âme et de cœur. Ainsi, le travail existera pour l'homme, et non l'homme pour le travail. La dignité humaine de chaque être humain au travail s'en trouvera progressivement renforcée. Et lorsque l'être humain sent de plus en plus que sa dignité est authentiquement reconnue et valorisée, son épanouissement et sa motivation s'accroissent.

Il s'agit d'un Projet qui peut se vivre dans toute entreprise et toute organisation — gouvernementale ou autre —, quelles que soient leurs activités, leur philosophie de management, leur culture. Bien entendu, il devra être adapté à la culture de l'entreprise ou de l'organisation et de son milieu, vécu à son propre rythme, et surtout implanté dans un climat de saine liberté individuelle, bilatérale et multilatérale. L'implantation et le rodage doivent être lents afin de permettre au personnel de l'entreprise ou de l'organisation de s'adapter et, lorsque requis, de « s'apprivoiser ».

Il s'agit aussi d'un Projet — nous n'en doutons nullement — qui peut être vécu par toute personne de n'importe quelle religion ou croyance, sur tous les continents. Plus de 20 valeurs d'humanisation et de spiritualisation, apportées en milieu de travail par les activités associées aux outils de management innovateurs, sont présentes dans toutes les religions et dans la plupart des philosophies, évidemment avec des accentuations particulières et des degrés différents d'importance.

Pour ceux qui s'intéressent plus particulièrement à la foi chrétienne, j'étudie depuis 40 ans la doctrine sociale de l'Église catholique. Je suis maintenant convaincu — l'ayant prouvé scientifiquement — que cette doctrine sociale peut se réaliser dans le monde réel et durant de nombreuses années. Ce qui manquait jusqu'à maintenant, c'était un système structuré et dynamique de management, ainsi que le savoir-faire nécessaire pour que ce système tout à fait nouveau fonctionne bien, rendant possible l'actualisation de la doctrine sociale de l'Église catholique. Ma thèse a démontré que ce système existe et qu'il fonctionne bien grâce aux activités associées aux 16 outils de management innovateurs.

Il est possible de vivre dans l'entreprise, de façon persistante, des valeurs d'humanisation et de spiritualisation, sans craindre — comme plusieurs le pensent à tort — de l'affaiblir économiquement et de devoir subséquemment la vendre ou faire faillite. Il est possible de vivre ces valeurs dans la solidarité et la fraternité, dans la justice et l'équité, dans le respect constant de la dignité humaine et dans un climat de liberté favorisant la croissance du bonheur humain, à travers les hauts et les bas normaux de la vie. Il est possible de donner un cœur et une âme à l'entreprise et à toute organisation, et cela, non seulement sans faire faillite ou sans devoir vendre l'entreprise, mais en augmentant de façon durable la rentabilité concurrentielle de celle-ci, en s'appuyant sur l'apport cumulatif en valeurs des activités associées aux 16 outils de management qui découlent de *Notre Projet.*

Puisse cette longue réflexion — qui a permis la découverte et l'expérimentation (mesurée quantitativement pendant sept années) des activités associées aux 16 nouveaux outils de management innovateurs, ayant concrètement contribué à solidifier, de façon durable, la croissance du bien-être et du bonheur humain au sein de l'entreprise et la rentabilité de cette dernière dans un régime d'économie du marché — être une contribution utile à la science économique, aux sciences sociales et, particulièrement, aux sciences du management; et peut-être également à la mise en lumière de la dimension théologique, morale et éthique du management dans une entreprise qui fonctionne selon les règles de l'économie du marché et dans toute organisation humaine.

Oui, il est possible de concilier la croissance du bonheur et du bien-être humain avec la croissance de l'efficacité de toute organisation. Oui, mission possible !

8 Gérer une entreprise publique : une projection de ses valeurs éthiques et spirituelles

Vera DANYLUK

Lors de ma cérémonie d'assermentation, comme présidente du Comité exécutif de la Communauté urbaine de Montréal (CUM), j'avais emmené avec moi ma mère, ma sœur, mon mari et mon curé... D'aucuns ont pu penser que j'allais réintroduire la prière au début des séances de la communauté urbaine ou que j'allais gérer la CUM sur des bases empreintes de religion. Non, je n'ai rien annoncé de tel et, de fait, je ne voulais pas non plus choquer qui que ce soit parmi les gens qui étaient présents à cette cérémonie. Je n'étais, dans cette manière de faire, qu'un témoin de mes convictions, un reflet de ma cohérence intérieure. Mon cheminement personnel m'a tout naturellement conduit à agir par simple cohérence avec mes valeurs profondes. C'est le fil conducteur de mon itinéraire personnel et professionnel qui m'a conduit à un tel geste. Quel est ce fil conducteur ? Je vais tenter de vous le dévoiler.

À force de réfléchir à ce que j'allais partager avec vous aujourd'hui, je me suis dit qu'il s'agissait d'une réalité à la fois fort simple et fort complexe. Simple, dans la mesure où il s'agit tout bonnement de l'intégration que je fais naturellement entre mes convictions pro-

Dans ce chapitre, Mme Danyluk, réélue pour la seconde fois à la présidence du Comité exécutif de la Communauté urbaine de Montréal — qui réunit 1,8 million de citoyens et de citoyennes —, offre un témoignage personnel sur la façon dont un leader peut intégrer les valeurs spirituelles dans l'exercice de son leadership. Elle ne cache pas son appréhension à dévoiler sa démarche intime et considère que ce partage est encore plus difficile que l'exercice de la vie politique. Adoptant elle aussi une perspective systémique (voir le chapitre précédent), Mme Danyluk décrit ses relations avec les élus, ses employés et les citoyens. Bien qu'elle se refuse d'imposer à d'autres ses vues ou ses pratiques religieuses, elle admet ouvertement qu'elle puise dans sa vie spirituelle les valeurs essentielles à l'exercice de son leadership: l'énergie, le détachement et la sérénité afin de pouvoir surmonter des situations difficiles; l'intégrité absolue et une éthique rigoureuse dans la gestion du «bien public»; la cohérence entre la parole et l'action; l'enthousiasme de servir ses concitoyens et la conscience de la noblesse de cette tâche; la possibilité de dépasser la médiocrité inhérente à tout système démocratique; ou la force intérieure de dévoiler publiquement les échecs de son administration.

Affirmant que la rencontre du divin s'effectue fondamentalement à travers les personnes, Mme Danyluk s'inspire de sa vie spirituelle pour exprimer son refus de la haine, de la rancune et du dépit et donner libre cours à sa capacité de pardonner. Ce faisant, elle répond aux deux conditions qu'Hannah Arendt avait proposées face à la complexité et à l'irréversibilité des affaires humaines: *le pouvoir de promettre*, la promesse enchaînant ce qui est incertain dans le futur par des contrats ou des lois; et *le pouvoir de pardonner* qui délie ce qui était lié dans le passé[1]. Si Hannah Arendt doutait que le pardon puisse exister en politique, le leadership de Vera Danyluk démontre que le pardon peut y trouver place.

1. H. Arendt, *The Human Condition*, 1958.

fondes et mon agir quotidien dans la gestion de cette entreprise publique majeure qu'est la CUM. Complexe, dans la mesure où il s'agit de tenter de vous expliquer clairement en mots et en idées, ma croissance intérieure et son effet sur mon évolution personnelle et professionnelle. Cette démarche nécessite le dévoilement de mon intériorité, de l'éthique qui est la mienne et de ma vie spirituelle. Parler de tout cela sans prétention constitue un défi qui m'a quelque peu angoissée. Et même plus : je dois vous dire que depuis quelques semaines j'étais stressée à la pensée de cette présentation. Habituellement, je n'ai pas peur des défis ; mais ceux de la vie politique me semblent bien aisés, comparés à celui de me dévoiler devant vous aujourd'hui.

Je ne suis ni philosophe, ni théologienne, ni penseur universitaire. Le plus clair de mon temps, je le passe, au contraire, à régler des problèmes extrêmement concrets, à résoudre des conflits et à tenter tant bien que mal de mettre nos services publics au service du mieux-être de la collectivité. Pour y arriver, il me faut compter sur le concours des élus qui m'entourent et sur le soutien de mes employés, plus particulièrement des cadres qui souscrivent aux valeurs de gestion que je préconise. Il me faut être branchée, à chaque instant, sur mon idéal de service de qualité au plus bas coût à mes concitoyens. Cela m'inspire les trois parties de mon exposé : mes relations avec les élus, celles avec mes employés et celles avec mes concitoyens.

1 Mes relations avec les élus

Parlons tout d'abord de l'univers des élus. Disons-le tout net, j'en fais partie, je fais de la politique. Ce n'est pas évident dans notre monde de restrictions budgétaires, de querelles entre paliers de gouvernement, entre élus locaux. Dans ce monde de compétition féroce, il s'agit d'une arène publique où les attaques sont le lot quotidien de gens dont la légitimité tient à leur élection par des citoyens. Les moments difficiles que j'ai vécus récemment, lors du renouvellement de mon mandat en tant que présidente du comité exécutif de la CUM, m'ont douloureusement confrontée à des amis d'hier, quelques maires de banlieue, ceux-là mêmes qui m'avaient élue la première fois, ceux-là avec qui je dois continuer à fonctionner. Tout récemment, nous avons réussi, quelques-uns d'entre eux et moi-même, ces mêmes personnes avec qui j'étais en conflit, à choisir à l'unanimité un nouveau directeur général et un nouveau directeur du Service de police de la Communauté urbaine. Comment conserver la continuité entre ma conscience profonde qui me parle de tolérance, de foi dans les personnes, d'amour des autres, de dialogue fécond, et mon quotidien politique qui tente de mettre en échec ces valeurs qui me portent intérieurement ? Je dois tenter d'aller au-delà de ces valeurs pour atteindre une attitude de détachement, de sérénité que seule ma vie spirituelle peut m'apporter.

C'est peut-être peu croyable, mais aujourd'hui même, j'aime toujours ces gens-là. C'est facile à dire, me direz-vous, surtout après coup. Ici, les mots me manquent, souvent j'ai ragé et pesté, du moins intérieurement, dans ce lourd combat qui a porté atteinte à mon image publique, à ma fierté. La rencontre intérieure de ces sentiments pénibles et de mon idéal spirituel m'a parfois déchirée. Mais j'ai toujours choisi de relever les défis, fussent-ils quasi impossibles, en apparence du moins. La férocité des combats a ravivé mes forces intérieures. La capacité que j'ai d'être en union avec Dieu m'a aidée à relativiser des situations qui, autrement, me seraient apparues insurmontables. Cela m'amène à poser et à me poser la question : « La communion à un Dieu vivant est-elle indispensable pour réussir ce que je fais dans cet univers politique ardu ? N'y a-t-il pas des gens qui réussissent de la même manière, sans donner aucune dimension spirituelle à leur vie ? »

Cette question nous ramène à la problématique plus globale qui nous réunit ici durant ce forum. La déperdition de l'éthique et de la spiritualité dans la gestion des choses publiques ne conduit-elle pas à deux issues : soit la décadence accrue des mœurs politiques, soit un retour dangereux et meurtrier à l'intégrisme religieux dans l'administration publique, comme cela se passe dans certains pays où l'on tue sauvagement au nom d'un idéal religieux ? C'est pourquoi je serais portée à parler de succès en sursis pour ceux qui ne croient qu'aux résultats à court terme. C'est dans le long terme fondé sur l'intégrité la plus entière que je mets mes énergies les plus significatives. Tant que je serai inattaquable sur ce terrain, je crois que je peux faire face à tous les combats politiques. Et l'un des secrets les plus simples pour conserver mon énergie se trouve dans le refus de la haine. La rancune, la haine et le dépit sont des mangeurs d'énergie. Je n'accepte pas de me laisser dévorer très longtemps, sinon je ne serais même pas ici aujourd'hui avec vous pour en parler.

2 Mes relations avec les employés

Cela m'amène à mes employés, que j'aime de tout cœur et que je veux le plus heureux possible au travail. Lorsque je suis arrivée à la Communauté, j'ai voulu implanter une éthique de gestion à toute épreuve. Déjà, la gestion était généralement très honnête ; mais au risque de déplaire à certains, au-delà de l'honnêteté ordinaire, j'ai prôné la cohérence entre la parole et l'action. Il s'agit là d'un défi bien plus difficile à relever qu'on peut le croire à première vue. Par exemple, depuis que je suis présidente, les dépenses de fonction et de représentation ont diminué de façon draconienne. En apparence, tout cela peut sembler secondaire. Mais quand on réalise qu'on dépense les taxes des citoyens, l'éthique commande le respect pour ces citoyens qui, pour une vaste majorité, gagnent leur pain quotidien avec un revenu disponible en régression depuis de nombreuses années. Comment pourraient-ils comprendre que des gens utilisent leur argent pour se livrer à des dépenses somptuaires ou frivoles, non productives de services pour la population ? S'il n'y a pas d'éthique à cet endroit, comment peut-on être assuré qu'il y en ait une partout ailleurs ? Peut-être que tout cela m'a mérité le surnom de « Mère supérieure ». Mais je suis une Mère supérieure qui fume...

Entre parenthèses, j'accepte bien ce titre si c'est pour l'associer aux mères supérieures de certaines congrégations religieuses qui, ici à Montréal comme en France, ne consentent à placer leur argent que dans des entreprises exclusivement « acceptables ». Cela est pour moi un exemple de cohérence entre la spiritualité de leur vie quotidienne et leurs investissements en affaires, comme l'a si bien décrit, il y a quelque temps, un reportage télévisé d'une émission d'affaires publiques de Radio-Canada. On ne peut pas mener une double vie : avoir un engagement religieux et agir dans la gestion quotidienne des affaires publiques, comme si c'était un autre tiroir de notre vie, en donnant l'impression qu'on peut fermer ce tiroir et passer simplement à un autre. Le défi d'une éthique rigoureuse, dans un contexte où mes employés se sentent aimés, m'a révélé que l'un des bénéfices les plus tangibles est leur créativité étonnante qui confine, dans les meilleurs moments, au dépassement personnel et professionnel.

Combien d'exemples pourrais-je vous donner ? J'aimerais vous en citer qui concernent davantage le dépassement personnel que le travail professionnel de mes employés. Il est sûr que j'exige de mes employés professionnalisme et rigueur au travail. Mais poussant les exigences bien au-delà, ils ont créé un fonds de charité qui vient en aide aux gens démunis de la Communauté urbaine. Deuxièmement, à la CUM, je constate et témoigne que beaucoup d'employés font du bénévolat après leur travail. Ils donnent de leur temps et se privent ainsi de leur famille pour aider les jeunes aux prises avec des difficultés d'intégration sociale.

Quand nous avons eu à procéder à des réductions budgétaires substantielles à la CUM, j'ai demandé qu'on le fasse sans mettre de personnel à pied. C'était un défi de taille. Dans notre collectivité, au chômage élevé, il aurait été inacceptable à mes yeux d'employeur de créer des chômeurs. J'ai une vision intégrée des choses et sa mise en valeur n'est pas de tout repos. Car comment peut-on éviter de mettre à pied des employés et satisfaire aux exigences des citoyens qui témoignent un « ras-le-bol » collectif quant à la portion croissante de leurs revenus qui va dans les différents trésors publics ? Et ce, pour des services pas toujours tangibles, du moins selon leur perception.

3   Mes relations avec les citoyens

Toute la vie quotidienne des citoyens de la CUM est imprégnée des services que nous offrons. Du lever au coucher et même en dormant, le citoyen de la CUM dépend d'une panoplie de services publics qui lui assurent salubrité, sécurité, équité, qualité de l'environnement, transport public. Il n'est pas dans mon intention de vous faire la promotion de ces services. Je veux simplement vous dire à quel point, pour moi, la tâche de servir mes concitoyens est noble. Pour moi, la CUM est porteuse de la civilisation et il en découle qu'elle est porteuse d'éthique. Civilisation et éthique sont indissociables dans mon esprit. Comment une société saurait-elle être civilisée sans avoir d'éthique ? L'éthique est à la base de nos efforts pour répartir la charge fiscale des citoyens, pour leur procurer un environnement sain, pour leur assurer la protection contre la criminalité, pour permettre le développement d'entreprises créatrices d'emplois durables sur notre territoire. Mon leadership ne serait pas s'il n'était pas essentiellement basé sur l'éthique. La réforme en cours de la fonction publique en Angleterre se fait sur la base d'un retour à une éthique fondamentale chez les fonctionnaires.

On l'a compris, cette éthique nous renvoie à une véritable conception du « bien public ». Chez certains philosophes grecs, on avait une notion très pure du « bien public » qui faisait dire à Platon que la démocratie était la pire forme de gouvernement parce qu'elle impose la loi du plus petit dénominateur commun, c'est-à-dire la médiocrité[1]. Or la médiocrité n'est que la concrétisation même d'une éthique

---

1. Voir PLATON, *La République*.

douteuse. Sans rejeter l'idéal de vie démocratique moderne, je veux m'éloigner de la médiocrité inhérente à tout système démocratique. Je souhaite un retour à cette notion de « bien public » qui conduit à l'intégrité la plus complète chez les gestionnaires publics, qu'ils soient élus ou fonctionnaires. Car c'est le citoyen qui, fondamentalement, confie son bien au gouvernement de certains de ses pairs pour recevoir en retour de meilleurs services, plus économiques que s'il se les donnait lui-même. Je souffre beaucoup quand j'apprends que certains de mes employés pourraient être corrompus. Mon idéal est heurté. J'aime mes employés et je veux leur bien, mais jamais au détriment d'une éthique rigoureuse à l'égard de ceux et celles qui nous ont confié leur bien personnel pour en faire le « bien public ». Voler le « bien public », c'est voler la collectivité et c'est voler ses concitoyens. Je compatirais à la triste réalité des sanctions que les employés corrompus pourraient subir ; mais je serais encore plus triste s'ils demeuraient impunis. Ainsi, je rejoins cette citation de John Maynard Keynes, dans les pages qui ouvrent ce livre, et qui imaginait une nouvelle société de l'avenir où...

> nous pourrons nous libérer de bien des principes pseudo-moraux qui ont pesé sur nous durant deux cents ans [...] Je nous imagine donc libres de revenir à quelques-uns des principes les plus certains et les plus assurés de la religion et de la vertu traditionnelle selon lesquels l'avarice est un vice, la pratique de l'usure est un délit et l'amour de l'argent est détestable[2].

Pour moi, je le répète, le leadership public est basé sur l'éthique ou il n'est pas. Je ne crois pas qu'un leadership puisse être amoral ou immoral. Il ne durerait qu'un temps. Si la police n'y met pas fin, les citoyens le feront tôt ou tard, car le leadership public qui n'est pas basé sur l'éthique est contre nature et contre société. Il est porteur de décadence parce qu'il nie la civilisation que nous voulons nous donner collectivement. Même si les valeurs éthiques, prônées par les dirigeants politiques, ne sont pas toujours inspirées par la relation avec Dieu, elles ont au moins le mérite de rejoindre les valeurs des citoyens qui expriment ouvertement leur foi. Personnellement, j'ai le bonheur d'être partenaire de Dieu dans l'exercice de mon leadership

---

2. J.M. KEYNES en 1928, *The Collected Writings*, 1972, p. 326, 329-331.

au bénéfice de mes concitoyens. J'ai la simple humilité de croire en Lui et donc de croire que je ne pourrais exercer les fonctions qui sont les miennes sans son soutien indéfectible.

Certains, sans doute hors de cet auditoire déjà acquis au thème de ce forum, pourraient voir en moi la précurseure d'un retour à une époque où pouvoir civil et pouvoir religieux étaient étroitement liés. Ai-je besoin de le nier ? Je me bornerai à dire que ce serait confondre les valeurs vécues par une dirigeante et celles que doit véhiculer une instance publique neutre dans un contexte de pluralisme culturel et religieux. Le respect, pour une dirigeante publique qui affirme sa foi et qui affiche en être inspirée, n'est pas différent du respect dû à tout dirigeant public qui fait état de ses croyances et de ses convictions, quelles qu'elles soient.

Conclusion

Je ne saurais conclure sans vous relater un événement qui recoupe plusieurs de mes propos. Au mois de juin dernier, lors d'une réunion avec mes directeurs, j'ai présenté un bilan de mon administration. J'ai relaté les objectifs et les idéaux que je m'étais fixés en arrivant à la CUM. J'ai largement fait état des échecs et des déceptions que j'ai vécus. J'ai prononcé un discours empreint d'une profonde émotion. On aurait pu entendre voler une mouche pendant que je présentais mon bilan. Mes propos suscitèrent de l'étonnement et un certain malaise chez mes directeurs. Pourquoi la présidente mettait-elle son âme à nu à ce point ? Pourquoi laisser penser à certains que ce geste représentait une faiblesse chez la présidente ? Pourtant, c'était si simple. Forte de la confiance que j'avais en mes directeurs, je voulais leur faire partager le fond de mon cœur. Je leur disais que je les aimais et que je comptais sur eux pour continuer de m'épauler, notamment pour composer avec la dure réalité de la politique. Je voulais les inciter à ne pas perdre de vue, dans la tourmente de certains dossiers, les services que nous devons rendre à nos concitoyens.

Si je n'avais pas eu la sérénité et le détachement que ma vie personnelle m'apporte, j'aurais peut-être pu m'abstenir de tenir ce discours. Ça n'aurait fait de mal à personne. On m'a témoigné beaucoup de loyauté et d'encouragement par la suite. J'ai senti la solidarité se resserrer autour de moi. J'ai senti que les personnes assises devant moi m'écoutaient en tant qu'êtres humains entiers et non en tant que simples gestionnaires. Finalement, l'ultime réalité qui m'anime, ce sont les êtres qui m'entourent, qu'ils soient citoyens, élus ou employés. Développer des relations porteuses de sens, au-delà des dossiers, des conflits et des décisions de gestion. C'est à travers les personnes que je rencontre Dieu. Tout mon cheminement personnel me conduit à cette simple réalité. Ma croissance personnelle tient à ce fil de vie : les humains qui m'entourent et un service public qui leur assure la meilleure qualité de vie possible. Ma spiritualité comme leader public tient, dans le concret, à cette passerelle vers autrui, à cette communion avec la collectivité en vue de son épanouissement.

Je suis croyante, c'est mon choix, c'est ma foi. C'est la clé de ma sérénité et la source de mon énergie. Je ne m'attends pas à travailler avec des gens qui ont fait les mêmes choix que moi. Ce n'est pas nécessaire. Ce qui l'est, c'est que je vive de façon intégrée, selon mes convictions et croyances profondes. Ma gestion de la CUM est, je l'espère, le reflet de mes valeurs.

9 Le défi Qualité/Performance du service de la pastorale

Une satisfaction de la clientèle et une efficience de séjour hospitalier

Yves BENOÎT

LES SERVICES DE LA PASTORALE d'un centre hospitalier de soins généraux et spécialisés de courte durée sont souvent mal connus malgré une prestation de services indispensables à la santé et au bien-être de la population. Mon objectif est de vous présenter une expérience nouvelle vécue dans l'un de ces centres et, par le fait même, de vous faire connaître le rôle du service de la pastorale et de son équipe dans le processus de soins ainsi que son impact sur les équipes responsables de la prestation des soins en général.

Si vous deviez être hospitalisé au centre hospitalier Anna-Laberge[1] ou si vous connaissez quelqu'un qui y a séjourné, voici ce que vous trouveriez au sujet du service de la pastorale dans le guide d'accueil de l'hôpital :

> La pastorale au centre hospitalier Anna-Laberge en est une d'accompagnement. C'est une équipe à l'écoute, respectueuse de la personne, de

---

1. Le centre hospitalier Anna-Laberge est un centre hospitalier de soins généraux et spécialisés de courte durée, d'une capacité de 250 lits, situé à Châteauguay, sur la rive sud-ouest de Montréal.

Dans ce chapitre, Yves Benoît, directeur général d'un important centre hospitalier, tire les leçons de l'intégration des services de pastorale dans le
réseau de la santé. La réforme qui a secoué récemment ce réseau au Québec
— similaire à d'autres dans le monde — a mené son organisation à adopter
une approche *systémique*, thème récurrent dans ce livre: les différents
stakeholders du système — les médecins, les infirmières, les membres du
conseil d'administration et de l'équipe dirigeante, les professionnels, les
syndicalistes, les clients, les représentants des familles des patients, etc. —
ont engagé un dialogue sur un «enjeu» majeur, celui des valeurs à privilégier. Ces valeurs — le respect, l'équité, l'imputabilité, la transparence, la
responsabilité, la cohérence et le partenariat — sont similaires à celles que
l'on associe à la notion de «saine gestion» (voir le chapitre d'introduction)
ou à celles que l'on préconise dans le système coopératif (voir le chapitre 5).

Dans cette mouvance, le service de pastorale a été appelé à se décloison-
ner et à s'intégrer aux équipes multidisciplinaires dont les tâches sont cen-
trées sur les besoins de la clientèle, et cela avec deux effets majeurs : une
reconnaissance accrue de l'importance de la pastorale pour la santé, qui
permet de distinguer entre les *besoins spirituels* et les *besoins religieux* des
patients ; et un élargissement de la notion de soin elle-même, passant du
soin du corps à celui, aussi, du cœur et de l'esprit. Enfin, M. Benoît se réfère
à de nombreuses recherches scientifiques qui suggèrent que le fait d'être
croyant et de poursuivre une pratique spirituelle a un effet positif sur la
santé, par exemple une diminution des maladies cardiovasculaires, de la
dépression et des états anxiogènes et une réduction de la durée de la convalescence. Ces effets ont été confirmés par des médecins de centres réputés
comme Harvard Medical School, Duke University ou Yale University[1]. En
conclusion, M. Benoît souhaite que les apports éthiques et spirituels de la
pastorale continuent toujours plus à exercer leurs effets bénéfiques dans le
réseau de la santé.

---

1. Voir K. WILBER, J. ENGLER et D.P. BROWN, *Transformations of Consciousness...*, 1986, pour les recherches poursuivies à Harvard, et B.S. SIEGEL, *Love,
Medecine and Miracles*, 1986, pour celles poursuivies à Yale, dans un livre qui
est resté sur la liste des best-sellers du *New York Times* pendant plusieurs
années. Voir aussi un récent dossier publié sur le sujet dans *Time Magazine*,
«Faith and Healing», 1996. Aussi, H.G. KOENIG, *The Healing Power of Faith...*,
1999, un livre qui présente les études scientifiques sur les relations entre la
religion, la spiritualité et la santé.

son vécu, de ses besoins et de son cheminement spirituel. On travaille également en lien étroit avec les autres pasteurs des différentes Églises. Ce n'est donc pas une question de religion. Puisse votre séjour à l'hôpital être un temps de Guérison et d'Espérance en la vie.

Ce ne sont pas là que des mots. Il s'agit en fait d'une philosophie de gestion que vous retrouverez de plus en plus dans nos centres hospitaliers. C'est une philosophie du respect de l'individu, du malade, du « bénéficiaire », nom que l'on donne aujourd'hui au client. Mon objectif est de décrire la situation actuelle d'un service de pastorale, son rôle auprès des clients et son apport plus ou moins direct à l'ensemble de l'organisation, c'est-à-dire les programmes, les professionnels, les médecins, etc.

Allant bien au-delà de la satisfaction de la clientèle et de l'efficience du séjour hospitalier, notre programme du défi Qualité/Performance s'est traduit par une réflexion plus large pour l'ensemble de l'organisation. D'un service plutôt fermé, et même isolé et méconnu, les programmes du service de la pastorale se trouvent dorénavant intégrés dans la notion de multidisciplinarité et orientés vers une approche « programme-clientèle ».

Le réseau de la santé a beaucoup changé au cours des dernières années. Je tenterai, à partir de la Loi et des objectifs de la Réforme, d'expliquer la dynamique de cette transformation qu'on pourrait retrouver universellement. Après avoir présenté les principaux éléments du contexte, je décrirai de façon succincte la stratégie opérationnelle que nous avons utilisée afin de développer un programme de qualité/performance[2]. Je me concentrerai par la suite sur le service de la pastorale. Je présenterai aussi différents résultats d'enquêtes et de recherches sur l'apport de la pastorale à la santé en particulier ainsi que sur l'apport des pratiques spirituelles en général. Je vous ferai part par la suite d'une réflexion personnelle quant à la valeur ajoutée du service de la pastorale à l'organisation et je terminerai par deux conclusions.

---

2. Il s'agit ici d'une expérience menée à l'hôpital Charles-LeMoyne, centre hospitalier de soins généraux et spécialisés de courte durée, de 468 lits, affilié à l'Université de Sherbrooke et situé à Greenfield Park, sur la rive sud de Montréal. J'étais alors directeur général adjoint de cet hôpital et responsable du programme défi Qualité/Performance.

1   Quelques éléments de contexte

Je ne tenterai pas de vous expliquer ici la structure ou le fonctionnement très complexe du réseau de la santé au Québec. Mais un court rappel de la Loi nous permettra de saisir à tout le moins l'encadrement législatif que nous devons respecter. Essentiellement, cette Loi stipule que les établissements de santé ont pour fonction d'assurer la prestation de services de santé ou de services sociaux de qualité qui seront continus, accessibles et *respectueux des droits de la personne et de ses besoins spirituels.* Ces services visent à résoudre des problèmes de santé, de bien-être et à satisfaire les besoins des différents groupes de la population. À cette fin, les établissements doivent gérer leurs ressources humaines, matérielles et financières avec efficacité et efficience et collaborer avec les autres intervenants du milieu.

Au-delà de la Loi, nos propres croyances, et sûrement l'histoire des communautés religieuses qui furent souvent à l'origine des premiers hôpitaux, en sont venues à accorder aux services de la pastorale un statut relativement particulier. En effet, ce service aurait dû relever directement de la direction générale d'un centre hospitalier mais, comme très souvent certaines de ces directions ne pouvaient que difficilement contrôler ce service, ce sont les autorités religieuses des diocèses qui l'ont dirigé à distance.

La réforme, quant à elle, est venue placer le client au centre du système. Nous devions, comme réseau de santé et comme établissement hospitalier, revoir nos processus de prestation des services et des soins. Nous devions aller au-delà des normes et des standards dictés par nos corporations professionnelles, nos regroupements et nos associations de gestionnaires. Nous devions changer la « structure de pensée[3] » de nos gestionnaires et de nos intervenants, structure qui était surtout axée sur l'individualisme et le corporatisme, pour l'amener vers une vision multidisciplinaire centrée sur le client.

Sans prendre position clairement s'il s'agit d'une fin ou d'un moyen, la réforme est donc venue replacer la personne au centre du système. Cela a entraîné l'adoption d'une philosophie animée par des valeurs de gestion qui soient, dans la mesure du possible, partagées par tous et toutes. La réforme nous a d'abord obligés à nous positionner comme établissement dans la grande tourmente qui a secoué

---

3. « Mind-set » en anglais.

tout le réseau. On se souviendra de la saga des fusions, des fermetures, des départs, des intégrations, des cloisonnements, des restructurations, etc., qui a ébranlé les organisations du réseau de la santé,
bien sûr, mais qui a aussi grandement déstabilisé les individus, les
professionnels et les gestionnaires de ce réseau. Il devenait donc
important et urgent de nous concerter afin de déterminer clairement
ce que nous voulions bâtir comme organisation. Nous devions nous
entendre sur des objectifs organisationnels respectueux des fondements de la réforme, c'est-à-dire les notions de participation, d'intégrité, de valorisation et d'équité. Nous devions également améliorer
les conditions de santé et de bien-être de la population et enfin
accroître la performance du système dans son ensemble.

Évidemment, cette dynamique nous obligeait à nous questionner
avec beaucoup de rigueur sur nos indicateurs de qualité et de performance. Nous avons alors décidé d'adhérer au défi Qualité/Perfor-
mance et de créer un programme spécial répondant à ce défi. Le défi
était, en effet, de taille. D'un côté, nous devions prendre en compte
les politiques de la réforme du ministère, qui préconise des plans et
des objectifs financiers importants; et d'un autre côté, nous devions
nous inscrire dans une approche par indicateurs afin d'évaluer notre
qualité et notre performance.

Le facteur clé de notre stratégie de changement a reposé sur les
valeurs que nous voulions encourager. Ces valeurs devinrent notre
contrat dans notre effort de concertation. De nombreux échanges se
sont déroulés sur une période de six mois. Je me souviens d'une
occasion où nous nous sommes retrouvés dans un atelier de 150
personnes. Il y avait là des médecins, des infirmières, des membres
du conseil d'administration, des membres de l'équipe de direction,
des représentants d'à peu près tous les types de professionnels, des
employés généraux et des syndicats. Nous avons alors travaillé
ensemble à définir la notion de valeur et nous avons produit un
document synthèse, qui a par la suite circulé dans l'hôpital, afin de
recueillir des commentaires et d'établir le plus grand consensus possible. Les valeurs que nous avons retenues sont les suivantes:

— le respect, c'est-à-dire se traiter avec égards, à tous les niveaux,
de haut en bas et de bas en haut de la hiérarchie;
— l'équité, c'est-à-dire réduire les écarts et mieux distribuer les
ressources;

— l'imputabilité, c'est-à-dire devenir pleinement responsable de ses décisions ;
— la transparence, c'est-à-dire réellement « jouer cartes sur table » ;
— la responsabilité qui implique l'engagement dans le service aux citoyens ;
— la cohérence, c'est-à-dire harmoniser la parole et l'action ;
— et enfin le partenariat, c'est-à-dire agir ensemble dans le même sens.

Dans cette approche, non seulement les valeurs individuelles devinrent des valeurs organisationnelles, mais « l'approche client » devint notre cheminement critique. Parallèlement, nous avons développé des analyses financières à partir de plusieurs systèmes d'information de gestion[4] et créé des indicateurs de qualité, basés sur une approche reconnue par le Conseil canadien d'agrément des services de santé (CCASS) et l'ensemble des intervenants du réseau.

Nous avons aussi développé notre propre programme d'amélioration continue de la qualité. Nous avons mis en place des *focus groups* regroupant des patients et des familles de patients afin de comprendre leurs attentes, et 18 comités, regroupés par « programme-clientèle », ont analysé ces résultats et déterminé les écarts existants entre les attentes et l'évaluation de nos services. Pour chacun des services, des équipes multidisciplinaires ont revu leur mission, identifié les besoins et les attentes et modifié l'approche ou le processus en conséquence.

2 La mission du service de la pastorale

Dans cette mouvance, le service de la pastorale a aussi évalué et revu sa mission en coopération avec les intervenants de l'organisation. Chez les personnes qui ne relèvent pas de ce service, la pastorale est souvent associée à des célébrations de rites et de cultes. Dans une approche multidisciplinaire orientée vers les besoins de la clientèle,

---

4. Le réseau de la santé possède plusieurs systèmes d'information de gestion où des indicateurs de performance peuvent nous servir tant au niveau comparatif qu'évolutif. Par exemple, les DRG (*diagnostic related groups*) ; les MED-ECHO (système d'archivage par diagnostique) ; le SOFI (système des données financières comparatives) ; etc.

cette perception était inadéquate. Le service de la pastorale a alors suggéré de promouvoir, au sein de l'établissement, la dignité des personnes dans le respect de leurs valeurs spirituelles et religieuses, de leur croyance et de leur culture, et ce, en collaboration avec les autres professionnels de la santé. Plus précisément, le service s'est donné les objectifs suivants[5] :

— participer à l'approche globale de changement avec tous les partenaires concernés ;

— répondre aux besoins spirituels, moraux et religieux de la personne hébergée ou hospitalisée ;

— favoriser sa croissance spirituelle, morale et religieuse ;

— célébrer la foi des personnes croyantes ;

— améliorer la qualité de vie des personnes hébergées.

Le service de pastorale répond de plus à deux types de besoins : les besoins spirituels et les besoins religieux. Les besoins spirituels sont liés à la quête du sens : recherche d'un sens à sa vie, à ses souffrances et à sa mort. Ils font référence à une soif d'accomplissement de l'âme dans le bonheur, la paix, la tranquillité et la satisfaction intérieure. Les besoins religieux incluent, quant à eux, des besoins d'appartenance, d'intégration, de cohérence, d'actualisation, de contact avec le sacré. Ils sont satisfaits par la participation aux rites sacrés et par l'utilisation de symboles qui permettent de faire des liens entre la foi d'une communauté et son Dieu.

3 L'évaluation actuelle du service de pastorale et des liens entre la spiritualité et la santé

Deux types d'évaluation peuvent être utilisés afin d'identifier la contribution de la pastorale à la santé : des sondages qui ont été effectués dans les centres hospitaliers sur la perception interne des services de la pastorale et diverses recherches scientifiques portant sur les liens entre la pratique de la spiritualité et la santé physique et morale des personnes.

---

5. La validation de ces objectifs s'est faite dans les centres où j'ai personnellement œuvré au cours des dernières années, en plus d'avoir été harmonisée par les représentants des centres hospitaliers universitaires de Québec et de Montréal, avec qui j'ai communiqué.

Un récent sondage a été mené sur la perception des services de pastorale. Il a été conduit auprès d'une centaine de personnes dans des centres hospitaliers de courte durée[6]. Ce sondage révèle que l'équipe de professionnels de la pastorale, c'est-à-dire les prêtres, les animateurs, les bénévoles et tout autre personnel associé, est maintenant perçue et reconnue comme membre actif et à part entière de l'équipe multidisciplinaire. Ce service est particulièrement reconnu pour son écoute, sa présence et son soutien. On reconnaît aussi que le service de la pastorale est la ressource officielle pour offrir les sacrements mais, par-delà ces tâches, on lui reconnaît aussi une contribution essentielle par sa participation aux décisions et son engagement actif dans divers comités. Cette perception est radicalement différente de celle entretenue encore récemment. Il y a peu de temps, certains établissements s'étaient demandé si les services de la pastorale étaient réellement indispensables, si on ne devait pas réduire son budget et l'attribuer à d'autres activités.

On peut aussi évaluer la contribution de la pastorale en milieu de santé par les nombreuses recherches scientifiques et études qui ont été menées sur les liens entre la pratique spirituelle et la santé physique et mentale des personnes. Ces études sont de trois types : des études générales sur les liens éventuels entre la santé et la religion ; des études spécifiques sur les relations observables entre la santé et une activité religieuse ponctuelle ; et des études systématiques sur les liens existants entre la santé et des activités structurées à caractère spirituel[7].

Certaines de ces études suggèrent, par exemple, que les personnes qui participent à un service religieux sont moins susceptibles de développer une maladie cardiovasculaire ou de l'artériosclérose. D'autres études laissent entendre que les personnes croyantes qui s'adonnent à des pratiques spirituelles sont moins dépressives et plus mobiles durant la convalescence qui fait suite, par exemple, à une

---

6. Ce sondage a été effectué auprès d'une centaine de personnes dans la région de Québec par le Service régional de pastorale de la santé. Les résultats de ce sondage seront bientôt publiés dans la revue *Pastorale Québec*.

7. Pour une récente revue de ces études, voir H.G. KOENIG, *The Healing Power of Faith...*, 1999. Voir aussi H.G. KOENIG, *Handbook of Religion and Mental Health*, 1998 et H.G. KOENIG et A. FUTTERMAN, « Religion and Health Outcomes... », 1995.

fracture, affichent une attitude plus positive face à une intervention chirurgicale ou acceptent plus facilement que d'autres une convalescence longue et douloureuse[8].

D'autres études aussi suggèrent qu'il existe des relations positives entre la pratique de la méditation et de la prière et différents types de malaises ou de maladies, comme les maladies coronariennes, les dysfonctionnements du système nerveux sympathique ou les états anxiogènes[9]. Enfin, de nombreuses études établissent que les activités de pastorale ont un impact positif sur la santé physique et morale des patients des centres hospitaliers, que le *counselling* pastoral a des effets positifs sur les patients en hémodialyse et que les patients qui reçoivent une aide pastorale réduisent leur séjour à l'hôpital de un ou deux jours ainsi que leur consommation d'analgésiques[10].

Il faut, bien sûr, faire très attention aux résultats de ces études. D'autres recherches, d'ailleurs, tendent à démontrer que l'influence de la spiritualité, de la méditation ou d'une pratique religieuse sur la santé est nulle ou même négative[11]. On ne peut, en effet, parler ici de strict « lien de cause à effet » tant les facteurs en jeu sont nombreux et complexes. Pourtant, de plus en plus de scientifiques admettent aujourd'hui qu'une pratique spirituelle et la contribution d'un service de pastorale sont positifs pour la santé physique et morale des personnes, tout en demandant que davantage de recherches soient

---

8. Sur ces études, voir R.B. BYRD, « Positive Therapeutic Effects of Intercessory Prayer in a Coronary Care Unit Population », 1988 ; J. DWYER *et al.*, « The Effect of Religious Concentration and Affiliation on County Cancer Mortality Rates », 1990 ; H. FOX, « The Role of Psychological Factors in Cancer Incidence and Prognosis », 1995 ; Y. FRIEDLANDER *et al.*, « Religious Orthodoxy and Myocardial Infaction in Jerusalem... », 1986 ; K.S. KENDLER *et al.*, « Religion, Psychopathology and substance use and abuse... », 1997 ; H.G. KOENIG et A. FUTTERMAN, *Religion and health outcomes*, 1995 ; H.G. KOENING, « Use of Acute Hospital Services and Mortality... », 1995 ; T.E. OXMAN *et al.*, « Lack of Social Participation... », 1995.

9. Sur ces études, voir M. GALANTER et P. BUCKLEY, « Evangelical Religion and Meditation... », 1978 ; H.G. KOENIG *et al.*, « Religious Coping and Health Status... », 1998 ; K. WILBER *et al.*, *Transformations of Consciousness...*, 1986.

10. Sur ces études, voir J.S. LEVIN *et al.*, « Religion and Spirituality in Medicine... », 1987 ; I.K. MATION, « The Stress-buffering Role of Spiritual Support... », 1989 ; E. McSHERRY, « Pastoral Care Departments... », 1986.

11. Voir H.G. KOENIG, *op. cit.*, 1999.

effectuées sur ce sujet. Au Québec, une revue professionnelle destinée aux médecins a récemment publié un dossier détaillé sur les relations entre la spiritualité et la santé, intitulé *Âme, médecine et spiritualité*[12].

Ces études fournissent de plus des indications précieuses sur l'intégration actuelle des services de pastorale dans les établissements de santé. Ces services sont maintenant présents et actifs en soins prolongés, en soins psychiatriques, à l'urgence, en soins intensifs et palliatifs et durant les visites en général. Les membres de l'équipe de pastorale sont aussi de plus en plus intégrés dans les équipes multidisciplinaires et leur contribution est appréciée, en particulier pour l'accompagnement, le soutien spirituel, l'écoute et les rituels religieux.

Conclusion

J'aimerais formuler deux conclusions. La première concerne la contribution du service de la pastorale au réseau de la santé. Les résultats d'enquêtes évoqués précédemment démontrent la contribution positive de ces services. Nous avons aussi procédé à des évaluations de ces services et nous constatons qu'*ils répondent véritablement à un besoin*, constatation qui a été faite par plusieurs intervenants et intervenantes dans ce forum. Cette contribution positive s'inscrit particulièrement bien dans l'approche « programme-clientèle » préconisée actuellement dans l'ensemble du réseau de la santé. Mais pour ce faire, les services de pastorale doivent modifier leur mission, abandonner leur statut particulier et s'intégrer dans la démarche globale des équipes multidisciplinaires dont la tâche est centrée sur le client.

L'intégration des services de pastorale à l'approche globale a aussi un effet important sur les autres services. Elle a modifié la dynamique de l'approche globale elle-même. C'est presque comme une maladie transmissible ! La participation de plus en plus active du personnel de la pastorale dans les équipes multidisciplinaires a apporté des dimensions nouvelles. On ne soigne plus uniquement le corps, mais aussi le cœur et l'esprit et cela donne une autre dimension à l'approche dite « globale ». J'ai vérifié cela auprès de certaines équipes multidisciplinaires et on m'a confirmé de vive voix cette

---

12. Voir J. Désy *et al.*, « Âme, médecine et spiritualité », 1998.

évolution. Nous le constatons aussi par les enquêtes que nous menons. La dynamique des équipes multidisciplinaires est en train de changer. Dès qu'une personne du service de la pastorale est présente dans une équipe, la discussion n'est plus la même et les valeurs se modifient. Les notions d'éthique et de spiritualité sont porteuses de valeurs différentes. Et cette intégration est en plein essor. Par exemple, une expérience est menée à l'hôpital Saint-Joseph d'Hamilton en vue d'introduire un langage, une procédure et un contenu spirituels dans les programmes de formation destinés à aider le personnel à faire face au stress.

Ma seconde conclusion touche davantage l'objectif du forum. Au sein de l'organisation que je représente, nous avons encore du chemin à parcourir pour réaliser une intégration réelle de la spiritualité en management. Je suis convaincu que nous sommes sur la bonne piste et que nous devons poursuivre cet effort. Sur le plan de l'éthique et de la spiritualité, les gestionnaires ont un rôle à jouer. Quelle que soit notre fonction, notre responsabilité, nous devons tous et toutes avoir un plan d'action qui soit à l'image de nos croyances, thème que d'autres conférenciers et conférencières ont déjà abordé durant ce forum. Pour moi, la première action à développer est de se respecter en tant qu'individu et de donner l'exemple. C'est le profil que la société devrait encourager pour nos employés et nos gestionnaires. Notre propre peur de la maladie, de la souffrance et de la mort nous éloigne bien souvent des échanges intimes avec nos confrères et consœurs au travail à propos de la quête de sens et d'autres thèmes liés à la spiritualité. Une formation sur mesure devrait être développée sur ce sujet et, à mon avis, donnerait d'excellents résultats.

Quand j'ai travaillé à concevoir le programme du défi « Qualité/ Performance », il y a déjà quatre ans, j'étais loin de penser que je présenterais ses résultats dans le cadre d'un forum international sur le management, l'éthique et la spiritualité ! À cette époque, mon seul objectif était d'écouter nos employés. Si je devais tirer une leçon de mon expérience et lancer un message pour les personnes travaillant en organisation, je dirais : « Écoutez vos employés, ils pourraient vous amener à adopter des principes d'éthique et de spiritualité. »

10 Affaires, valeurs et spiritualité

Le cas d'une école de commerce en Australie

Peter SHELDRAKE et James HURLEY

En tant que professeurs en sciences administratives, notre but dans ce chapitre est de présenter une façon ou une stratégie par laquelle, utilisant le biais de la formation en gestion, nous pourrions intégrer l'éthique et la spiritualité à la vie des organisations. Nous ne voulons surtout pas proposer des solutions aux multiples questions complexes entourant ce sujet, mais voulons plutôt contribuer à une conversation favorable à un apprentissage mutuel.

Pour être véritablement féconde, cette conversation devra s'inscrire à l'intérieur de certaines limites qui établiront ainsi son contexte. Elle s'inscrira d'abord dans l'idée de changement et d'incertitude que celui-ci produit, dans la prise de conscience de nos réactions, individuelles et collectives et, à l'intérieur de situations auxquelles nous faisons face — de nos espérances, de nos craintes et des mouvements profondément existentiels de notre âme. Nous considérons ici que le processus de développement psychologique et celui de la croissance spirituelle et de la foi sont intimement liés et reflètent tous deux un raisonnement éthique et moral[1]. Nous considérerons aussi des situa-

---

1. Voir, sur cette question, E.E. Whitehead et J.D. Whitehead, *Christian Life Patterns*, 1979.

Dans ce chapitre, Peter Sheldrake, directeur d'une importante École de commerce en Australie, et James Hurley, responsable du nouveau programme de DBA[1] de cette école, font état de certains principes nécessaires à l'intégration de l'éthique et de la spiritualité dans la formation universitaire en administration ainsi que des difficultés inhérentes à une telle formation. Comme en écho à la demande d'Ian Mitroff de philosophies et de designs radicalement différents en éducation (voir le chapitre 2), les principes proposés ici soulignent la nécessité de concevoir un programme fondé sur une réelle intégration entre le développement personnel et la pratique professionnelle. La structure du programme devrait ainsi s'adapter aux valeurs poursuivies et non l'inverse. Il conviendrait de passer de la notion de « candidat isolé » à celle de « communauté d'apprentissage » développée conjointement par les participants et les enseignants ; et de la connaissance motivée par le désir de contrôle à la connaissance dérivée de la compassion.

Après avoir décrit les origines des difficultés rencontrées, provenant des candidats, des enseignants, du cadre administratif et de la culture du milieu, Peter Sheldrake et James Hurley proposent de recourir à différents mécanismes et processus qu'ils jugent essentiels au succès d'un tel programme : l'usage de l'apprentissage expérientiel ; l'enrichissement continuel entre le développement personnel, la connaissance et la pratique ; le développement d'un espace d'apprentissage sécurisant ; l'utilisation de l'art et de la littérature ; l'enracinement dans la notion de « vocation », individuelle et institutionnelle ; la redéfinition de la notion de « travail » ; la formation et l'encadrement continu des formateurs ; l'encouragement d'un changement profond dans le système universitaire ; et l'assurance de la légitimité du programme par les entreprises elles-mêmes. Enfin, par le biais d'une histoire empruntée aux Quakers, les auteurs nous rappellent que le discernement éthique provient surtout des profondeurs de l'âme et d'un dialogue profond avec soi-même et les autres, un thème dominant dans ce livre et qui sera repris dans le chapitre de conclusion.

---

1. « Doctor in Businesss Administration ».

tions particulières dans lesquelles nous nous retrouvons et qui affectent nos décisions. À notre avis, le processus décisionnel devrait être enrichi par le développement d'un programme de formation en gestion qui a pour but de nourrir l'esprit humain. Nous nous pencherons sur la transition qu'impose le passage d'une *prise de décision* basée sur un besoin de contrôle à l'étape du *discernement* fondé sur la compassion. Notre discussion considérera aussi la manière dont nous percevons le monde[2]. Par là, nous entendons les processus au moyen desquels nous connaissons et reconnaissons la vérité dans les ressources humaines, l'environnement naturel ou encore nos marchés. Le contexte ainsi précisé, notre conversation prendra donc place dans un espace d'apprentissage bien défini. Cet espace devrait être au cœur de n'importe quel programme qui cherche à encourager un développement psychologique et spirituel. Dans la présentation qui suit, nous nous centrerons sur nos expériences personnelles d'instauration d'un programme professionnel de doctorat en administration en Australie.

1 Le programme de DBA

En mai 1994, l'Université consentit à offrir le programme de doctorat professionnel en administration (DBA). Jusque-là, la faculté d'administration n'offrait qu'un programme traditionnel de recherche menant au Ph.D. Le programme du DBA fut alors conçu en réponse au manque de pertinence du Ph.D. spécialisé, pour ceux et celles qui travaillaient dans des champs de recherches plutôt interpersonnels et hautement compétitifs. Une meilleure intégration entre la théorie et la pratique se faisait sentir chez beaucoup de gestionnaires.

Il nous parut alors évident que le programme traditionnel ne répondait plus à ce besoin d'intégration entre la pratique professionnelle, la connaissance professionnelle et le développement personnel. Une emphase particulière devait être mise sur la pratique. Nous devions aussi établir un programme académique qui pouvait, du même coup, nourrir la vie spirituelle et éthique des participants et participantes et leur permettre de développer et d'intégrer ces «manières d'être» dans leur vie professionnelle. Le programme fut donc conçu initialement pour ceux et celles qui commençaient ou œuvraient déjà dans le milieu de la consultation ainsi que pour les gestionnaires en ressources humaines[3].

---

2. Pour ces notions, voir P.J. PALMER, *To Know as We Are Known...*, 1983, et *The Courage to Teach*, 1998. Palmer est un éducateur quaker.

3. Pour une description détaillée de ce programme, voir C. MORLEY et J. PRIEST, «RMIT reflects on its DBA Programme», 1998.

La figure 6 illustre la structure principale de ce programme. Son but est d'aider les participants à faire preuve, dans leur pratique, d'une intégrité professionnelle et personnelle. Considérant cela, le programme vise davantage à faire le lien entre le développement personnel et la pratique professionnelle qu'un résultat final. Une réflexion personnelle sur le processus est aussi encouragée. Nous croyons en effet qu'il faut davantage établir une « communauté d'apprentissage » dans laquelle les participants et participantes sont autant responsables de leur propre processus d'apprentissage que les professeurs. La figure 5 reflète aussi l'utilisation de deux dynamiques principales tout au long du programme s'étalant sur une période de trois ans. La première consiste à faciliter la transition du passage du « candidat individu » à celui de « membre d'une communauté d'apprentissage » ou, pour le dire autrement, la transition du « Soi » au « Soi-en-relation ». La seconde dynamique concerne autant la faculté que les participants. Elle illustre la transition dans l'apprentissage de la connaissance dérivée d'un contenu fondé sur le contrôle, à une connaissance dérivée de la compassion et de la relation avec autrui. Cette dernière pourrait être interprétée comme la transition de la simple « prise de décision » à ce que nous appelons le « discernement ».

Ce programme fut tout d'abord conçu comme devant être « expérientiel[4] ». Les expériences (individuelles et collectives) des participants et de la faculté, ainsi que les données qui en découlaient, constituaient les bases à partir desquelles nous pourrions vérifier nos théories. Selon nous, ce modèle s'intégrait très bien à un programme universitaire. Nous présumions que seul un modèle intégré était en mesure d'atteindre les forces de raisonnement intérieures, essentielles à un comportement éthique. La conception de cette structure exigeait une attention particulière, car celle-ci devait être en accord avec les valeurs exprimées dans le programme.

Cependant, une simple structure ne garantit pas un « espace d'apprentissage », un espace pour la conversation authentique. Le corps professoral joue un rôle majeur dans l'établissement ainsi que dans la protection de ces espaces. Les professeurs doivent à la fois compren-

---

4. Sur l'apprentissage expérientiel en général, voir D.A. KOLB, *Experiential Learning...*, 1984. Pour une application en administration, voir D.A. KOLB, « Integrity, Advanced Professional Development and Learning », 1988.

Figure 6   Le programme du DBA

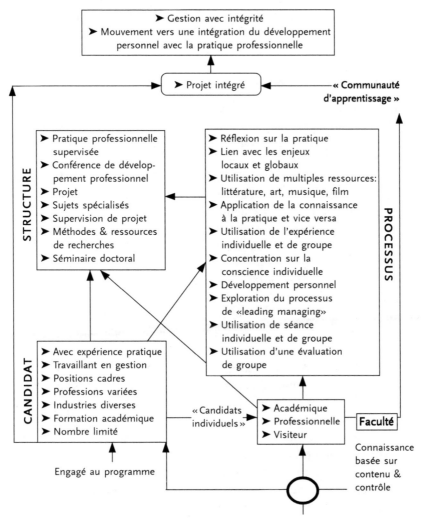

dre le processus expérimental et avoir l'habileté de s'ajuster aux différentes dynamiques induites par cette approche. Ils doivent aussi être capables de créer un environnement hospitalier qui favorise les relations.

2 Les difficultés rencontrées

Le concept à l'origine du DBA était utopique, surtout dans le climat pédagogique australien qui régnait à ce moment-là au sujet des études supérieures. La lutte pour mettre en œuvre ce programme montre bien les difficultés inhérentes pour développer une formation en gestion qui soit l'occasion d'une véritable intégration de l'éthique et de la spiritualité. Nous pouvons même nous poser la question : le système traditionnel de formation en gestion est-il capable de fournir le conduit par lequel les dimensions éthiques et spirituelles pourraient être transmises aux gestionnaires œuvrant dans les milieux d'affaires très compétitifs ?

La première difficulté rencontrée provenait des professeurs. Comme nous l'avons déjà dit, le rôle des professeurs est essentiel au bon déroulement d'un tel programme. Ces professeurs ont dû travailler en équipe et avec chaque participant tout au long du programme, et, de cette façon, mettre en pratique la notion de « communauté d'apprentissage ». Leur habileté à bien encadrer les participants à l'intérieur des limites établies et à les protéger des pressions extérieures provenant d'attentes plus traditionnelles était aussi essentielle. Malheureusement, le programme a dû supporter des changements de personnel, dont celui du directeur. Par ailleurs, quelques membres de la faculté comprenaient mal les buts du programme et certains eurent beaucoup de difficulté à adapter leur approche. Le manque de ressources financières, nécessaires afin de rémunérer le personnel pour le surplus de temps de travail, fut aussi ressenti. Enfin, la dynamique complexe inhérente au travail en groupe ainsi que les situations d'apprentissage personnel intense furent difficiles pour certains.

Les participants constituèrent une deuxième source de difficultés. Ce programme représentait un défi pour ceux qui occupaient des postes à des niveaux organisationnels très élevés. Ils constatèrent que le programme exigeait beaucoup de leur temps. N'étant pas habitués à cette nouvelle structure pédagogique, ils furent anxieux et eurent besoin d'être davantage dirigés. Ils résistèrent à l'aspect de développement professionnel personnel et remirent en question sa pertinence dans le programme. Ils en appelèrent souvent à l'argument de « confidentialité commerciale » pour réviter de partager et de s'aider mutuellement. Cela a eu pour effet de diminuer le développement personnel. D'autres difficultés se sont manifestées sur le plan du comportement des participants : par exemple, l'utilisation du téléphone cellulaire durant les séances. La faculté a dû résoudre ces problèmes sans tomber dans l'agressivité !

Le troisième problème provint de l'administration de l'université et de sa culture organisationnelle qui subissait le poids énorme du changement. Ce problème apparut dans les procédures et les structures, tant chez les professeurs que de la part de l'administration, ainsi que dans l'ensemble de toute la culture organisationnelle de l'université. En Australie, où l'éducation des deuxième et troisième cycles est soumise à des pressions externes énormes, les universités doivent aujourd'hui entrer sur le marché concurrentiel, alors qu'elles étaient auparavant gérées en tant qu'institutions gouvernementales. De ce fait, on y observe une grande concurrence pour les étudiants étrangers. Il devient alors très difficile de maintenir des frais de scolarité à un niveau raisonnable, car cela demande d'étouffer financièrement les plus petits programmes dans lesquels la proportion professeurs/étudiants est élevée. D'un point de vue financier et administratif, il est plus facile de disposer de programmes comptant beaucoup d'étudiants et peu de personnel. Parallèlement, avec un taux de chômage aussi élevé qu'en Australie (dépassant les 30 % chez les jeunes), la pression visant à encourager les programmes menant à un emploi professionnel à court terme est très forte. De telles pressions bouleversent la culture universitaire. De plus, les disciplines scientifiques traditionnelles *hard core* sont encore considérées comme étant plus « légitimes » que celles qui sont basées sur une approche en termes de processus, perçues comme moins sûres, plutôt *soft*.

Ce premier programme de doctorat professionnel en administration dans une université australienne est aujourd'hui considéré, par certains, avec beaucoup de suspicion. Le comité aux études supérieures de l'université hésite à reconnaître les thèses soumises par les candidats du programme, car une partie de leur évaluation est faite par leurs collègues de classe. Ces difficultés sont semblables à celles décrites par Chris Argyris et Donald Schön, lorsqu'ils évoquent le passage du modèle 1 au modèle 2 de l'apprentissage[5]. Dans notre cas, le passage a été rendu plus difficile du fait du contexte social et organisationnel.

3 Quelques leçons que l'on peut tirer de cette expérience

Trois constatations émergent de notre expérience. *Premièrement*, pour être capable de créer un « espace d'apprentissage » dans une culture hostile et indifférente, le personnel impliqué dans le programme a besoin de beaucoup de soutien. Un tel appui nécessiterait, par exemple, une supervision ou une consultation individuelle portant sur la participation du personnel dans le programme, des séances de développement de groupe, ainsi qu'une direction spirituelle. Ce soutien serait particulièrement important lors des premières étapes du programme, ou lorsqu'un changement dans le personnel s'effectue et que la dynamique de groupe montre une certaine résistance au changement. Il pourrait aussi y avoir une révision continuelle du programme visant à le maintenir en « totalité » et à empêcher qu'il dérive vers la structure traditionnelle fragmentée et segmentée. Finalement, les professeurs devraient communiquer régulièrement avec des personnes travaillant en dehors du système universitaire ; ces personnes devraient être impliquées dans la pratique du management, croire dans les valeurs du programme et travailler à intégrer ces valeurs d'éthique et de spiritualité dans leur propres organisations.

Une *deuxième* constatation concerne les procédures administratives impliquées par le programme lui-même, particulièrement les responsabilités du directeur. Le rôle de ce directeur, particulièrement dans la sélection du personnel, est essentiel. Il semble qu'assigner des professeurs suivant leur expertise sans l'avis du directeur ne peut que créer des difficultés. Cela suggère combien il est important d'informer les administrateurs principaux de l'université du besoin d'un tel programme et des exigences qu'il requiert — malgré la pression qu'eux aussi doivent subir.

Troisièmement, et sans doute ceci est-il l'aspect le plus important, il semble nécessaire d'avoir un module de transition afin d'aider les

---

5. Voir C. ARGYRIS, *Overcoming Organizational Defenses*, 1990 ; et C. ARGYRIS et D. SCHÖN, *Theory in Practice...*, 1974.

participants et les professeurs à passer d'un « savoir axé sur le contrôle », à un savoir « fondé sur la compassion » ; d'une démarche de « prise de décision » à un « processus de discernement ». Dans le meilleur des cas, il est difficile pour quiconque d'entreprendre ce que James Fowler a appelé « le travail ardu et coûteux de la transformation de soi[6] ». Comment chacun de nous vit-il avec ce processus de changement ? Un des éléments du concept de changement est l'idée de transition. Fournir un « espace sécurisant[7] » permet d'entreprendre la tâche parfois effrayante de se dégager du connu[8]. Ce processus de « dégagement » est la première étape de toute transition. Le sentiment d'être protégé par un « espace sécurisant » permet de trouver le courage et la volonté nécessaires pour faire un premier pas dans l'inconnu. Dans cet « espace » nous pouvons nous préparer à ce changement. Le processus est favorisé si nous décrivons, à l'aide de nos propres expressions, la nature de cette transition et du voyage qui s'ouvre à nous, que ce soit quelque chose de concret, une tâche, une idée ou un idéal. Nous évitons le terme *vision* pour des raisons évidentes. Le choix de nos expressions est un geste créateur. Il dit notre consentement, notre soumission ou notre rébellion qui sont perçus par les autres. Quelle que soit sa nature, ce « quelque chose » nous accompagne dans la transition, nous permettant de conserver notre identité propre tout en explorant l'abandon de tout ce qui, jusqu'à maintenant, nous définissait en tant qu'individu. Il est essentiel de maintenir cet espace ouvert afin de pouvoir explorer créativement, et souvent courageusement, ce mode alternatif de connaissance de nous-même et du monde. Ce n'est que s'il y a suffisamment d'« espace » que nous pourrons emprunter les chemins tortueux qui mènent à des façons d'être « différentes ».

Afin de soutenir ce processus de transition, nous suggérons de retourner à un concept primordial qui se trouve à la base de la plupart des traditions spirituelles : le concept de *vocation*, ou d'*appel*, ou de *conduite*[9]. Nous ne voulons cependant pas restreindre ces

---

6. Voir J. FOWLER, *Becoming Adult, Becoming Christian*, 1984.

7. « Containing space » en anglais.

8. Sur cette notion, dérivée de « l'environnement contenant » de D.W. Winnicott, voir J. APPLEGATE et J. BONOVITZ, *The Facilitating Partnership...*, 1995.

9. Sur la notion de vocation, voir M. FOX, *The Reinvention of Work...*, 1994 ; et J.C. RAINES et D.C. DAYLOWER, *Modern Work and Human Meaning*, 1986.

termes au seul niveau individuel, mais bien les utiliser pour ce qui concerne l'organisation de la société. Nous croyons qu'il est pertinent de parler autant de la *vocation* de l'organisation que de celle de l'individu, les deux étant en effet interreliées puisque la notion de *vocation* ou d'*appel* ou de *suivre un leader* n'a de sens qu'au sein d'un contexte social. Recourir à ces expressions devrait, d'après nous, aider à effectuer le passage vers un mode plus compatissant de connaissance du monde et de nous-mêmes. Ces expressions pourraient servir d'instruments à cette transition majeure. Nous pourrions donc demander aux organisations, de même qu'aux individus au sein des organisations : « Quelle est votre vocation ? », et non pas : « Quel est le prix de vos actions ? », « quelle est votre part de marché ? », ou « quelle est votre fonction ? »

La personne aurait ainsi pour tâche d'intégrer ces différents mondes interreliés, de même que d'assumer ses responsabilités pour le bien de chacun pris individuellement et collectivement. Une telle conception modifie directement ce que nous entendons par les termes *employé* et *employeur*, élargissant leur signification pour inclure l'importance de toutes les activités de la vie. Il nous semble d'ailleurs paradoxal et insensé que, dans le contexte actuel de chômage, quelqu'un qui travaille bénévolement dans un corps policier, par exemple, ou qui participe avec enthousiasme et joie à la gestion d'un littoral côtier, ou qui livre des dépliants pour une société locale d'histoire, soit considéré comme « sans emploi » ; alors qu'une personne profondément frustrée, blasée et détachée de l'expérience immédiate du travail, mais qui reçoit son plein salaire, est réputée *employée*.

4 Une histoire...

Nous aimerions raconter une histoire qui rend compte d'un aspect très important de la spiritualité et du besoin de nourrir les traditions spirituelles, quelles qu'elles soient. Cette anecdote est tirée des écrits de la Société religieuse des Amis, communément appelées les Quakers[10].

---

10. Tiré de RELIGIOUS SOCIETY OF FRIENDS, *Christian Faith and Practice in the Experience of the Society of Friends*, Rencontre annuelle, section 40, Londres, 1960.

Même si William Penn fut convaincu par les principes des Amis et qu'il assistait assidûment à leurs rencontres, il ne laissa pas immédiatement tomber ses habits. On dit même qu'il portait une épée comme à l'époque où les nobles le faisaient. Un jour, alors qu'il était en compagnie de George Fox, il demanda à ce dernier son avis au sujet de son habillement, sachant qu'il paraissait peut-être étrange aux yeux des Amis, et lui précisa que son épée lui avait un jour sauvé la vie, sans qu'il ait blessé son adversaire. De plus, le Christ avait dit : « Que celui qui est sans épée vende son attirail et s'en achète une. » George Fox lui répondit : « Je vous conseille de porter votre épée aussi longtemps que vous le pourrez. » Peu de temps après, ils se rencontrèrent à nouveau, et William ne portait aucune épée. George lui demanda : « William, où est votre épée ? » « Oh ! dit-il, j'ai suivi votre conseil, je l'ai portée aussi longtemps que j'ai pu. »

Tout comme William Penn, nous nous sentons mal à l'aise avec le modèle de pensée dominant et avec des valeurs qui semblent provoquer autant de destruction que de promesses et de prospérité. Comme Penn, nous aimerions intégrer nos vies, unifier nos modes de connaissance comme il a été suggéré précédemment. Et peut-être, surtout, nous recherchons l'union que notre inévitable séparation a empêchée. Nous sommes toutefois conscients que ce désir de vivre une vie plus « intégrée » nous marginalise par rapport à nos pairs et par rapport à la culture dominante. Pour nous, comme pour Penn, une telle position est inconfortable, car elle nous confronte à notre anxiété et à notre incertitude existentielles profondes. Le choix qui s'offre à nous semble être ou pour l'un, ou pour l'autre : pour le monde cruel du profit ou celui des relations fondées sur la compassion. Dans sa confusion et son incertitude, Penn a fait ce que la plupart d'entre nous faisons à un moment ou à un autre : nous diminuons notre anxiété profonde en nous déchargeant de nos responsabilités. Penn a cherché à obtenir une réponse à son dilemme auprès d'une autorité. Pour lui, ce fut George Fox, le fondateur du mouvement quaker. Bien sûr, tout comme Penn, nous pouvons subtilement trafiquer notre question, afin de trouver la réponse que nous souhaiterions. « Cette épée a sauvé sa vie ; il serait fou de ne pas la porter. » Et combien tentante est la position de George Fox : se faire demander un conseil par une personne éminente et de haut rang, et pouvoir commander le respect. Les managers, leaders, professionnels importants ou même ceux qui occupent des postes inférieurs dans la hiérarchie — mais qui possèdent la richesse de l'expérience — sont souvent placés dans une position semblable, et parfois même, ils la recherchent.

Mais George Fox fait une chose remarquable. Il remet gracieusement la décision entre les mains de Penn. Les décisions éthiques et spirituelles ne sont pas seulement des décisions intellectuelles ou des décisions fondées uniquement sur de l'information — car Penn disposait de toute l'information. Elles ne sont pas non plus prises en fonction de ce que les autorités pensent, disent ou requièrent de nous. Pour que les décisions éthiques soient authentiques, elles *doivent émerger de l'intérieur de la personne ayant une pleine reconnaissance des relations en jeu.* Fox ne cherche pas à contrôler Penn, ni ne permet à Penn de le contrôler. Nous avons là une relation intègre où Fox invite Penn à être responsable de ses choix de vie.

Selon le vocabulaire choisi et l'« esprit » de notre programme, Fox fournit un « espace sécurisant » en encourageant Penn à être attentif à sa vérité intérieure et à avoir le courage de la suivre. Et il le fait sans juger. Cet espace est entouré de réalités : la notion quaker du pacifisme, la simplicité de vie et d'habillement, le regard de ses pairs, l'expérience personnelle d'inconfort et de fragmentation de Penn, ce sont là des « limites », des « cadres ». La réponse de Fox permet à Penn d'écouter sa voix intérieure. Elle montre de plus la confiance de Fox en Penn et le fonctionnement de la vérité intérieure.

Offrir un tel espace est essentiel à la « conversation » ou au « dialogue » que nous espérons voir émerger au travail, malgré nos limites personnelles. Comment pouvons-nous créer cet espace en nous-mêmes afin de mieux comprendre les passions qui nous dirigent et de mieux affronter nos angoisses les plus profondes, ainsi que la lutte entre notre « moi destructeur » et « notre moi créateur » ? Comment pouvons-nous aussi créer cet espace dans nos relations avec nos clients, nos employés, nos directeurs, nos investisseurs, nos étudiants et tous ceux qui sont touchés par les décisions de notre organisation ? Comment empêcher de confondre cet espace avec la structure traditionnelle ? Car, sans cet espace, beaucoup de ce qui est accompli ne sera que superficiel, sans profondeur, sans fondement.

La « conversation » que rendra possible cet espace sera également fonction de nos manières d'appréhender le monde et des passions qui nous habitent. Elle sera basée sur l'engouement et les défis que pose le changement, mais aussi sur les angoisses et les incertitudes que le changement provoque en nous. Elle fera ressortir les multiples façons

que nous et nos organisations utilisons pour répondre au changement et à l'incertitude. Elle marquera aussi, avec intégrité, comment
chacun s'implique différemment dans la « conversation », écoutant la
contribution de chacun. Elle s'adressera aux nombreux défis concrets qui devront être surmontés si l'on veut que cet espace se main-
tienne, soit encouragé et se développe. Nous reconnaissons les
difficultés que connaissent ceux qui tentent de créer ces « espaces
sécurisants ». Comme l'a suggéré F. Thorsen :

> Un tel « environnement *sécuritaire*[11] » n'est pas facile pour la plupart
> d'entre nous et la plupart du temps. Lors de périodes de stress, de
> conflits ou de confrontations, cela devient encore plus difficile. Une
> telle « enveloppe » demande une volonté et une capacité d'élargir et
> d'approfondir nos perspectives habituelles. Cela implique que nous
> devons prendre conscience et peut-être même relâcher ces certitudes qui
> sont inconsciemment tenues pour acquises et pour universelles et si
> « évidemment vraies ». Cela demande beaucoup de courage et de con-
> fiance. On ne peut se permettre de passer par-dessus, d'ignorer ou de
> nier les différences. La séparation, ignorée, refoulée et reniée, que ce
> soit dans notre psychisme individuel, collectif ou même national, doit
> être reconnue et l'on doit y faire face[12].

Étant donnée la difficulté de cette tâche, ceux et celles qui participent à la « conversation » doivent être nourris par les autres ainsi que
par des histoires et des contes qu'offrent les traditions spirituelles, et
par l'inspiration et les leçons profondes que donnent la poésie, la
littérature et l'art. La littérature et la recherche en management
traitant des questions d'éthique et de spiritualité dans la vie des gestionnaires et des organisations nourrissent et protègent ainsi la « conversation ». Sans ce support et cette protection, nous nions la richesse
de l'expérience et nous risquons de tomber dans un subjectivisme naïf.
Comme l'écrit Erich Fromm :

> Une emphase extrême sur la responsabilité individuelle peut devenir
> une manipulation égocentrique d'autrui, une compulsion qui détruit la
> moralité authentique et ne génère qu'un faux sentiment de significa-

---

11. *Holding environment* en anglais.
12. Tiré de F. THORSEN, *Through Quiet Process and Small Circles*, 1997.
Nous remercions Frances Thorsen pour nous avoir introduit aux travaux de
Winnicott et à sa notion d'« environnement englobant ».

tion. [...] Une personne ne peut porter le fardeau de la responsabilité de son propre salut moral sans une culture assez profonde pour lui fournir une structure. Sinon, ultimement, elle se sentira isolée, seule et séparée des autres[13].

Notre expérience révèle aussi une autre difficulté : s'impliquer dans une telle « conversation » coûte cher. Nous ne savons pas toujours quels seront les résultats d'un tel processus et ces résultats ne correspondront pas nécessairement à ceux que nous attendions, ni à ce que nous avions prévu dans le cadre du développement d'un *plan stratégique*. Cela nous forcera peut-être à renoncer à nos manières habituelles de nous définir et de nous défendre contre les sentiments de solitude intérieure que nous éprouvons tous. À un certain niveau, William Penn a payé cher, s'isolant de son groupe social et renonçant à ces choses qui lui paraissaient auparavant importantes et effectivement utiles. Mais parce qu'on lui a donné l'« espace », il a pu affronter son angoisse, être responsable et capable de répondre : « Fox, j'ai suivi ton conseil et j'ai porté l'épée aussi longtemps que j'en étais capable. »

Que « renoncer » soit maintenant une préoccupation globale, nous hésitons à le considérer. Nous croyons, cependant, que si nous n'envisageons pas aujourd'hui de renoncer, nous devrons faire face, dans le futur, à un soulèvement social et à une destruction environnementale qui feront paraître bien insignifiantes les questions actuelles. Nous, gestionnaires et professeurs en management, avons un rôle à jouer. Ce rôle peut sembler minime, peut-être souvent même frustrant et non pertinent, mais comme John Milton nous le rappelle :

... with good
Still overcoming evil, and by small
Accomplishing great things, by things deem'd weak
Subverting worldly strong, and worldly wise
By simply meek[14]...

---

13. E. FROMM, *The Art of Loving*, 1957, p. 168-169.
14. J. MILTON, *Paradise Lost*, livre XII, p. 505-509.

11 Dialogue sur la seconde partie

De nouveau, un dialogue est beaucoup plus qu'une série de questions et de réponses entre les conférenciers, les conférencières et les personnes de l'auditoire (voir l'introduction du chapitre 4). Afin de dépasser ce mode « expert-novice », les périodes de dialogue ont été ménagées durant le forum pour poser des questions mais aussi offrir des témoignages, ainsi qu'exprimer différents points de vue et émotions. La diversité des questions abordées dans ces dialogues sur le management, l'éthique et la spiritualité permet de faire une première évaluation des thèmes qui préoccupent les personnes travaillant en entreprise ainsi que des émotions qui animent ces personnes. Plus fondamentalement encore, un dialogue permet d'appréhender la « structure de pensée » d'un groupe et ses « suppositions de base », s'ouvrant potentiellement, à terme, sur une « conversation profonde » dans un « espace sécurisant » à laquelle nous conviaient Peter Sheldrake et James Hurley dans le chapitre précédent.

Thierry C. Pauchant

Fanny Garber. — Pour certains, la spiritualité et l'éthique sont une question d'intuition ou de grâce. Cette expérience n'est donc pas mesurable. Ma crainte est que des universitaires essaient de systématiser l'intuition qu'est la foi.

Nous avons aussi parlé d'éducation. Je viens de passer dix ans à la maison à éduquer mes enfants. Je réalise que l'éducation ne commence pas à l'université, mais bien durant l'enfance, puis au primaire et au secondaire. Tous les jours, je veille à ce que mes enfants ne deviennent pas une « unité de production potentielle ». Les professeurs devraient inculquer ce sens critique dès l'école primaire et secondaire et même plus tard.

J'aimerais enfin remercier le professeur Ian Mitroff. Comme lui, je suis souvent très en colère face aux systèmes qui nous interdisent de vivre en accord avec notre foi. Je remercie aussi Mme Vera Danyluk pour son témoignage qui apporte un air frais. Merci beaucoup.

Gail Stevens (professeure de gestion de l'éducation, Université de la Saskatchewan). — Avant de devenir professeure, j'ai œuvré, pendant six ans, dans le domaine de la gestion au sein de deux industries. J'ai toujours tenté de « gérer de manière éthique ». J'ai toutefois dû faire face à un certain nombre de contradictions, comme cela m'est arrivé durant ce forum. Premièrement, j'ai ressenti de la frustration lors de nos conversations sur les décisions éthiques. Or d'autres pays ont fait des investissements qui endommagent l'environnement. En effet, la définition que nous semblons donner à la « communauté », durant ce forum, semble seulement se référer à notre environnement immédiat ou à notre pays. Deuxièmement, je me demande si la relation employé/employeur est la plus appropriée pour permettre l'expression de la spiritualité et de la divinité. L'autorité hiérarchique a souvent lésé des gens. Troisièmement, je me demande aussi s'il est « éthique » pour moi de vendre des services liés à la spiritualité. Les entreprises seront tentées d'utiliser les précieuses ressources de notre esprit pour accroître leur productivité. Finalement, par rapport à la gestion de l'éducation, je m'interroge : devrions-nous passer d'une « sociologie de contrôle » à une « sociologie de compassion » ? ou ne devrions-nous pas plutôt encourager une « sociologie de la démocratie » ? Je pose enfin cette question à M. Béland : y a-t-il de la place pour une structure de gouvernement démocratique dans nos organisations ?

Claude Béland. — Je répondrai *oui* à la dernière question sans hésitation. Actuellement, le grand problème du mouvement coopératif est causé par les mutations profondes qui bouleversent le monde d'aujourd'hui. Partout à travers le monde, on se questionne sur la pertinence du mouvement coopératif, sur les valeurs de démocratie dans les entreprises, sur les valeurs de solidarité, d'entraide, etc. Souvent, et pas seulement au Québec, mais aussi dans d'autres parties du monde, on fait appel à des personnes — je les appelle des « consultants en éthique » — qui, ayant un certain recul par rapport à une entreprise particulière, nous disent si cet attachement et cette volonté de rester fidèles à nos valeurs ont de l'avenir.

Cela me ramène à la question de l'éducation. Il est certain que le monde coopératif d'aujourd'hui, même si il est organisé internationalement, ne peut faire seul les virages éducatifs essentiels à l'humanisation de nos rapports en matière financière ou commerciale. Le système dominant est trop fort. Je fais la distinction entre l'organisation Desjardins, la Confédération et les Fédérations. On peut, à l'intérieur de l'organisation, respecter et faire la promotion d'une certaine éthique coopérative. Mais lorsque nous nous adressons à d'autres clientèles, nous devenons vulnérables et nous nous faisons accuser. En réponse, nous avons créé des Fonds éthiques de développement régionaux. J'ai aussi mis sur pieds un Fonds pour le Québec, parce que les gens nous disaient : « C'est terrible, Desjardins investit à l'étranger ! » Nous n'avons pas décidé seuls d'investir à l'étranger, notre clientèle nous avait demandé de le faire ! Et une coopérative doit être à l'écoute de ses membres. Nous avons 45 millions de dollars dans ce Fonds pour le Québec, mais je peux vous dire que dans les autres fonds, c'est joliment plus important. Il ne faut pas oublier que l'essence de la coopération est de regrouper des gens d'une façon démocratique.

Vera Danyluk. — J'aimerais commenter la question concernant l'éducation de nos jeunes. J'ai pu vivre mon cheminement personnel au sein de ma profession parce que j'ai passé la première partie de ma vie en tant qu'enseignante dans l'enseignement religieux et moral et en tant qu'animatrice de la pastorale pour l'archevêché de Montréal.

Depuis au moins 30 ou 35 ans, ici au Québec, mais aussi ailleurs dans le monde, l'éducation de nos enfants, notre façon de leur transmettre nos valeurs, a connu des bouleversements importants. Nous sommes partis d'un système particulièrement rigide, fondé sur la religion, puis nous avons transféré cette responsabilité à d'autres groupes. Personnellement, j'ai l'impression qu'à la fin des années 1960 et au début des années 1970, avec la nouvelle loi sur l'enseignement, nous avons « jeté le bébé avec l'eau du bain ». C'est très malheureux. Aujourd'hui, nous tentons de nous réapproprier nos valeurs. Plus spécifiquement, je pense qu'il est vrai que nos écoles ont délaissé l'éducation morale et éthique de nos jeunes. Cela rappelle aussi l'importance du rôle des parents qui occupent le tout premier plan auprès de leurs enfants. Il ne s'agit pas seulement de transmettre nos valeurs à ceux-ci. Il faut aussi les éduquer et, surtout, leur donner l'exemple. Pour moi, c'est l'exemple qui est le plus important si l'on veut véhiculer nos valeurs les plus profondes. Ce n'est pas aux médias de transmettre les valeurs à nos jeunes. C'est à nous. Les parents doivent être très vigilants et aussi très présents dans la vie de leurs jeunes.

Malheureusement, un des gros problèmes de nos sociétés est que beaucoup de nos jeunes ont été délaissés trop longtemps. C'est pourquoi, entre autres, on les voit dans la rue. Cela est un problème majeur pour la Communauté urbaine de Montréal. Nos jeunes adolescents *squeegees*[1] au coin des rues, sont des jeunes qui n'ont pas eu le support nécessaire qui les aurait orientés vers une vie saine.

James Hurley. — De toute évidence, l'éducation de la jeunesse doit être faite bien avant l'université et le collège. Je ne sais pas si vous connaissez l'œuvre d'Ivan Illich, un auteur qui a beaucoup critiqué notre mode d'éducation. Il a écrit, dans les années 1970, un livre intitulé *Une société sans école*[2]. Sa préoccupation n'était pas tellement de savoir si, oui ou non, nous avions inclus la notion d'éthique ou de valeur dans les programmes d'enseignement. Il dénonçait plutôt la structure scolaire, la fragmentation de la vie, la pratique qui consiste à mettre des gens à l'école, ainsi que les notes compétitives et les règles qui encouragent la dynamique de la société capitaliste dès le très jeune âge. Il s'agissait donc d'une critique fondamentale de

---

1. En Amérique du Nord, on nomme ainsi les jeunes qui offrent, au coin des rues des grandes villes, de nettoyer le pare-brise des automobiles.
2. Voir I. ILLICH, *Une société sans école*, Paris, Seuil, 1971.

l'éducation. Lorsque les enfants sont envoyés à la maternelle parce que les parents travaillent, cela constitue un entraînement à la gestion de la logistique. Je pense que toute la critique que faisait Illich au sujet de l'éducation dans la société devrait être reconsidérée. Si nous prenons au sérieux la notion de *vocation* mentionnée précédemment, celle-ci doit alors inclure l'environnement fourni par la vie de famille ainsi que l'encadrement par les parents — ce qui ne peut être ignoré à l'école. Cela signifie qu'une organisation doit tenir compte du temps qu'un père ou une mère consacre à son enfant pour « vraiment être un parent ». Je pense que ce sont là les vraies questions, beaucoup plus importantes que celles qui consistent à s'interroger sur la pertinence d'un ou deux cours d'éthique dans un programme universitaire.

Si je peux me permettre de réagir à la question des « consultants qui vendent leur expertise en spiritualité », je dirai que notre programme de doctorat a été conçu initialement pour les consultants. Il ne visait certainement pas à former des consultants « vendeurs de spiritualité ». Toutefois, le type de « savoir » auquel je fais référence concerne les origines du « comment obtenons-nous les faits ? » : la collecte des faits est-elle mue par la curiosité et le contrôle ou est-elle motivée par la compassion ? Les consultants devraient avoir conscience de ces valeurs tacites. C'est une question importante. Ce n'est pas une question qui oppose *démocratie* et *contrôle*. C'est une question de volonté d'être conscient des fondements qui motivent notre désir de connaître et d'agir.

Pierre Desaunettes (président du Comité interentreprises d'intégration au travail des personnes handicapées [CIIT]). — Je suis l'animateur du CIIT. À l'intérieur du mot « animateur », il y a le mot « âme ». Le CIIT est un regroupement d'une quarantaine de grandes entreprises montréalaises qui ont décidé de favoriser l'intégration — ou la réintégration — des personnes handicapées en milieu de travail ; une intégration qui n'est pas pensée sous l'angle de la charité, mais sous celui de l'économie, des compétences et de la plus-value apportée par l'expérience vécue de ces personnes. Précédemment, M. Pierre-Paul Bélanger nous disait avoir trouvé le bonheur après avoir perdu la vue... Ce témoignage est un message qui devrait être entendu par les nombreux cadres aujourd'hui si désabusés !

Nos actions au CIIT répondent en partie à la question : « Comment allez-vous transformer la spiritualité en action ? » Je vous dirai que lorsqu'on me parle de mondialisation des marchés, j'ai un peu le vertige, ne voyant pas très bien ce que je peux faire concrètement à ce sujet. Par contre, si nous pouvions rassembler des systèmes déjà existants et essayer de les faire coopérer, d'établir une solidarité, comme nous le faisons actuellement au CIIT, nous ferions concrètement la preuve d'une forme de spiritualité.

C'est un grand privilège que de participer à ce forum, même si mon conseil d'administration s'inquiétait du « retour de son investissement »... Je leur ai dit : « Ce sera un enrichissement humain. » Et c'est tout à fait cela. Depuis le début, je m'enrichis et je suis stupéfait de tout ce que j'entends. Madame Danyluk a offert un témoignage de ses convictions. Je trouve cela magnifique et, après sa présentation, une pensée m'est venue : imaginez une tribune de 20 chefs d'entreprises venant témoigner de leurs convictions ! Quel serait le résultat si ces personnes avaient le courage, comme Mme Danyluk, de partager publiquement leurs convictions ? Je suis surpris de constater le nombre de gens qui, dans diverses entreprises, ont ces convictions, mais qui restent silencieux. Je suis également surpris qu'il n'y ait aucun lien entre ces gens et que nous n'essayions pas de créer des réseaux. Si on permettait à ces personnes d'exprimer ce qu'elles ont de plus profond en elles, je suis sûr que nous arriverions à créer ces liens. Peut-être est-ce une tâche pour le Forum international sur le management, l'éthique et la spiritualité ?

J'aimerais partager avec vous ma conception de la spiritualité qui, pour moi, obéit à deux « mouvements » : un « mouvement » vers le haut, qui est la foi ; ma vie s'accroche à quelque chose de très élevé, et, comme ce point est très élevé, je ne tomberai pas. Et le deuxième « mouvement » consiste à « descendre en moi ». Je veux partager avec vous cette phrase : « Plus je descends en moi, plus je trouve les autres, parce que nous sommes des vases communicants. » À mon avis, la spiritualité, c'est cela. Une inspiration des plus élevées combinée à la possibilité d'établir des communications entre les êtres, entre les systèmes, entre les ensembles. Si nous développions cette spiritualité de façon concrète, que ce soit dans et à l'extérieur des entreprises, entre les corps sociaux, je crois que nous arriverions à bâtir une société qui serait plus solidaire, plus juste, plus humaine.

Michel Bourassa (professeur de philosophie). — J'ai enseigné la philosophie pendant 27 ans dans un collège d'enseignement général et professionnel. Les questions d'éthique en économie m'ont beaucoup préoccupé. Maintenant à la retraite, je consacre plus de temps à un organisme qui s'appelle l'Atelier d'art social. Ce qui me frappe, entre autres, dans les interventions de M. Béland et de Mme Danyluk, c'est cette difficulté de rendre notre action conforme à nos croyances. Connaissez-vous cette pensée de Goethe : agir est aisé, penser est mal aisé, mais rendre son action conforme à sa pensée est la chose la plus difficile au monde ? Vos témoignages sur ce sujet sont très impressionnants. Je pense aussi que chacun d'entre nous peut le vivre dans sa vie quotidienne.

Si nous avons abordé des notions très sérieuses et très profondes, elles suscitent aussi de nombreuses questions. La spiritualité est un concept qui semble très vague. Madame Lefebvre nous a rappelé l'importance de la signification des mots qui sont porteurs de sens. Je crois que l'éthique repose sur la connaissance de l'être humain. Si on pouvait s'entendre sur une vision de l'être humain qui soit la plus large possible, nous pourrions alors faire un grand pas. Mais cette connaissance de l'être humain n'est possible que si on l'observe et si on le perçoit dans son comportement de tous les jours, dans ce qu'il dit et ce qu'il fait. C'est pour moi la base sur laquelle on peut s'entendre, peu importe la race ou la religion ; non seulement la connaissance de l'humain lui-même, mais la connaissance de l'humain dans la vie humaine, puisqu'un être humain de mon âge, par exemple, n'a pas les mêmes questions ou besoins qu'un être humain plus jeune ou plus âgé. Il est pour moi essentiel d'avoir une connaissance du *déroulement des phases* de la vie humaine afin de pouvoir concrétiser une éthique en entreprise.

Vera Danyluk. — Existe-t-il un consensus sur ce qu'est l'être humain ? J'ai toujours été impressionnée par l'expression « être bien dans sa peau ». Il n'y a peut-être pas de consensus sur notre connaissance de l'être humain, mais, très tôt dans la vie, j'ai compris que si chaque être humain était « bien dans sa peau », nous éviterions beaucoup de problèmes de management et de relations de travail. Par le biais de la spiritualité ou d'un équilibre intérieur propre à chacun, nous atteindrions un sentiment de bien-être. Ce serait déjà une très grande contribution.

Claude Béland. — Dans ma présentation, je devais aborder la notion d'éthique et m'interroger sur la façon dont le système coopératif
pouvait vivre à l'intérieur du système bancaire en général. Mais
j'aimerais que vous compreniez que *personnellement*, en rapport
avec mes valeurs, il ne pouvait rien m'arriver de mieux dans ma vie
que de participer au mouvement coopératif. Je me sens tout à fait à
l'aise dans ce mouvement parce que je peux, personnellement, y vivre
les valeurs qui sont les miennes. Je dis souvent que je n'ai pas perdu
mon «identité». Pour moi l'«identité», c'est l'harmonie entre mes
valeurs et les actions que je peux conduire à l'intérieur de mon
entreprise. Ce que je souhaite, c'est pouvoir un jour vivre ces valeurs
dans la société en général, car le mouvement coopératif visait ce
projet de société. Mais pouvoir vivre cette harmonie au sein de mon
entreprise est déjà, pour moi, un don de Dieu.

James Hurley. — J'aimerais commenter la possibilité de définir les
êtres humains. Les Quakers n'ont pas de doctrine écrite mais ils ont
un énoncé exprimant ce qui nous rassemble le plus. Il est très simple :
«Dieu réside en chaque personne.» La compréhension de cet énoncé
a des conséquences sur tout ce que nous pensons ou faisons comme,
par exemple, sur notre violence envers les autres. Si nous pouvions
seulement bâtir à partir de cet énoncé, nous aurions amplement de
quoi travailler.

Intervenant anonyme. — J'aimerais que M. Béland élabore un peu
sur cette question : peut-on dire qu'il existe une éthique dans le
système bancaire en général, en dehors du système coopératif ?

Claude Béland. — Il est certain que le système bancaire a sa propre
«éthique». Je préfère celle du système coopératif, évidemment. Je
pense que l'éthique du système bancaire ne vise pas un partage équitable de la richesse, ni la transmission du pouvoir aux usagers, alors
que le système coopératif favorise tout cela. Dans le coopératisme,
nous pensons beaucoup en termes de responsabilité. On ne vise pas
nécessairement à créer des consommateurs heureux mais surtout des
citoyens heureux. Et la seule façon d'avoir des citoyens heureux,
c'est de leur faire partager le pouvoir. Notre message est celui-ci :
«Regroupez-vous ; vous êtes responsables de votre entreprise.» Cela

n'est pas directement visible, mais je le vis depuis 30 ans et je peux vous dire que cela est bien réel. Nos 15 000 dirigeants et dirigeantes bénévoles savent ce qu'ils font. Quand ils partent, après 25 ou 30 ans de bénévolat, ils m'écrivent pour remercier le Mouvement Desjardins et me disent : « J'ai appris des choses ; j'ai aimé mon expérience parce que j'ai été au service de ma collectivité. » Je ne pense pas que cet état d'esprit existe beaucoup dans le système bancaire en général. Je ne le critique pas, je le compare.

Le mouvement coopératif vise à créer une société engendrant des personnes qui non seulement peuvent *survivre*, mais aussi *vivre*. Dans ce sens, *vivre* signifie : satisfaire l'ensemble de ses besoins fondamentaux, physiologiques, affectifs, être apprécié, aimé, travailler avec les gens de son milieu et se dire « on fait quelque chose ensemble ». Je ne dis pas que nous réussissons à chaque fois, mais nous allons dans cette direction.

Quels sont les « essentiels » que nous n'abandonnerons jamais ? Nous ne renoncerons jamais à la démocratie, au contrôle démocratique de l'entreprise, sans lequel nous serions complètement dénaturés. La démocratie crée la solidarité et cela est essentiel pour nous.

Diane Charland (ministère des Relations internationales du Québec). — Depuis environ dix ans, j'œuvre au sein du comité d'orientation du bulletin *Échanges*, qui est une publication destinée aux gestionnaires de la fonction publique québécoise, poursuivant des objectifs de partage et d'échanges sur le plan des valeurs de gestion et des expériences. L'année dernière, nous avons produit une série de numéros sur « la quête du sens » et avons organisé un événement, notamment avec Thierry Pauchant. Cela a été fort apprécié et nous avons reçu de nombreux témoignages de remerciements et de joie.

J'aimerais aussi remercier les organisateurs de ce forum. Comme nous l'avons suggéré, le mot « spiritualité » est un mot tabou dans nos organisations. Mon expérience le confirme. Je veux particulièrement remercier ces organisateurs pour avoir osé utiliser ce mot. Cela m'apparaît plutôt significatif. Nous continuerons d'aborder les thèmes de l'éthique et de la spiritualité dans le bulletin *Échanges*. Dans nos organisations, nous nous sentons souvent isolés dans notre désir de travailler à la promotion de certaines valeurs. Même s'il y a des personnes dans notre propre organisation qui partagent ces valeurs, il n'existe pas de lieu pour s'exprimer sur ces sujets et la pression du travail est telle que le temps nous manque pour échanger. Ce forum est un lieu et un temps précieux pour permettre de constituer des réseaux — formels et informels — et de prendre conscience que, oui, il y a ailleurs des personnes qui travaillent dans ce sens.

Ce que je trouve particulièrement intéressant est notre diversité dans ce forum. Davantage d'échanges devraient avoir lieu entre le monde universitaire et les milieux de la gestion dans les secteurs public et privé. Pour moi, il est trop facile de parler de nos systèmes respectifs en affirmant : « Le privé s'occupe du profit, le secteur public du bien collectif. » De plus en plus d'entreprises parlent de responsabilité sociale, et de plus en plus de gestionnaires publics sont confrontés à des exigences d'autofinancement, de rentabilité et même de profit. Si l'on considère avec sérieux la notion de finalité humaine, chaque être humain, universitaire, gestionnaire, dans le public ou le privé, a une responsabilité face à cette finalité, à l'intérieur des organisations et dans la société en général. Il est essentiel que nous ayons des lieux d'échange et de communication sur ces sujets — comme ce présent forum...

Bernard Lefebvre (arbitre en relations du travail). — Ma question s'adresse à M. Benoît. En tenant pour acquis que l'éthique et la spiritualité constituent des « normes » de gestion, dans quelle mesure un employeur peut-il corriger un salarié qui déroge à ces normes ?

Yves Benoît. — J'aurais tendance à vous répondre en invoquant le principe de l'« amélioration continue » qui existe depuis des années dans le réseau de la santé. Lorsqu'une équipe possède une bonne volonté et un bon esprit d'équipe, la pression du groupe fait en sorte que les gens s'autodisciplinent par rapport à la poursuite de certaines valeurs, et quand les gens ne partagent plus ces valeurs, ils sont eux-mêmes mal à l'aise. On parle alors moins de contrôle extérieur ou managérial, que d'« autocontrôle ».

Nous essayons aussi d'aider les gens dans leur « quête du sens ». Nous parlons alors moins de « normes ». Ce qui ne nous empêche pas, dans une entrevue par exemple, de poser des questions aux gens sur les valeurs humaines qu'ils privilégient, un peu comme M. Ouimet l'a proposé.

Marcel Laflamme (professeur de management, Université de Sherbrooke). — Ma «quête de sens», au-delà de la notion de profit, a consisté à créer des cours qui permettent d'explorer d'autres valeurs, comme par exemple le cours *Gestion des coopératives*, qui explore la dualité de la finalité économique et de la finalité sociale de l'entreprise, comme l'a rappelé M. Béland.

Peut-être que, dans ces domaines, l'entreprise privée est en avance sur le secteur public. L'entreprise privée, aujourd'hui, du fait de la globalisation des marchés et de la croissance de la concurrence, est condamnée à l'excellence. Dans ces entreprises, on a découvert que le «social» est rentable. Pour devenir plus compétitif, on remet la personne au centre de l'entreprise, on mobilise les ressources humaines et la voix du consommateur devient centrale. Tout ce qui nous manque dans cette évolution est une intégration pratique de la spiritualité. La présentation de M. Ouimet sur ce sujet a simplement été, pour moi, extraordinaire. J'y puise toute la séquence dont j'ai besoin — l'absolu, les valeurs, l'éthique, les comportements, les outils et les méthodes. À mon avis, ce genre d'expérimentation est porteur d'avenir, car il offre des moyens systématiques.

Jacques Cabana (directeur du personnel, École de leadership et de recrues des Forces armées canadiennes). — Notre école se situe à Saint-Jean-sur-Richelieu. Nous recevons tous les individus qui se joignent aux forces armées, soit entre 4000 à 5000 personnes par année, pour une période de deux à trois mois. Notre objectif est, notamment, de les socialiser et de les intégrer au sein des forces armées. Avant de poser une question, je voudrais offrir deux témoignages.

J'ai eu l'occasion, dans le cadre de missions de Casques bleus, de fonctionner à l'intérieur de deux organisations différentes. La première avait intégré une certaine forme de spiritualité; dans la seconde, cela avait plutôt été éliminé de façon consciente — pour toutes sortes de bonnes et de moins bonnes raisons. Je peux effectivement témoigner que pendant les périodes de grandes difficultés, de stress intense, l'organisation où la spiritualité faisait partie intégrante de la vie des dirigeants et où elle était intégrée à la gestion a beaucoup mieux répondu et a été beaucoup plus efficace que l'organisation d'où la spiritualité était absente.

Mon second témoignage concerne la notion de valeurs. Dans le cadre de mon travail avec les Nations Unies, je me suis retrouvé

responsable d'un secteur — avec des Croates, des Serbes, des musulmans —, et chargé de mener des négociations. Il y a quelques années,
on nous avait suggéré lors d'un cours, ici aux HEC, de respecter les
différentes particularités de certaines nationalités afin de n'en choquer aucune. Dans le cadre de mon mandat, j'ai plutôt tenté de faire
émerger ce qui nous réunissait — ce que ces personnes avaient en
commun — au lieu d'insister sur nos différences. Et nous en sommes
arrivés à échanger sur nos valeurs profondes. Une telle approche a
fait que nous avons pu avancer dans nos négociations, au lieu de
« tourner en rond », voire de « reculer ».

Ma question s'adresse à M. Benoît et à M. Ouimet. Dans notre
organisation, depuis quelques années, peut-être consciemment ou
inconsciemment, nous avons aseptisé l'aspect religieux. Avant, tout
était simple : il y avait des anglophones protestants et des francophones catholiques ! Les coutumes sociales et religieuses se transmet-
taient alors et étaient véhiculées par l'organisation. Aujourd'hui,
nous faisons face à une très grande diversité — diversité que nous
encourageons — et cette diversité concerne aussi les pratiques religieuses et spirituelles. Comment gérer cette diversité ? On a toujours
peur de manquer à la « rectitude politique », de « marcher sur les
pieds d'un groupe »...

Yves Benoît. — Je peux me référer, entre autres, à mon expérience
vécue à l'hôpital Charles LeMoyne, une « grosse machine », comptant 1700 employés, 300 médecins et 14 accréditations syndicales.
Nous avons tenté d'identifier des dénominateurs communs pour la
spiritualité. Que vous soyez catholiques, protestants, musulmans ou
autres, vous aurez toujours le souci d'aimer votre patient, le souci de
communiquer avec lui, le souci de l'accompagner. Nos pasteurs
catholiques s'assurent du lien avec les autres communautés religieuses, car ils sont plus experts que nous, gestionnaires, pour tenir ces
discours.

J.-Robert Ouimet. — Si vous me demandez quelle est la raison
principale pour laquelle notre « Projet » a réussi de façon durable,
c'est qu'il y a eu, dès le début, un noyau de soutien spirituel de trois
ou quatre personnes qui n'ont jamais défailli pendant 30 ans. Je
peux vous dire que nous avons même signé des contrats spirituels en
bonne et due forme avec Calcutta et Saint-Eustache. Il est très diffi-

cile de maintenir ce soutien de départ et d'introduire de nouvelles valeurs au sein de l'entreprise, en plus de mener à bien nos tâches habituelles. Un ouvrier qui travaille sur une ligne de production pendant huit heures aussi bien qu'un chef d'entreprise ou qu'un cadre qui prépare des budgets en ont « par-dessus la tête » à la fin de la journée. Il faut alors procéder lentement, prendre le temps nécessaire. C'est un projet qui s'échelonne sur 10 à 20 ans.

Ce « noyau de soutien » peut être fort discret. Il n'est pas nécessaire d'en parler dans l'entreprise. On fait cela pour soi-même, pour se ressourcer. Par la suite, certaines personnes sont appelées à lire les documents produits par ce groupe qui décrivent le Projet. Au début, elles ont peur, et avec raison. Puis des questions émergent, et l'on échange. Lentement, on s'apprivoise. Cela prend des années.

Un autre outil de management que nous avons essayé, et qui avait été suggéré par mère Teresa, peut être développé dès le départ. Il peut sembler vraiment *high risk* — mère Teresa était *high risk* ! Il consiste à ouvrir des salles de réflexion dans chaque lieu de travail. Cela peut sembler étrange au début du XXIᵉ siècle. De nombreuses personnes s'inquiétaient : « Vont-ils faire une messe six fois par jour ? Va-t-on devoir s'agenouiller chaque fois que l'on passe devant cette salle ? » Bref, il a fallu environ quatre ans pour que les gens s'aperçoivent qu'il n'était pas nécessaire de se mettre à genoux en passant devant ces salles, qu'on n'offrait pas de messe, et que personne ne les surveillait. La plupart des employés n'utilisent pas ces salles, encore aujourd'hui. Mais il y a environ quatre ans, dans un questionnaire anonyme que nous avions distribué pour les fins d'une des enquêtes que nous menions, à la question « Voulez-vous qu'on élimine les salles de réflexion ? », 82 % ont répondu : « Non, on veut les garder ; elles font partie de nous. »

Une autre façon d'introduire une perspective éthique et qui respecte, comme les autres outils, les différences culturelles et religieuses, consiste à réaliser des gestes de compassion. Par exemple, quelques personnes du management, d'abord, et des employés ensuite, vont visiter l'Accueil Bonneau[3] d'une manière anonyme, une ou deux fois par année, et cela durant le temps de travail. Ces personnes servent à manger aux gens pendant trois ou quatre heures.

---

3. L'Accueil Bonneau est un centre d'hébergement et de restauration de Montréal destiné aux plus démunis.

Quand nous revenons au bureau, nous nous laissons moins envahir par nos tracas. Cela relativise nos problèmes...

Finalement, ce qui importe, c'est d'instaurer avec délicatesse ces nouveaux outils de management, d'y aller fort lentement dans les changements et d'être respectueux de la liberté de chacun et de chacune.

Danièle Blanchette (étudiante en comptabilité, Université de Sherbrooke). — Je suis actuellement étudiante au doctorat en comptabilité et je m'intéresse à la dimension éthique. J'ai une question pour Mᵐᵉ Saint-Jacques. J'ai bien aimé votre témoignage réconciliant la publicité, l'éthique et la spiritualité, et les messages publicitaires que vous avez donnés en exemple étaient superbes. Mais ils sont assez spéciaux, car ils sont liés à des communautés religieuses. J'aimerais savoir dans quelle mesure vous êtes capables d'allier la spiritualité avec un message plus commercial, concernant des produits comme le lait, le beurre, une boisson gazeuse. J'aimerais aussi connaître quels sont les critères qui vous guident dans l'acceptation ou le refus d'un projet. Enfin, la rentabilité de votre entreprise étant primordiale, quels sont les compromis que vous avez dû faire et quels furent les effets de ces compromis sur vos valeurs personnelles?

Madeleine Saint-Jacques. — Votre première question ne m'étonne pas parce que, effectivement, les messages que je vous ai présentés sont des messages qui transmettent de façon éloquente les valeurs auxquelles je faisais allusion. Mais j'ai surtout voulu montrer, par ces exemples, que nous préservons ces valeurs dans notre travail. Même si aujourd'hui nous parlons d'une société qui est devenue de plus en plus laïque, je demeure convaincue que ce sont nos valeurs chrétiennes — du moins ici au Québec — qui inspirent nos codes d'éthique.

Je parle beaucoup de l'équipe avec laquelle j'ai le bonheur de travailler mais je ne crois pas que nous soyons exceptionnels de ce point de vue. Je crois vraiment que lorsque les gens « attaquent », et je dis bien « attaquent » — parce que réaliser un message publicitaire de 30 secondes est un grand défi —, il est sûr que c'est pour faire connaître un produit, que ce produit soit une soupe, un savon ou autre chose. Le but est de faire consommer le produit. Les gens ne se disent pas qu'ils travaillent en tant que chrétiens, et pourtant ces valeurs transparaissent dans leur travail. Ces valeurs nous poussent, par exemple, à vouloir dire la vérité, à respecter autrui, et certaines touchent même à l'esthétique. Ces valeurs de base — vérité, respect, justice, etc. — doivent être respectées. En 40 ans, je n'ai jamais trahi ces valeurs dans mon travail. Je ne pourrais accepter de créer un message qui trahisse ces valeurs.

Les messages concernant les communautés religieuses furent une expérience exceptionnelle. L'équipe tout entière était tellement impressionnée qu'à la toute fin, elle a tenu à rencontrer ceux qui dirigeaient ces communautés religieuses. Ce fut une expérience de vie qui a changé, pour les membres de l'équipe, leur façon de voir le monde. De même, un client m'a récemment dit : « J'aimerais bien que les valeurs de mon entreprise — des valeurs comme celles dont nous discutons durant ce forum — se retrouvent dans mes messages. » Je trouve cela très rafraîchissant et stimulant.

Intervenante anonyme. — Je suis conseillère interne dans la fonction publique québécoise. Je travaille dans une grosse organisation de plus de 9000 personnes. Je voudrais remercier de tout mon cœur les conférenciers et les personnes qui ont organisé ce forum. Cela me donne espoir. Je travaille dans une organisation fortement hiérarchisée dans laquelle je me rends compte du fonctionnement du management, avec ses bons et ses moins bons aspects. Je rencontre aussi de nombreuses personnes qui n'ont appris qu'à écouter et qui ont désappris à penser par elles-mêmes... sauf si on leur donne l'ordre de le faire ! Cela veut dire qu'au niveau de la « texture humaine », je vois des gens diminuer, rapetisser, des personnes qui ont perdu leur dignité humaine, qui n'ont plus la capacité de créer, d'oser et de penser.

Je suis conseillère auprès des cadres. Après quelques années d'expérimentation de « qualité totale », les formations en responsabilisation, en mobilisation, etc., je constate que cela ne sert à rien : nous renforcions la finalité de l'entreprise et non celle de l'humain. Il y a environ quatre ans, nous avons intégré un programme de formation des valeurs spirituelles sans en parler ouvertement. Nous avons appelé cela « leadership et éthique » et une centaine de gestionnaires ont suivi cette formation. Nous aidions les gens à se donner un autre modèle d'organisation, en harmonie avec eux-mêmes, qui ne dépendait pas de ce que le patron voulait, mais où la vie importait. Nous n'avons pas utilisé les termes « Créateur » ou « Dieu », mais avons parlé de « vie », de « valeurs », de « dignité », de « justice », les notions avancées, par exemple, par Mme Saint-Jacques ou M. Ouimet.

Jusqu'à maintenant, nous avons eu beaucoup de résultats au niveau « horizontal », c'est-à-dire entre les gestionnaires, mais pas encore beaucoup au niveau « vertical », car la culture interne est encore trop forte. Mais j'ai vu des hommes et des femmes grandir. J'ai vu des gens faire des choix, des gens qui ont dit « non », qui ont risqué beaucoup. Nous nous sommes même demandé si nous ne développions pas, dans l'organisation, une scission entre les valeurs de ces personnes et celles de l'organisation.

J.-Robert Ouimet. — Dans mon exposé j'ai parlé d'humilité. Non pas d'humilité au sens spirituel ou religieux, mais au sens où l'on ne se prend pas pour quelqu'un d'autre. Je crois que l'une des clés à votre témoignage est l'« écoute de l'autre ». Pour « écouter l'autre », cela demande l'humilité de reconnaître que je n'ai pas réponse à tout. L'« écoute de l'autre » est le point départ. Cela fait profondément partie de la dignité humaine qui aide à partager sa souffrance et sa joie. L'« écoute de l'autre » est le point de départ du management et c'est pourquoi le « noyau » de soutien spirituel est nécessaire. Pour moi l'expression « gestion des ressources humaines » est simplement inhumaine. En tant qu'êtres humains, nous ne sommes pas une ressource. Nous sommes des êtres uniques et créatifs.

TROISIÈME PARTIE

PISTES D'AVENIR POUR L'INTÉGRATION DE L'ÉTHIQUE ET DE LA SPIRITUALITÉ DANS L'ÉCONOMIE, LE MANAGEMENT ET LE TRAVAIL EN ENTREPRISE

Dans cette dernière partie, trois pistes d'avenir sont proposées, qui devraient permettre de mieux intégrer l'éthique et la spiritualité dans l'économie, le management et le travail en entreprise. Au chapitre 12, je présente les vues de la philosophe et ouvrière Simone Weil sur la spiritualisation du travail. Au chapitre 13, Roger Berthouzoz dénonce les dangers de l'*économisme* et propose d'appliquer une vue systémique en management, thème récurrent dans ce livre; et au chapitre 14, Michel Dion examine les similitudes et les différences existantes entre les visions des juifs, des chrétiens et des musulmans, sur l'économie et le management. Le chapitre 15 est un dialogue collectif portant sur ces différentes pistes et sur les thèmes qui ont été abordés durant les deux jours du forum.

Dans le chapitre de conclusion, le chapitre 16, je soutiens que toute pensée et action managériale est basée sur une certaine conception du vrai, du bien et du beau. Je présente aussi un bilan de ce premier forum; je fais ensuite état des raisons qui invitent à développer une éthique planétaire et à rendre la spiritualité concrète et sociale, et je définis des stratégies pour atteindre ces buts; enfin, je présente un modèle systémique qui permet d'ordonner les notions clés discutées dans ce livre et je propose des priorités pour le futur.

12 Pour une éthique spirituelle du travail

Quelques inspirations de Simone Weil

Thierry C. PAUCHANT

1 Simone Weil : un fabuleux papillon

J'espère ne pas être irrespectueux en comparant Simone Weil à un papillon fabuleux. Cette image lui sied bien. Tel un papillon, Simone Weil (1909-1943), attirée par la lumière, a vécu une vie brève et s'est brûlée les ailes à l'incandescence de la flamme. Décédée à 34 ans, elle a pourtant accompli dans sa vie le labeur de plusieurs personnes. Elle nous a laissé une œuvre considérable de près de 8000 pages, rééditée actuellement par les éditions Gallimard en 15 volumes. Mais son effort d'écriture ne l'empêcha pas de faire partie de tous les combats contre l'injustice, la misère et les différentes formes de violence, qu'elles soient physiques, politiques, dogmatiques, écologiques ou spirituelles, car elle était perpétuellement à la recherche de la vérité[1].

Simone Weil naît le 3 février 1909 à Paris. Sa jeunesse est heureuse malgré une santé fragile, dans une famille aisée où le père est médecin, juive mais non pratiquante, vénérant l'éducation. Le frère de Simone Weil, André, deviendra un mathématicien réputé. De 16 à 19

---

1. Pour trois très belles biographies de Simone Weil, voir H. BOUCHARDEAU, *Simone Weil...*, 1995 ; R. COLES, *Simone Weil...*, 1987 ; et D. MCLELLAN, *Utopian Pessimist*, 1990.

Dans ce chapitre je présente les vues de la philosophe française Simone Weil (1909-1943) sur la nécessité de fonder notre civilisation sur une éthique spirituelle du travail. Je propose en premier lieu une introduction à sa vie et son œuvre, Simone Weil étant pratiquement inconnue dans le monde de l'administration — que ce soit dans les écoles de commerce ou dans les entreprises — bien qu'elle ait eu une influence notable dans de très nombreux milieux. J'évoque aussi plusieurs raisons pour lesquelles l'œuvre de Simone Weil me paraît fondamentale pour penser une éthique spirituelle du travail. Je montre ensuite que sa vision du travail est à la fois existentielle et spirituelle, l'activité du travail formant selon elle le point d'adéquation entre, d'un côté, la pensée et l'action et, de l'autre, la pesanteur et la grâce.

Je mentionne enfin dix suggestions présentées par Simone Weil afin de développer cette éthique spirituelle du travail : limiter la course à la domination du monde ; retrouver la notion de limite ; considérer nos entreprises comme des instruments de production et de destruction ; dépasser les considérations purement économiques ; sécuriser et démocratiser le travail ; favoriser l'adéquation entre la pensée et l'action ; enraciner la pensée dans la personne ; réinventer le politique ; développer une nouvelle aventure de l'esprit scientifique ; et encourager la capacité pour une attention subtile.

En conclusion, je soutiens que redécouvrir l'œuvre de Simone Weil — ainsi que celles d'autres auteurs comme Chester I. Barnard, Abraham Maslow, Mary Parker Follet ou E.F. Schumacher — est indispensable au développement d'une éthique spirituelle du travail en management, dans nos organisations et dans nos sociétés. À mon avis, la rencontre profonde avec une personne qui perçoit le monde et agit au sein de lui à partir d'un niveau de conscience « transpersonnel » (voir l'introduction) est l'une des stratégies les plus riches à favoriser pour atteindre les buts du FIMES. Définir des pistes générales et des outils pratiques afin de spiritualiser le travail, le management et notre système économique prendra du temps et demandera la contribution de nombreuses personnes. Ces tâches sont la mission même que nous nous sommes donnée au FIMES, tel qu'expliqué dans le chapitre d'introduction de ce livre (voir aussi l'Annexe 1 pour une définition de cette mission). À mon avis, la philosophe Simone Weil est l'une des voix qu'il faut entendre sur ce sujet ou, mieux, l'une des voix à laquelle il faut prêter un « effort d'attention », deux notions — « l'effort » et « l'attention » — qui lui étaient fort chères.

ans, Simone Weil étudie au prestigieux lycée Henri-IV, à Paris, avec le philosophe Alain (Émile Chartier). En 1929, à l'âge de 20 ans, elle s'inscrit à la Ligue des droits de l'homme — la Déclaration universelle des droits de la personne ne sera rédigée que près de 20 ans plus tard, en 1948 —, devient militante syndicaliste et commence à donner bénévolement des cours à des ouvriers, tâche qu'elle accomplira durant toute se vie. Elle s'engage dans ces activités tout en étudiant à temps plein pour son agrégation en philosophie à l'École normale supérieure, l'une des écoles les plus prestigieuses de France, où elle est surnommée la « vierge rouge ». En 1931, elle débute sa carrière de professeur, enseignant la philosophie, l'histoire de l'art, le grec, le latin et les mathématiques, et à 23 ans, elle visite l'Allemagne pronazie. Ce voyage lui fera abandonner par la suite toute aspiration pour la révolution. Bien que refusant d'adhérer à quelque parti politique que ce soit ou au mouvement syndicaliste, elle devient l'une des têtes pensantes du Parti communiste français en se liant d'amitié avec Boris Sourarine, l'un de ses cofondateurs. Dès 1933, elle dénonce, dans des articles, la situation de l'URSS, alors que d'autres intellectuels de renom resteront attachés à ce dogmatisme jusqu'à la destruction du mur de Berlin, près de 60 ans plus tard ; elle rencontre aussi Trotsky à Paris tout en lui reprochant de ne pas comprendre les ouvriers.

À 25 ans, elle travaille comme manœuvre en usine, notamment chez Renault, expérience qui formera la base de son livre, *La condition ouvrière,* considéré comme l'un des premiers travaux scientifiques sur le vécu des travailleurs et l'organisation de la production. En 1935, elle commence ses conversations sur l'organisation du travail avec des gestionnaires et des P.-D.G., comme Victor Bernard, Auguste Detoeuf et Jacques Lafitte. En même temps, elle est très engagée dans l'avènement du Front populaire en France et les accords de Matignon, qui créent, en 1936, pour la première fois en France et trois ans après le National Industrial Recovery Act aux États-Unis, les congés payés, le droit aux conventions collectives, le droit syndical et la semaine de 40 heures. La même année, elle s'engage comme combattante dans la guerre civile d'Espagne où elle est blessée. Après avoir vécu une expérience spirituelle en 1938, elle intègre de plus en plus dans ses recherches, ses écrits et ses actions les thèmes du travail, du management, de la politique, de la philosophie, de la science et de la spiritualité. Elle étudie en même temps des œuvres philosophiques, politiques et mathématiques, ainsi que la Bhagavad-gîta, les Upanisads, le Tao-Te-King, des mystiques comme saint Jean de la Croix, et poursuit des dialogues profonds avec, entre autres, le père dominicain Joseph-Marie Perrin[2]. En 1940, elle quitte Paris avec sa famille, fuyant le nazisme, s'insurge contre le gouvernement de Vichy et s'installe dans le sud de la France où elle effectue divers travaux agricoles en plus d'écrire manuscrits sur manuscrits. Résidant quelque temps à New York, elle défend la cause de Harlem et s'insurge contre le racisme. En 1942, elle rejoint à Londres le général de Gaulle qui lui commande une étude sur le futur de la France après la guerre. Épuisée par son travail, atteinte d'une pleurésie et désespérée de ne pouvoir rejoindre la résistance active en France, elle meurt en 1943 et est enterrée dans le Kent, en Angleterre.

Fabuleux papillon, Simone Weil représente peut-être, 50 ans à l'avance et de façon dramatique, la tendance actuelle d'une majorité de gestionnaires : maintenir une certaine distance par rapport aux institutions religieuses et aux dogmes en général, tout en s'ouvrant à la spiritualité et à une recherche plus personnelle de la « vérité ». Durant toute sa vie, Simone Weil prend la défense des personnes dans le besoin, tentant d'améliorer leur sort, vivant dans les mêmes conditions misérables qu'elles, tout en renonçant à son confort personnel ; en même temps, elle prend ses distances face aux organisations et mouvements collectifs. Elle voyait dans ces systèmes collectifs, y compris dans les entreprises, les partis politiques, les syndicats et les institutions religieuses, la marque du « gros animal » évoqué par Platon qui « écrase » l'individu. Le thème de « l'écrasement » de l'individu par le collectif a déjà été abordé dans ce livre.

Résistant à cet écrasement, si Simone Weil a le cœur à gauche et s'engage dans des activités syndicales, elle ne rejoint jamais les rangs d'un syndicat, ni d'un parti politique, et critique aussi violemment l'idéologie syndicaliste que le gouvernement socialiste de Léon Blum. Des exemples de ce comportement paradoxal sont nombreux : sympathisante du communisme, elle dénonce en même temps les travers de l'URSS et de Staline ; hébergeant Trotsky chez elle, elle critique son élitisme et son manque de connaissances tacites du milieu ouvrier ; dialoguant avec des P.-D.G., elle se méfie de ce qu'ils repré-

---

2. Voir J.-M. PERRIN, *Mon dialogue avec Simone Weil*, 1984.

sentent et se lie d'amitié avec des ouvriers et des ouvrières ; de famille juive, elle est séduite par le catholicisme, mais elle refuse d'entrer officiellement dans l'Église en ne se faisant pas baptiser, et étudie des traditions spirituelles orientales et mystiques ; pour prendre un dernier exemple, travaillant pour le général de Gaulle, elle reste aussi très critique du gaullisme et de la notion même d'État-Nation.

Le papillon auquel j'ai comparé Simone Weil évoque aussi la métamorphose, car il passe par les stades de la chenille, du cocon et de la chrysalide. Comme de nombreuses personnes qui l'ont connue personnellement, je suis convaincu que Simone Weil avait atteint un stade élevé dans le développement humain. Pour reprendre une expression utilisée dans l'introduction de ce livre, elle avait atteint le niveau de conscience « transpersonnel ». Je suis fort conscient qu'il existe une littérature idolâtre de Simone Weil et je n'y adhère pas. Mais son œuvre philosophique et, plus encore, ses actions quotidiennes sont la marque d'une grande âme. Je reviendrai sur ce sujet dans la conclusion de ce chapitre.

2 Pourquoi prêter attention à la voix de Simone Weil dans le domaine du management ?

J'invoquerai ici trois raisons principales : l'époque fondatrice durant laquelle elle a vécu, son influence sur la pensée contemporaine, et ses vues innovatrices sur le travail, le management et l'économie.

2.1 L'époque dans laquelle a vécu Simone Weil fonde la nôtre

Étudier l'œuvre de Simone Weil revient à découvrir certaines des racines historiques des tendances actuelles les plus fondamentales. Son expérience et ses réflexions, par exemple sur les deux guerres mondiales, les déboires du communisme et l'engouement pour le fascisme et le nazisme, permettent de mieux comprendre la violence armée actuelle, la montée du néolibéralisme à la suite de la chute du communisme ainsi que la croissance des sectes « intégristes » et des idéologies dogmatiques en général. De même son expérience de la crise économique de 1929, la création des premières lois sociales régissant le travail, le développement de la grande entreprise et de la technologie industrielle et l'engouement pour les méthodes de gestion dites « scientifiques » comme le taylorisme, nous permettent de poser un regard plus juste sur notre situation actuelle : croissance du chômage, perte de sens, influence grandissante des entreprises transnationales et engouement pour les méthodes et outils supposés « magiques ».

2.2 L'influence de Simone Weil sur la pensée contemporaine

L'influence de Simone Weil se fit ressentir surtout après sa mort, car elle n'a publié que quelques articles durant son vivant. C'est seulement après la guerre que des personnes qu'elle avait touchées dans différents milieux — et cela est révélateur de la profondeur des relations qu'elle tissait avec les personnes ainsi que leur diversité — publièrent ses écrits : un philosophe, un père dominicain, une syndicaliste et l'une de ses étudiantes[3]. C'est aussi grâce à l'aide d'Albert Camus que l'œuvre de Simone Weil se répandit plus massivement. En tant que directeur de la collection « Espoir » chez Gallimard, il publia 12 de ses manuscrits, en commençant en 1949 par *L'enracinement*.

Il m'est impossible de retracer ici l'influence de l'œuvre de Simone Weil sur la pensée contemporaine. Je ne peux procéder que par touches impressionnistes. Son œuvre a inspiré des personnes de tous les milieux et de toutes les tendances : des croyants et des non croyants ; des gens de droite et des gens de gauche ; des intellectuels et des non intellectuels ; des P.-D.G. et des ouvriers. Non cloisonnée dans une école de pensée particulière, mais empruntant à certaines d'entre elles et reliant leurs éléments, la pensée de Simone Weil a inspiré et inspire encore : libre, vagabonde, aventurière, mais têtue dans sa quête et rigoureuse dans son parcours, cette pensée se moque des classifications[4]. La stature des personnes qu'elle a influencées est en elle-même un gage de sa profondeur.

Albert Camus reconnut l'importance de sa pensée dès la fin de la Seconde Guerre mondiale. Il considérait même que les deux clés de

---

3. Il s'agit du philosophe Gustave Thibon pour *La pesanteur et la grâce*, 1947 ; le prêtre dominicain Joseph-Marie PERRIN pour plusieurs ouvrages, dont *Attente de Dieu*, 1950 ; et *Intuitions préchrétiennes*, 1951 ; la syndicaliste Albertine THÉVENON pour *La condition ouvrière*, 1951 ; et l'une de ses étudiantes, Anne REYNAUD-GUÉRITHAULT, pour *Leçons de philosophie*, 1959.

4. Sur ce point, M.-M. Davy, par exemple, a comparé Simone Weil au philosophe antique Héraclite d'Éphèse, qui échappe lui aussi à toute classification. Pour M.-M. Davy, tous deux sont comme «un papillon fabuleux dont il est impossible de déterminer l'espèce», voir DAVY, *Simone Weil...*, 1966, p. 30.

sa propre œuvre étaient le mythe de Moby Dick, d'Herman Melville, et la pensée de Simone Weil[5]. Au sujet de son dernier livre, *L'enracinement*, il fit ce commentaire qui est encore aujourd'hui très actuel : « Il me paraît impossible [...] d'imaginer pour l'Europe une renaissance qui ne tienne pas compte des exigences que Simone Weil a définies dans *L'enracinement*[6]. » En France, plusieurs membres de l'Académie ont salué l'importance de Simone Weil. Maurice Schumann, par exemple, gaulliste de la première heure, immortalisé par le timbre de sa voix, qui s'adressait aux Français sur la BBC durant la guerre, plusieurs fois ministre, fut un ami personnel de Simone Weil et a salué l'importance de son œuvre[7] ; de même, Jean Guitton tenait Simone Weil « pour un des plus grands maîtres de ce siècle[8] ». Mais Simone Weil influença aussi des personnes d'origine fort différentes comme, par exemple, Thomas Merton, le célèbre moine trappiste franco-américain : après avoir noté qu'elle était souvent contradictoire, à la fois « gnostique et catholique, juive et albigeoise, médiévale et moderne, platonicienne et anarchiste, rebelle et sainte, rationaliste et mystique », il proposa que « peu d'auteurs ont plus pensé d'une manière significative qu'elle sur l'histoire de notre temps et ont eu une meilleure compréhension de nos calamités[9] ». Pour prendre un autre exemple, Boris Souvarine, cofondateur du Parti communiste français et auteur d'un livre incendiaire contre le régime de Staline, fut aussi très influencé par sa pensée[10]. De même, George Steiner, le philosophe influent, même s'il fut très critique de Simone Weil, a déclaré : « Il n'y a eu dans la tradition occidentale seulement qu'une femme philosophe de renom : Simone Weil[11]. » Enfin, malgré ses commentaires parfois virulents envers l'Église catholique, l'œuvre de Simone Weil a influencé deux papes ainsi que certains débats qui se sont tenus lors du second concile du Vatican[12] : Jean XXIII, par exemple, admirait son livre *La connaissance surnaturelle* et le con-

---

5. Voir J. GRENIER, *Albert Camus...*, 1968, p. 142.

6. A. CAMUS, *Œuvres complètes*, Paris, Éditions du club de l'honnête homme, 1983, p. 392.

7. Voir M. SCHUMANN, *La mort née de leur propre vie...*, 1974.

8. J. GUITTON, dans S. WEIL, *Leçons de philosophie*, 1959, préface.

9. T. MERTON, «Pacifism and Resistance in Simone Weil», 1968, p. 76-77.

10. Sur cette influence, voir D. McLELLAN, *Utopian Pessimist...*, 1990.

11. G. STEINER, « Bad Friday », 1992, p. 86.

12. Sur ces influences, voir D. McLELLAN, *op. cit...*, 1990, p. 268.

seillait à son entourage ; Paul VI a aussi déclaré que les trois sources les plus importantes pour son développement intellectuel furent Blaise Pascal, Georges Bernanos et Simone Weil.

L'influence de Simone Weil n'est pas non plus chose du passé ; elle est encore importante aujourd'hui. Plusieurs associations se sont formées à travers le monde autour de sa pensée, en Allemagne, en Angleterre, aux États-Unis, en France, en Italie, au Japon, et organisent régulièrement des colloques et des événements. L'association française publie une vingtaine d'articles par année sur l'œuvre et la vie de Simone Weil dans la revue scientifique *Les Cahiers Simone Weil*. Ces cahiers répertorient, en moyenne, par année, plus d'une cinquantaine de nouvelles publications, articles, livres, mémoires, actes de colloques, spectacles, émissions de radio et de télévision sur Simone Weil. Pour ne donner que quelques exemples, Huguette Bouchardeau, ancienne ministre de l'Environnement en France, a publié récemment un livre sur Simone Weil. Michel Serres, de l'Académie des sciences, a dit que son propre développement spirituel avait été induit par elle[13]. Aux États-Unis, Robert Coles, professeur de psychiatrie et d'humanités médicales à l'Université Harvard et récipiendaire du prix Pulitzer, a récemment écrit une biographie de Simone Weil[14]. Au Québec, Jacques Dufresne, l'éditeur en chef du journal *L'Agora,* a écrit une thèse de doctorat sur Simone Weil, Fernand Dumont a mentionné son influence dans son livre testament et Carl Prézeau, ancien professeur d'économie à la Faculté d'administration de l'Université de Sherbrooke, vient de rééditer une partie de *L'enracinement*[15]. Malgré ces influences dans de très nombreux domaines — arts, éducation, éthique, histoire, littérature, philosophie, politique, sciences, théologie, etc. —, il est dommage de constater que l'œuvre de Simone Weil, à quelques rares exceptions, reste encore inconnue des milieux organisationnels, que ce soit dans les écoles de commerce, les facultés d'administration ou en entreprise.

---

13. Voir H. Bouchardeau, *Simone Weil...*, 1995 ; et M. Serres, *Éclaircissements...*, 1992, p. 33.

14. Voir R. Coles, *Simone Weil...*, 1987.

15. Voir J. Dufresne, *La démocratie athénienne...*, 1994 ; F. Dumont, *Une foi partagée*, 1996, p. 182-188 ; et S. Weil, *L'enracinement*, 1949.

2.3 Son intérêt constant pour le travail et ses conceptions fort innovatrices

Les vues innovatrices de Simone Weil sur le travail proviennent de différentes sources : son stade de développement personnel, ses rencontres avec de multiples personnes, ses recherches scientifiques et le contexte historique dans lequel elle a vécu. Mais ses innovations tiennent aussi à la puissance de son analyse, à sa rigueur intellectuelle et à sa jeunesse : elle a entre 20 et 34 ans. Sans idéaliser la féminité ni la jeunesse, il faut souligner que l'apport de Simone Weil en management et en sciences économiques tranche dans des domaines encore fortement marqués par une pensée masculine formulée par des hommes « d'âge mûr ».

Comme l'indique la citation mise en exergue à ce livre, Simone Weil proposa, comme remède à la montée de la violence, de l'oppression sociale et du « déracinement » des personnes, la spiritualisation du travail. Cette spiritualisation s'opposait pour elle à la volonté de « conquête du monde », volonté fort visible aujourd'hui dans de nombreuses organisations transnationales. Comme elle l'a affirmé :

> Tout le monde répète, avec des termes légèrement différents, que nous souffrons d'un déséquilibre dû à un développement purement matériel de la technique. Le déséquilibre ne peut être réparé que par un développement spirituel dans le même domaine, c'est-à-dire dans le domaine du travail. [...] Une civilisation constituée par une spiritualité du travail serait le plus haut degré d'enracinement de l'homme dans l'univers, par suite l'opposé de l'état où nous sommes, qui consiste en un déracinement presque total. Elle est ainsi par sa nature l'aspiration qui correspond à notre souffrance.
>
> [...] Les populations malheureuses [...] ont besoin de grandeur encore plus que de pain, et il n'y a que deux espèces de grandeur, la grandeur authentique, qui est d'ordre spirituel, et le vieux mensonge de la conquête du monde. La conquête est l'ersatz de la grandeur. La forme contemporaine de la grandeur authentique, c'est une civilisation constituée par la spiritualité du travail. [...] Le mot de spiritualité n'implique aucune affiliation [religieuse] particulière[16].

---

16. S. WEIL, *L'enracinement*, 1949, p. 128-129 et 126-127.

Cette conclusion, avancée par Simone Weil en 1942, l'a préoccupée durant près de 15 ans. Dans sa thèse sur René Descartes, qu'elle rédigea pour l'obtention de son diplôme à l'École normale supérieure, elle avait déjà conclu, au tendre âge de 19 ans, que le travail était l'adéquation nécessaire — et la seule voie possible — entre la pensée et l'action. Pour elle, une pensée qui n'était pas confrontée à la réalité concrète du monde, par le biais de l'action, était vide de sens. Inversement, une action non informée par une pensée consciente et rigoureuse, n'était que de l'agitation. Pour Simone Weil, la rencontre de la pensée et de l'action, le point d'adéquation où elles peuvent s'influencer mutuellement dans un mouvement infini, réside dans le travail. Comme elle l'a proposé :

> Si le monde me fait obstacle, c'est autant qu'étant joint à la pensée, la pensée doit se conformer au monde, en suivre la nature propre. [...] Je suis toujours deux, d'un côté l'être passif qui subit le monde, de l'autre l'être actif qui a prise sur lui ; [...] Ne puis-je atteindre la sagesse parfaite, la sagesse en acte, qui rejoint les deux tronçons de moi-même ? [...] Je peux les rejoindre [... par] l'action. Non pas cette apparence d'action par laquelle l'imagination folle me fait bouleverser aveuglément le monde au moyen de mes désirs déréglés, mais l'action véritable, l'action indirecte, l'action conforme à la géométrie, ou, pour la nommer de son vrai nom, le travail. C'est par le travail que la raison saisit le monde même, et s'empare de l'imagination folle[17].

Il est évident que cette conception du travail est différente des définitions qu'on en donne généralement : nous sommes ici assez loin du travail considéré comme simple nécessité physique à la survie biologique ; cette définition dépasse également la conception du travail comme équivalent d'un emploi, qui met l'emphase sur le salaire ; nous sommes de plus assez loin de la notion de travail comme processus d'intégration sociale, considéré d'un point de vue sociologique ; enfin, nous dépassons la conception du travail comme moyen d'expression et de réalisation de soi, ne mettant l'emphase que sur les apports psychologiques.

Bien que Simone Weil reconnaissait l'importance de ces dimensions, qui correspondent aux niveaux « d'attractions psychiques » ou des « besoins » discutés par Abraham Maslow (voir l'introduction)

---

17. S. Weil, « Science et perception dans Descartes », 1988, p. 208-209.

— soit les niveaux biologiques, de sécurité, d'appartenance et d'estime de soi —, elle mettait davantage l'accent sur la nature *existentielle* du travail, le besoin *d'actualisation* défini par Maslow. Pour elle, c'est par le travail qu'un individu peut concrètement tester ses limites, peut véritablement comprendre les contraintes qui lui sont imposées par le monde matériel, ainsi que, de façon paradoxale, réaliser sa liberté d'action; c'est aussi par le travail qu'un individu peut échapper à ses fantasmes, en appliquant sa pensée à un objet concret, ce qui le rend plus mature.

Cette conception du travail permet, en outre, de mieux comprendre les « deux grandes solitudes » existant souvent entre le monde universitaire et le monde de l'entreprise, le premier étant perçu par certains comme trop théorique, le second comme trop matérialiste. La conception, dans le monde universitaire, d'un modèle théorique sans rapport avec la réalité concrète du monde ne correspond pas, pour Simone Weil, à du *travail* mais à un désir immature, une *imagination folle*; de même, une action non réfléchie développée en entreprise n'est pas non plus du *travail* pour Simone Weil, mais un *désir déréglé* qui risque d'être néfaste pour le monde en général.

Sa conception du travail permet aussi de réaliser le tort criminel que l'on peut causer à un individu si on le prive de travail, si on le confine à une occupation coupée de la réalité du terrain, à l'inverse, si on ne lui permet pas d'utiliser son intelligence dans ses actions quotidiennes : non seulement on prive cet individu d'assurer sa subsistance, et de jouir d'un salaire, d'une appartenance sociale et d'un sens de valeur personnelle, mais, de plus, on le prive de la possibilité de son *existence* même, en lui enlevant un des mécanismes les plus fondamentaux qui est à l'origine de la maturité et de l'authenticité de l'être humain. Dans ce sens, le travail n'est pas seulement nécessaire à la dignité humaine; il en est le fondement.

Plus tard dans sa vie, Simone Weil compléta cette conception du travail, comme seul point d'adéquation possible entre la *pensée* et l'*action*. Elle soutint aussi que le travail est l'un des rares points d'adéquation possible entre ce qu'elle appela la *pesanteur* et la *grâce*. Si la première adéquation est *existentielle* et correspond au *besoin d'actualisation* défini par Abraham Maslow, la seconde adéquation est *spirituelle* et correspond *au besoin de transcendance*, toujours tel que défini par Maslow. Par la notion de « pesanteur », Simone Weil voulait dire que l'âme, sans intervention divine, suit les lois naturelles de la gravitation — la « nécessité » comme elle l'appellera — qui régissent la nature. Pour elle, ces lois non seulement ont une influence sur notre corps, mais restreignent l'accès à un niveau de conscience plus élevé et le développement de l'âme humaine : la pesanteur, par exemple, limite l'âme à rechercher le contrôle, le pouvoir, l'intérêt propre, etc. Comme elle l'a proposé[18] : « Tous les mouvements naturels de l'âme sont régis par des lois analogues à celle de la pesanteur matérielle. La grâce seule fait exception. »

Pour Simone Weil, l'âme ne pouvait échapper à cette loi de la pesanteur que par une intervention divine — « la grâce » —, ce qui nécessite pour l'individu de transcender son état « personnel », de se « vider » de son contenu existentiel. Nous avons déjà abordé cette condition de « vide » dans ce livre en évoquant, par exemple, les principes des Alcooliques anonymes (voir le chapitre 2). Parmi les étapes de leur processus de guérison, les Alcooliques anonymes reconnaissent l'impuissance humaine face à leur dépendance vis-à-vis de l'alcool et s'en remettent à une puissance supérieure afin de « retrouver la raison[19] ». Cet « abandon de soi » ou, mieux, cette « transcendance de soi » — qui ne dénie pas la personne mais la dépasse — est pour Simone Weil le seul processus par lequel la grâce peut se manifester. Ce point de vue est similaire à celui évoqué dans le chapitre d'introduction portant sur les différences existant entre les niveaux de développement *personnel* et *transpersonnel* ainsi que sur la nécessité de pratiquer une discipline spirituelle pour que cette transformation devienne, potentiellement, effective.

Dans la citation ci-dessous, Simone Weil soutient que ce qui relie la pesanteur — condition nécessaire sur terre — à la grâce, et qui permet de transcender cette pesanteur, est le travail. C'est par le travail que nous sommes confrontés aux lois naturelles de la matière et à leurs limites qui contraignent nos actions ainsi que le développement de notre âme. Précédemment, Solange Lefebvre a émis l'idée que l'une des fonctions primordiales de la religion — et de la spiritualité — était justement de permettre la reconnaissance de la *limite* (voir le chapitre 3). Simone Weil ira même jusqu'à avancer que la

---

18. S. WEIL, *La pesanteur et la grâce*, 1947, p. 7.

19. Voir ALCOOLIQUES ANONYMES, *Le mouvement des Alcooliques anonymes devient adulte*, 1983 ; voir aussi, T. C. PAUCHANT et I.I. MITROFF, *La gestion des crises et des paradoxes*, 1995, p. 194-195.

fonction du travail est elle-même une loi divine, au même titre que la nécessité de la mort. Puisant dans le texte de la Genèse, elle soutient que le travail n'est pas une *malédiction*, comme on le conçoit généralement, mais une *rédemption*. Comme elle l'a écrit :

> Quand un être humain s'est mis par un crime hors du bien, le vrai châtiment constitue sa réintégration dans la plénitude du bien par le moyen de la douleur. [...] L'homme s'est mis hors de l'obéissance. Dieu a choisi comme châtiment le travail et la mort. Par conséquent le travail et la mort, si l'homme les subit en consentant à les subir, constituent un transport dans le bien suprême de l'obéissance de Dieu. [...] Quelle que soit dans le ciel la signification mystérieuse de la mort, elle est ici-bas la transformation d'un être fait de chair frémissante et de pensée, d'un être qui désire et hait, espère et craint, veut et ne veut pas, en un petit tas de matière inerte. Le consentement à cette transformation est pour l'homme l'acte suprême de totale obéissance.

> [...] Mais le consentement à la mort ne peut être pleinement réel que quand la mort est là. [...] Le travail physique est une mort quotidienne. Travailler, c'est mettre son propre être, âme et chair, dans le circuit de la matière inerte [...]. Le travailleur fait de son corps et de son âme un appendice de l'outil qu'il manie. Les mouvements du corps et l'attention de l'esprit sont fonction des exigences de l'outil, qui lui-même est adapté à la matière du travail.

> [...] La pensée humaine domine le temps et parcourt sans cesse rapidement le passé et l'avenir en franchissant n'importe quel intervalle ; mais celui qui travaille est soumis au temps à la manière de la matière inerte qui franchit un instant après l'autre. C'est par là surtout que le travail fait violence à la nature humaine. [...] Immédiatement après le consentement à la mort, le consentement à la loi qui rend le travail indispensable à la conservation de la vie est l'acte le plus parfait d'obéissance qu'il soit donné à l'homme d'accomplir[20].

Il ne faut, bien sûr, pas voir dans cette citation ni l'idéalisation de la souffrance ni un désir morbide de mourir. Dans ce livre, nous avons déjà abordé le thème d'une conception positive de la souffrance (voir le premier dialogue présenté au chapitre 4). Il ne faut pas

---

20. S. WEIL, *L'enracinement*, 1949, p. 378-380.

voir non plus dans cette citation un déni de la personnalité humaine, de ses pensées ou de ses actions. Comme nous l'avons vu à plusieurs reprises précédemment, « transcender » le niveau personnel ne veut pas dire le renier, mais bien l'intégrer et le dépasser. Se référant à cette notion de transcendance, Simone Weil propose en fait deux axes pour définir le travail, comme indiqué ci-dessous dans la figure 7 : l'axe horizontal représente la réalité existentielle — permettant une actualisation —, le travail étant un point d'adéquation entre la pensée et l'action ; et l'axe vertical représente la réalité spirituelle — permettant une profondeur —, le travail étant un point d'adéquation entre la pesanteur et la grâce. Je reviendrai dans la conclusion de ce livre à ces notions d'axes horizontal et vertical.

Figure 7   Les deux axes d'adéquation du travail d'après Simone Weil

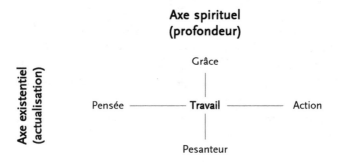

De nouveau, il semble évident que la notion de *travail* utilisée par Simone Weil ne se résume pas seulement à celle plus commune d'*emploi* qui mobilise pourtant actuellement la majorité des actions de nos gouvernements et de nos entreprises. Pour elle, une activité non rémunérée — comme visiter un malade dans un hôpital, faire les devoirs du soir avec ses enfants, aider une personne dans le besoin — peut être un acte de *travail* si certaines conditions sont remplies : la personne doit développer un effort « d'attention[21] » et orienter ses pensées et ses actions vers une tâche qui lui permette de se transcender elle-même, tout en se mettant en contact avec la dureté et la beauté de la matière ainsi qu'avec la réalité de ses propres limites.

---

21. « Mindfulness » en anglais.

Nous retrouvons ici l'interrelation entre les trois mondes telle qu'elle a été discutée par Ken Wilber (voir l'introduction de ce livre), c'est-à-dire le monde matériel, personnel et transpersonnel. Comme Simone Weil l'a proposé :

> Si d'une part toute la vie spirituelle de l'âme, d'autre part toutes les connaissances scientifiques concernant l'univers matériel, sont orientées vers l'acte de travail, le travail tient sa juste place dans la pensée d'un homme. Au lieu d'être une espèce de prison, il est un contact avec ce monde et l'autre. [...]
>
> L'analogie qui fait des mécanismes d'ici-bas un miroir des mécanismes surnaturels [...] devient alors éclatante, et la fatigue du travail, selon le mot populaire, la fait entrer dans le corps. La peine toujours plus ou moins liée à l'effort du travail devient la douleur qui fait pénétrer au centre même de l'être humain la beauté du monde. [...]
>
> Ainsi seulement la dignité du travail serait pleinement fondée. Car, en allant au fond des choses, il n'y a pas de véritable dignité qui n'ait une racine spirituelle et par suite d'ordre surnaturel[22].

Après avoir défini la notion de travail telle que présentée par Simone Weil, j'indique brièvement ci-dessous dix suggestions qu'elle a proposées pour que le travail devienne un point d'adéquation entre la pensée et l'action et entre la pesanteur et la grâce[23].

3 Dix suggestions de Simone Weil afin d'humaniser et de spiritualiser le travail

3.1 Limiter la course à la domination du monde

Simone Weil considérait qu'il n'existe que deux espèces de grandeur : la grandeur authentique, qui est de nature spirituelle, et le mensonge de la domination du monde. Après avoir observé ces tentatives de domination durant deux guerres mondiales ainsi que dans les grandes entreprises naissantes qui devenaient de plus en plus compétitives, elle conclut que ce désir asservissait tout le monde, vainqueurs et

---

22. Simone WEIL, *L'enracinement*, 1949, p. 122-125.

23. J'ai décrit ces suggestions, dans un format différent, dans T. C. PAUCHANT, « Simone Weil et l'organisation actuelle du travail », 1998.

vaincus, ainsi que le monde social et naturel. Loin d'adopter une position marxiste de domination de classes, elle a observé que la course au pouvoir, toujours instable et toujours plus exigeante, était néfaste aussi bien pour la classe ouvrière que pour les gestionnaires. Ce faisant, elle a anticipé la souffrance et la quête du sens exprimées aujourd'hui par une majorité de gestionnaires et décrite dans ce livre. Comme elle l'a déclaré :

> [...] il n'y a jamais pouvoir, mais seulement course au pouvoir, [...] cette course est sans terme, sans limite, sans mesure, il n'y a pas non plus de limite ni de mesure aux efforts qu'elle exige ; ceux qui s'y livrent, contraints de faire toujours plus que leurs rivaux, qui s'efforcent de leur côté de faire plus qu'eux, doivent sacrifier non seulement l'existence des esclaves, mais la leur propre et celle des êtres les plus chers [...] la course au pouvoir asservit tout le monde, les puissants comme les faibles. [...] les instruments du pouvoir, armes, or, machines, secrets magiques ou techniques, existent toujours en dehors de celui qui en dispose, et peuvent être pris par d'autres. Ainsi tout pouvoir est instable[24].

Un petit nombre de personnes ou de groupes ont déjà proposé aujourd'hui des mécanismes concrets qui pourraient permettre de diminuer ce désir de « conquête du monde[25] ».

3.2 La nécessité de retrouver la notion de « limite »

Reprenant les thèmes du refus de l'*hubris,* développé dans l'Antiquité, et de *l'amor fati,* développé particulièrement durant la Renaissance, Simone Weil considère que, comme les choses naturelles, l'être humain se doit d'obéir inconditionnellement aux lois divines. Selon elle, obéir à ces lois, de façon paradoxale, permet à l'individu de se libérer et d'accéder au niveau transpersonnel. Comme elle l'a écrit :

> La force brute n'est pas souveraine ici-bas. Elle est par nature aveugle et indéterminée. Ce qui est souverain ici-bas, c'est la détermination, la limite. La sagesse éternelle emprisonne cet univers dans un réseau, dans un filet de déterminations. L'univers ne s'y débat pas. La force brute de

---

24. S. WEIL, *Réflexions sur les causes de la liberté et de l'oppression sociale,* 1991, p. 56-57.

25. Voir, par exemple, le GROUPE DE LISBONNE, *Limites à la compétitivité,* 1995.

la matière, qui nous paraît souveraine, n'est pas autre chose en réalité que parfaite obéissance[26].

Cette notion de limite appliquée au management et dans le domaine de l'économie, remet en question la volonté de poursuivre la croissance illimitée, que cela soit pour la productivité ou le profit. S'il est tout à fait normal — comme le suggère la « psychologie développementale[27] » — qu'un adolescent ou une adolescente ait le désir de tester et de dépasser les limites (avec cette illusion que *the sky is the limit*), une conscience humaine plus mature permet de réaliser que le principe de croissance exponentielle est non seulement impossible mais aussi dangereux pour notre monde social et naturel[28]. Dans la citation ci-dessus, Simone Weil ne considère pas seulement que cette acceptation de certaines limites est motivée par la logique la plus élémentaire, ou même par les stades de développement décrits par la psychologie développementale ; elle estime aussi que cette acceptation est un commandement divin.

3.3 La nécessité de considérer nos entreprises comme des instruments de production *et* de destruction

Simone Weil insiste aussi sur la nécessité de considérer les activités humaines et organisationnelles comme productives *et* destructives. Elle critique, par exemple, l'oppression qu'exercent les administrations par le biais des processus de spécialisation, de taylorisation, de bureaucratisation, tout en rappelant que l'activité organisée et coopérative permet également d'atteindre des résultats auxquels ne parviendraient jamais des individus travaillant isolément. De même, elle insiste sur les côtés positifs *et* négatifs du progrès technologique, exprimant ainsi une conception non duale, thème que nous avons abordé à plusieurs reprises dans ce livre et que je reprendrai dans le chapitre de conclusion. Comme elle l'a écrit[29] :

---

26. S. Weil, *L'enracinement*, 1949, p. 358-359.

27. Voir S. Greenspan et G.H. Pollock, *The Course of Life*, vol. IV, *Adolescence*, 1991, ou E.H. Erikson, *Chilhood and Society*, 1963.

28. Pour une synthèse des études conduites sur ce sujet, voir T. C. Pauchant et I.I. Mitroff, « The Management of Production and Counter-production : A Call for Mature Scholars, Managers and Educators », à paraître.

29. S. Weil, *Réflexions...*, 1991, p. 44.

Au reste le progrès technique ne sert pas seulement à obtenir à peu de frais ce qu'on obtenait auparavant avec beaucoup d'efforts ; il rend aussi possibles des ouvrages qui auraient été sans lui presque inimaginables. Il y aurait lieu d'examiner la valeur de ces possibilités nouvelles, en tenant compte du fait qu'elles ne sont pas seulement possibilités de construction, mais aussi de destruction.

3.4　La nécessité de dépasser les considérations purement économiques

Bien avant que les sciences économiques ne deviennent, en 1969, la seule science sociale primée par un prix Nobel, Simone Weil connaissait déjà les dangers inhérents à vouloir organiser le monde en ne se référant qu'aux données d'une discipline unique. Selon elle, l'impératif économique n'est lui-même qu'une des facettes multiples de la vie, au même titre que les considérations psychologiques, sociales, politiques, écologiques, morales ou spirituelles. Par exemple, très en avance sur son temps, elle prévoyait déjà que les ressources naturelles, comme la houille ou le pétrole, s'épuiseraient et que leur extraction deviendrait, par nécessité, sans cesse « moins fructueuse et plus coûteuse[30] ». De même, elle insiste pour signaler les effets néfastes de la course pour la domination économique : le gaspillage, la production de biens et de services qui ne sont pas réellement utiles à la société, le développement incontrôlé du nombre de gestionnaires et autre personnel de supervision qui deviennent des « parasites » potentiels, l'oppression de l'esprit et celle du corps. Elle soutient aussi que cette course va à l'encontre du sens d'un travail « bien fait[31] ». Aujourd'hui, de nombreuses critiques ont été offertes sur les dangers, non pas de la pensée économique, mais de *l'économisme*[32]. Roger Berthouzoz reviendra sur ce thème dans le prochain chapitre.

---

30. S. WEIL, *Réflexions...*, 1991, p. 38-39.
31. Sur ces thèmes, voir S. WEIL, *Réflexions...*, 1991, p. 41, 43, 46 et 102.
32. Voir, par exemple, A. JACQUARD, *J'accuse l'économie triomphante*, 1995.

3.5 La nécessité de sécuriser et de démocratiser le travail

À la suite de ses expériences de manœuvre dans plusieurs usines manufacturières, mais aussi sur des chalutiers et dans des exploitations agricoles, en réaction aux conditions dangereuses et insalubres qu'elle a personnellement connues avec ses collègues, Simone Weil insiste sur la nécessité d'assainir et de sécuriser l'activité du travail. Elle défend aussi la nécessité de démocratiser le travail dans les organisations. Pour elle, « le seul mode de production pleinement libre serait celui où la pensée méthodique se trouverait à l'œuvre tout au cours du travail[33] ». Il est important de noter que cette « pensée méthodique » n'est pas limitée au seul apprentissage spécialisé qui est à la base de tout professionnalisme. Selon Simone Weil, cette pensée, comme je l'ai suggéré précédemment en me référant aux deux axes définissant le travail, concerne aussi les relations existant entre les tâches effectuées concrètement et leurs significations spirituelles. Dans la citation ci-dessous, elle note que le développement de ce type de pensée, réunissant les réalités matérielles, personnelles, professionnelles, sociales et spirituelles, sera fort difficile à développer. De façon similaire, nous avons insisté dans ce livre sur le fait que l'intégration de l'éthique et de la spiritualité au travail et dans le domaine du management demandera de longs et nombreux efforts de le part d'une grande diversité de personnes, ce qui est le but général poursuivi par le FIMES. Comme Simone Weil l'a suggéré par une très belle image :

> Bien entendu, un paysan qui sème doit être attentif à répandre le grain comme il faut, et non à se souvenir de leçons apprises à l'école. Mais l'objet de l'attention n'est pas tout le contenu de la pensée. Une jeune femme heureuse, enceinte pour la première fois, qui coud une layette, pense à coudre comme il faut. Mais elle n'oublie pas un instant l'enfant qu'elle porte en elle. Au même moment, quelque part dans un atelier de prison, une condamnée coud en pensant aussi à coudre comme il faut, car elle craint d'être punie. On pourrait imaginer que les deux femmes font au même instant le même ouvrage, et ont l'attention occupée par la même difficulté technique. Il n'y en a pas moins un abîme de différence entre l'un et l'autre travail. Tout le problème social consiste à

---

33. S. WEIL, *Réflexions...*, 1991, p. 81.

faire passer les travailleurs de l'une à l'autre de ces situations. Ce qu'il faudrait, c'est que ce monde et l'autre [c'est-à-dire le monde matériel et spirituel], dans leur double beauté, soient présents et associés à l'acte de travail [...].

Nous ne sommes pas aujourd'hui, ni intellectuellement ni spirituellement, capables d'une telle transformation. [...] Bien entendu, l'école n'y suffirait pas. Il faudrait que tous les milieux où subsiste quelque chose qui ressemble à de la pensée y participent — les Églises, les syndicats, les milieux littéraires et scientifiques. On ose à peine mentionner dans cette énumération les milieux politiques[34].

3.6   La nécessité d'une adéquation ente la pensée et l'action

N'adhérant pas à une idéologie de classe qui idéalise le prolétariat et diabolise le patronat, Simone Weil propose de retrouver une adéquation entre la pensée et l'action pour *toutes* les personnes travaillant en organisation, employées et gestionnaires. Si elle souhaite que les employés puissent exercer leur faculté de penser et de créer dans leurs tâches régulières, elle désire également que les gestionnaires retrouvent un contact avec le « terrain » et puissent réellement exercer leur jugement. Sur ce plan, elle a anticipé la quête du sens que poursuivent aujourd'hui de nombreux gestionnaires :

[...] la vie pratique prend un caractère de plus en plus collectif, et l'individu comme tel y est de plus en plus insignifiant. Les progrès de la technique et la production en série réduisent de plus en plus les ouvriers à un rôle passif ; ils en arrivent dans une proportion croissante et dans une mesure de plus en plus grande à une forme de travail qui leur permet d'accomplir les gestes nécessaires sans en concevoir le rapport avec le résultat final. D'autre part une entreprise est devenue quelque chose de trop vaste et de trop complexe pour qu'un homme puisse pleinement s'y reconnaître ; et d'ailleurs, dans tous les domaines, tous les hommes qui se trouvent à des postes importants de la vie sociale sont chargés d'affaires qui dépassent considérablement la portée d'un esprit humain. [...] Ainsi la fonction sociale la plus essentiellement attachée à l'individu, celle qui consiste à coordonner, à diriger, à

---

34. S. Weil, *L'enracinement*, 1949, p. 124-125.

décider, dépasse les capacités individuelles et devient dans une certaine mesure collective et comme anonyme[35].

3.7 La nécessité d'enraciner la pensée dans la personne

Simone Weil défend aussi avec acharnement l'idée que la pensée et l'action doivent s'inscrire dans un mouvement perpétuel, et que ce mouvement doit s'enraciner non pas dans le collectif, mais dans la personne. Elle insiste par exemple sur le fait que « la bonne volonté éclairée des hommes agissant en tant qu'individus est l'unique principe possible du progrès social » ; que « plusieurs esprits humains ne s'unissent point en un esprit collectif » ; que « les termes d'âme collective, de pensée collective, si couramment employés de nos jours, sont tout à fait vides de sens » ; ou que « la pensée ne se forme que dans un esprit se trouvant seul en face de lui-même ; les collectivités ne pensent pas[36] ».

Cette conception tranche fortement avec les vues souvent encouragées aujourd'hui dans des organisations de tous types voulant qu'il faille développer un « esprit d'équipe », fondé sur un « consensus », des « valeurs communes » et une « culture organisationnelle », souvent orientées par la vision d'un leader, qu'il soit P.-D.G. ou ministre. Cependant, Simone Weil ne s'érige pas seulement contre l'emprise du collectif sur la personne, que ce collectif soit culturel, religieux ou orchestré par une élite, mais contre toutes les situations où la pensée et l'action échappent à la personne, thème abordé précédemment. Née bien avant l'avènement de l'ordinateur et de l'autoroute électronique qui ont révolutionné le monde du travail — et qui sont souvent perçus également comme un gain de liberté —, elle s'insurge contre l'opacité des technologies :

> Le caractère machinal des opérations arithmétiques est illustré par l'existence de machines à compter ; mais un comptable aussi n'est pas autre chose qu'une machine à compter imparfaite et malheureuse. La mathématique ne progresse qu'en travaillant sur les signes, en élargissant leur signification, en créant des signes de signes ; [...] Comme à chaque étage, si l'on peut parler ainsi, on en arrive inévitablement à

35. S. WEIL, *Réflexions...*, 1991, p. 95.
36. *Ibid.*, 1991, p. 50, 70 et 84.

perdre de vue le rapport de signe à signifié, les combinaisons de signes, bien que toujours rigoureusement méthodiques, deviennent bien vite impénétrables à la pensée. [...] plus le progrès de la science accumule les combinaisons toutes faites de signes, plus la pensée est écrasée, impuissante à faire l'inventaire des notions qu'elle manie[37].

3.8 La nécessité de réinventer le politique

Forte de sa conviction qu'un changement social ne peut s'opérer que par la libéralisation de la pensée et de l'action individuelles (comme nous le verrons dans le chapitre de conclusion sur la discipline du dialogue), Simone Weil propose des réformes économiques et politiques, dépassant le cadre organisationnel. Elle ne succombe cependant pas à la naïveté de penser que ces réformes peuvent s'effectuer par le truchement des partis politiques, des syndicats ou même de l'État sous la guidance d'une « utopie sociale » : elle considère en effet que ces systèmes sont également des administrations bureaucratiques au sein desquelles la pensée et l'action individuelles ont aussi, en grande partie, disparu. De plus, elle est convaincue que ces systèmes ont souvent pour but de maintenir et d'accroître leur propre pouvoir, au lieu de servir le bien commun.

Ayant fait ce constat, Simone Weil propose de réinventer le politique, en le fondant sur la liberté de pensée et d'action de l'individu, et d'entreprendre des réformes importantes au niveau économique. Elle suggère, par exemple, que soient initiés les changements suivants : une réforme de l'organisation du travail, la diminution de la course à la domination du monde, la régulation de la fonction de la monnaie et une réglementation de la spéculation. Ces thèmes sont très actuels et de nombreuses discussions ont été récemment entamées à leur sujet dans différents milieux. Ayant vécu la Première Guerre mondiale et pressentant l'avènement de la Seconde, elle était d'avis, dès 1935, que si ces réformes n'aboutissaient pas, la guerre économique mènerait irrémédiablement à la guerre militaire. L'histoire lui donne raison :

[...] la subordination d'esclaves irresponsables à des chefs débordés par la quantité de choses à surveiller, et d'ailleurs irresponsables eux aussi dans une large mesure, est cause de malfaçons et de négligences innom-

---

37. S. WEIL, *Réflexions...*, 1991, p. 80-81.

brables. [...] L'extension formidable du crédit empêche la monnaie de jouer son rôle régulateur en ce qui concerne les échanges [...]. L'extension parallèle de la spéculation aboutit à rendre la prospérité des entreprises indépendantes, dans une large mesure, de leur bon fonctionnement [...] l'organisation bureaucratique centrale, qui est l'appareil d'État, doit naturellement être amenée tôt ou tard à prendre la haute main dans cette coordination. Le pivot autour duquel tourne la vie sociale ainsi transformée n'est autre que la préparation à la guerre. Dès lors que la lutte pour la puissance s'opère par la conquête et la destruction, autrement dit par une guerre économique diffuse, il n'est pas étonnant que la guerre proprement dite vienne au premier plan[38].

3.9 La nécessité d'une nouvelle aventure de l'esprit scientifique

Face aux difficultés de son époque, Simone Weil estime que les deux seules attitudes possibles sont la capitulation et un regain d'aventure scientifique qui permettrait à l'humain de reconquérir sa liberté de pensée et d'action et son potentiel de grâce. Le programme de recherche scientifique qu'elle propose dépasse les notions de productivité, de croissance et d'efficience technologique qui sont souvent mises de l'avant aujourd'hui :

> Ceux qui ont dit jusqu'ici que les applications sont les buts de la science, voulaient dire que la vérité ne vaut pas la peine d'être recherchée et que le succès seul importe ; mais on pourrait l'entendre autrement ; on peut concevoir une science qui se proposerait comme fin dernière de perfectionner la technique non pas en la rendant plus puissante, mais simplement plus consciente et plus méthodique.

> [...] À cet effet une étude sérieuse de l'histoire des sciences est sans doute indispensable. Quant à la technique, il faudrait l'étudier d'une manière approfondie, dans son histoire, dans son état actuel, dans ses possibilités de développement, et cela d'un point de vue tout à fait nouveau, qui ne serait plus celui du rendement, mais celui du rapport du travailleur avec son travail. Enfin il faudrait mettre en pleine lumière l'analogie des démarches qu'accomplit la pensée humaine,

---

38. S. WEIL, *Réflexions...*, 1991, p. 98-99 et 101.

d'une part dans la vie quotidienne et notamment dans le travail, d'autre part dans l'élaboration méthodique de la science[39].

3.10   La nécessité de développer une « attention » subtile

Enfin, il est essentiel d'ajouter que l'appel de Simone Weil pour une « nouvelle aventure de l'esprit scientifique » était aussi spirituel[40]. Durant toute sa vie, elle recherchera les processus qui permettent à l'âme de « grandir », dont les activités scientifiques. Le mot générique qu'elle employait pour désigner ces processus était « l'attention ». Au niveau existentiel, considérant que le travail est un point d'adéquation entre la pensée et l'action, elle estimait que cette attention devait s'effectuer grâce au développement d'une pensée consciente dans l'acte de travail, acte dirigé vers un but qui concerne la personne mais qui la transcende en même temps. Au niveau spirituel, considérant que le travail est un point d'adéquation entre la pesanteur et la grâce, elle pensait que cette attention requérait l'acceptation inconditionnelle de la condition humaine, régie par le temps et les lois naturelles, ainsi que le désir de dépassement du « moi », invitant le divin à le remplir et transcendant ainsi « l'attention » elle-même.

Simone Weil a proposé de recourir à différents processus pour développer cette « attention » : le contact avec le beau, les personnes, les arts et la nature ; la concentration absolue sur une tâche à effectuer ; l'acceptation des limites imposées par la rencontre profonde avec une autre personne ou par l'existence des lois naturelles immuables ; le respect des besoins fondamentaux de l'âme ; la prière, qui ne doit pas être vue comme une récitation automatique pour l'obtention d'une faveur, mais comme une méditation spirituelle allant au-delà de la pensée ; le désir patient de l'attente du divin ; l'étude concentrée d'écrits scientifiques, littéraires, religieux et spirituels ; la participation soutenue à des rituels sacrés ; l'engagement personnel envers les plus démunis et la souffrance en général, etc. Il est aussi fondamental de considérer que Simone Weil a toujours insisté sur l'idée que si l'être humain se doit de désirer la communion avec le divin, la source de cette communion est de nature surnaturelle, c'est-à-dire qu'elle

---

39. S. WEIL, *Réflexions...*, 1991, p. 91 et 108.

40. Pour un appel similaire, formulé à la même période, en 1933, voir Alfred North WHITEHEAD, *Adventures of Ideas*, 1967, un livre encore peu compris aujourd'hui.

émane d'une réalité transcendant la personne, échappant ainsi à sa volonté propre. Comme elle le propose :

> Dieu est l'attention sans distraction. [...] C'est dans le temps que nous avons notre moi. L'acceptation du temps [...] c'est la seule disposition de l'âme qui soit inconditionnée [...]. Elle enferme l'infini. Dieu a donné à ses créatures finies ce pouvoir de se transporter dans l'infini.
>
> Il est impossible de désirer vraiment le bien et de ne pas l'obtenir. Ou réciproquement : ce qu'il est possible de désirer vraiment sans l'obtenir n'est pas vraiment le bien. Il est impossible de recevoir le bien quand on ne l'a pas désiré.
>
> [...] Le bien est quelque chose qu'on ne peut jamais se procurer par soi-même, mais qu'on ne peut jamais non plus désirer sans l'obtenir. C'est pourquoi notre situation est tout à fait semblable à celle des petits enfants qui crient qu'ils ont faim et reçoivent du pain. C'est pourquoi les suppliants de toute espèce sont sacrés[41].

Conclusion

Je suis convaincu qu'un travail de recherche scientifique fondamental doit être entrepris afin de redécouvrir les œuvres majeures qui ont déjà exploré les relations existantes entre l'éthique, la spiritualité, le management, le travail et l'économie, et ce, par une rencontre profonde avec leur auteur. Ce travail de recherche est l'une des tâches prioritaires du FIMES, en plus de ses travaux plus appliqués (voir Annexe 1). Si en philosophie l'œuvre de Simone Weil est incontournable, d'autres auteurs le sont aussi dans différents domaines appliqués au monde du travail et du management. Je pense particulièrement aux œuvres de Chester I. Barnard en théorie des organisations, Abraham Maslow en psychologie, Mary Parker Follet en sciences politiques, Hermann Hesse en littérature, E.F. Schumacher en sciences économiques et Hildegarde von Bingen en théologie, pour ne donner que quelques exemples[42]. L'étude de ces œuvres ne

---

41. S. WEIL, *La connaissance surnaturelle*, 1950, p. 92-93.

42. Voir C.I. BARNARD, *The Functions of the Executive*, 1938 ; A.H. MASLOW, *Eupsychian Management...*, 1965 ; M. PARKER FOLLET, *Prophet of Management*, 1995 ; H. HESSE, *Siddhartha*, 1951, ou *The Glass Bead Game*, 1969 ; E.F. SCHUMACHER, *Good Work*, 1979 ; H. VON BINGEN, *Hildegard von Bingen's Books*, 1987.

doit pas mener à une idéalisation de leurs auteurs mais doit plutôt, d'une part, nous aider à mieux imaginer comment une éthique spirituelle du travail pourrait influencer nos organisations et notre système économique durant le troisième millénaire et, d'autre part, nous aider à mieux cerner comment les personnes au travail et les gestionnaires pourraient faciliter l'émergence d'une telle transformation. Je reviendrai sur ce sujet capital dans le chapitre de conclusion.

Sur l'importance de ce travail de recherche fondamentale et son orientation générale, je donnerai le dernier mot à T.S. Eliot, prix Nobel de littérature et considéré par certains comme le poète anglais le plus influent du xxe siècle. T.S. Eliot, dans sa préface de la version anglaise de *L'enracinement*, a refusé d'idolâtrer Simone Weil, salué la grandeur de son âme et suggéré que, encore aujourd'hui, son œuvre appartient au futur, si nous lui prêtons un « effort d'attention ». Écoutons-le :

> Je ne peux concevoir une personne qui serait en accord avec toutes ses conceptions ou ne serait pas en désaccord violent avec certaines d'entre elles. Mais être en accord ou en désaccord [avec Simone Weil] est secondaire ; ce qui importe, c'est de prendre contact avec une grande âme. [...]

> De tels livres n'influencent pas la conduite contemporaine des affaires ; pour ces hommes et ces femmes déjà engagés dans cette carrière et ayant adopté le jargon du marché, ces livres arrivent toujours trop tard. C'est un de ces livres qui devraient être étudiés par les jeunes avant que leurs loisirs soient perdus et que leur capacité de penser soit détruite par la vie des campagnes électorales et l'assemblée législative ; des livres dont l'effet, nous ne pouvons que l'espérer, deviendra apparent dans l'attitude d'esprit d'une autre génération[43].

---

43. T.S. ELIOT, traduction de C. PRÉZEAU, S. WEIL, *L'enracinement*, 1949, p. 14, 22 et 23.

13 Efficacité économique, base éthique et valeurs spirituelles dans le management d'entreprise

Roger BERTHOUZOZ

En tant qu'éthicien et théologien, stimuler la réflexion dans un forum — lieu de dialogue et d'échange libre — organisé dans une école de commerce constitue pour moi un défi rempli de signification.

Je voudrais commencer par une double interpellation : une parole de Jésus et une autre du Mahatma Gandhi. Jésus dit : « À quoi sert-il à un homme de gagner le monde entier si c'est au prix de sa vie[1] ? » Tel est bien, en définitive, l'enjeu de toute notre démarche. Ce n'est pas un jugement sur le fait de « gagner le monde », mais plutôt un appel, en forme d'avertissement, dont l'enjeu est le sens de la vie, l'accomplissement de l'existence de chacun et chacune. Dans ce forum, nous avons déjà insisté sur cette *quête du sens* et Thierry Pauchant a rappelé, à travers l'œuvre de Simone Weil, les dangers inhérents attachés au désir de la *conquête du monde* (voir le chapitre 12).

---

1. *Marc* 8,36.

Dans ce chapitre, Roger Berthouzoz, théologien, éthicien, père dominicain, expert en éthique économique et du développement[1], puise à une source précise — la théorie sociologique et systémique de Niklas Luhmann — afin d'intégrer des valeurs éthiques et spirituelles en management et dans l'économie. Reprenant l'un des thèmes récurrents dans ce livre, celui de la nécessité d'embrasser une perspective systémique, il rappelle que l'effondrement du marxisme ne devrait pas mener à l'idéalisation du néolibéralisme. Pour Roger Berthouzoz, ces deux idéologies fragmentent le réel, la première par l'omniprésence de l'État, la seconde par celle du marché. En proposant l'idée que tout système développe sa propre rationalité et ses propres pratiques, engendrant ainsi son identité, il refuse à la fois « l'éthique corrective » imposée de l'extérieur et l'« éthique utilitaire » récupérée par l'entreprise, de l'intérieur. Il suggère plutôt de recourir à une « éthique intégrative » qui se doit d'être discutée à l'intérieur de chaque système, en coopération avec tous ses partenaires, afin de réellement bonifier les décisions. De plus, il propose que l'éthique, tout comme la Déclaration universelle des droits de la personne, s'inspire, en amont, de grandes valeurs — la dignité humaine, la justice, la solidarité, le développement spirituel — et, en aval, des pratiques opératoires — chartes de responsabilités, codes d'éthique et outils de management.

Certaines des théories introduites par Roger Berthouzoz dans ce texte érudit sont actuellement utilisées dans les recherches scientifiques les plus avant-gardistes en administration — la nature de la complexité, l'analyse systémique, la théorie de l'auto-organisation, les différents modes de réalités anthropologiques, etc. Si cette « aventure de l'esprit scientifique », comme le disait Simone Weil (voir le chapitre 12), peut sembler déroutante au premier abord, elle reste nécessaire si nous voulons réellement humaniser et spiritualiser nos pratiques managériales et notre système économique, ainsi que nous-mêmes et le monde en général.

---

1. Voir R. Berthouzoz *et al.*, *Économie et développement...*, 1997.

Le Mahatma Gandhi, pour sa part, énonce ainsi, à partir de sa propre référence spirituelle, ce qu'il nomme les sept péchés capitaux du monde actuel : la richesse sans travail, la jouissance sans conscience, la compétence sans personnalité, les affaires sans morale, la science sans humanité, la religion sans le don de soi et la politique sans principe[2]. Il est évident que le Mahatma Gandhi ne condamne pas la richesse, ni la jouissance, ni la compétence, ni les affaires, ni la science, ni la religion, ni la politique. Elles appartiennent au tissu de nos vies. Le sage en marque les enjeux, les orientations.

1 Principes éthiques et valeurs spirituelles dans la décision d'entreprise

Les entreprises industrielles, financières ou commerciales sont les actrices principales du système de l'économie moderne. Leur fonction est de pourvoir à la production et à l'échange des biens et des services nécessaires à l'entretien de la vie. Comme toute institution humaine, ces entreprises sont insérées dans un réseau de relations sociales. De ce fait, elles se trouvent référées à des valeurs éthiques de base sans lesquelles aucune vie sociale durable ne serait possible. En ce sens, l'interrogation posée dans ce forum n'a pas la forme d'une alternative. En effet, dès qu'il existe une relation de société, des valeurs et des convictions sont engagées. La question sera d'en déterminer l'étendue et la pertinence dans le cadre de l'activité économique.

Certaines de ces valeurs et convictions sont bien établies. Ainsi, pour les affaires, tous seront d'accord sur le principe de la bonne foi, qui fait respecter le contrat ou la parole donnée, pour le bon fonctionnement du système. Cette base morale, pour la vie humaine en société, a été exprimée dans un document: la *Déclaration universelle des droits de la personne* de 1948. Elle a ensuite été précisée dans des pactes pour être mise en œuvre dans les différents domaines de la vie personnelle et sociale. En outre, dans des secteurs d'activités particuliers, l'on s'efforce d'élaborer des codes de conduite permettant d'appliquer concrètement ces valeurs fondamentales. Ces droits universels font valoir la dignité inviolable et inaliénable de chaque être humain qui doit être respectée et promue. Reconnaître ces droits comporte des exigences dans les relations personnelles et collectives et crée certaines responsabilités.

La réflexion que je propose concerne précisément la responsabilité de l'entreprise, définie dans les conditions actuelles de son existence

---

2. Citation de M. Gandhi, dans Hans Küng, *Weltethos für weltpolitik und weltwirtschaft*, 1993, p. 348.

et de son activité, dans un contexte d'économie de marché. L'entreprise est perçue comme étant une association de personnes constituée en vue de mener des opérations de production et des transactions *rentables*, ces dernières étant évidemment décisives. Il faudra établir la responsabilité qui concerne la rentabilité, et savoir si elle va au-delà du fait de fonctionner légalement et de fournir les rendements les plus élevés possibles, aux propriétaires ou aux actionnaires. Les exigences de la rentabilité peuvent, en effet, entrer en conflit avec les exigences que la morale impose aux individus. En matière de solidarité, par exemple, la restructuration ou la fusion d'entreprises pourra augmenter les profits, mais aussi peser lourdement sur les personnes qui seront congédiées. S'il n'y avait pas de nécessité économique évidente, quels seraient alors les critères de décision ? Est-ce que l'on devrait, et c'est la question fondamentale, reconnaître d'autres fins à l'entreprise que celle d'une opération rentable, notamment des fins complémentaires ou éventuellement opposées à cet objectif ?

L'activité humaine vise d'abord à la conservation de la vie, mais aussi au « bien-vivre », comme l'ont souligné les philosophes et les éthiciens de notre tradition et de notre culture, ainsi, par exemple, Paul Ricœur[3]. Dans quelle mesure et selon quelles modalités l'activité de l'entreprise pourra-t-elle prendre en compte cette finalité de la réalisation du soi, de l'accomplissement des personnes ou du bonheur humain dans des institutions « justes » ? Quelles valeurs éthiques et quelles ressources spirituelles pourront contribuer à la réalisation de ces projets ?

Je vais tout d'abord analyser la situation du système économique dans la société moderne. Puis, j'étudierai les relations existantes entre l'économie et les valeurs éthiques et spirituelles et proposerai des modalités pour l'intégration de ces valeurs dans le processus de décision managériale.

2 L'économie comme système dans la société moderne

Afin d'élaborer la problématique, je propose une analyse sociologique de la situation de l'économie dans la société moderne, en me référant, de façon critique, à la théorie de Niklas Luhmann, un sociologue allemand qui a publié, au terme d'une vie de recherche,

---

3. Voir P. Ricœur, *Soi-même comme un autre*, 1990.

une œuvre magistrale, *La société de la société*[4]. Sa pensée ne se réfère pas directement à une tradition théologique ou spirituelle. C'est une réflexion de sociologie systémique dont les présupposés, concernant la dimension de la religion et du spirituel, sont strictement sociologiques.

La puissance d'une telle théorie provient du fait qu'elle affronte la complexité du phénomène social, sans chercher à la réduire à un schéma simple qui détacherait un élément de fonctionnement, afin d'expliquer l'ensemble des relations qu'établissent tous les domaines de la réalité sociale. Cette théorie se fonde sur l'hypothèse de l'autonomie des opérations de chaque système social, autonomie pensée à partir d'un modèle élaboré dans les sciences de la vie et centrée sur la notion d'*auto-organisation*. Cette notion a été proposée dans les travaux de Humberto Maturana et de Francisco Varela[5].

Un premier corollaire de la théorie de Luhmann, largement appuyé par l'expérience, énonce la stricte réciprocité qui préside à l'interaction des systèmes de la vie sociale. Aucun d'entre eux — systèmes du politique, de l'économie, de l'éducation, de l'art, etc. — n'a de prépondérance ou une autorité qui subordonnerait absolument l'activité des autres systèmes sociaux à sa propre finalité. Concrètement, cela signifie que, par exemple, la théorie marxiste du pilotage de l'économie par le seul État, c'est-à-dire le système du politique, n'est pas pertinente. Évidemment, il est relativement facile de l'affirmer depuis l'effondrement des économies à planification centrale. Mais, et c'est là l'enseignement le plus important pour nous actuellement, la prétention d'un certain modèle néolibéral de piloter la société par le système économique, ou de laisser cette société être pilotée par les mécanismes du marché, surévalue la capacité de ces systèmes. Nous avons pour preuve les grandes crises économiques et financières en Asie et en Russie, mais surtout les graves inégalités et la misère actuelle de plus d'un milliard d'êtres humains. Ce constat, à lui seul, suffit à dire que l'optimisme d'un pilotage exclusif de nos sociétés par la sphère du politique ou de l'économie est non fondé. Pourtant, l'exigence du pilotage subsiste et il s'agira alors d'en

---

4. Voir N. LUHMANN, *Die Gesellschaft der Gesellschaft*, 1997, et *Social Systems*, 1995.

5. Voir H.R. MATURANA et F.J. VARELA, *Autopoiesis and Cognition*, 1980, et *The Tree of Knowledge*, 1992.

préciser les conditions, sachant qu'il relève toujours de la décision humaine.

Le phénomène majeur qui caractérise l'organisation de nos sociétés, tel que décrit par les sociologues et les anthropologues, est celui de la différenciation des fonctions sociales engendrée par la révolution techno-scientifique et industrielle des temps modernes ainsi que par la généralisation de la révolution démocratique. Cette dernière s'est fondée sur un processus d'individualisation qui débuta au Moyen Âge et s'est développée de façon décisive depuis la seconde moitié du XVIIIe siècle. Solange Lefebvre a déjà évoqué cet héritage (voir le chapitre 3). L'individualisation est l'expression de la dignité de la personne humaine comme valeur distinctive et première pour toutes les sociétés, et elle la concrétise dans la reconnaissance de la liberté individuelle et des droits de la personne.

Dans la théorie de Luhmann, l'être humain est caractérisé par l'opération de la conscience et la production de sens qui détermine l'individualité du système psychique. Les personnes elles-mêmes sont toujours en interaction et s'organisent en formant des systèmes sociaux qui ordonnent les grandes sphères de l'activité humaine. Chacune de ces sphères est dotée d'une rationalité propre, structurée selon ses finalités et ses procédures spécifiques. Je relève ce trait, mis en évidence par la théorie systémique, parce que souvent, lorsqu'on s'interroge sur l'intégration des valeurs éthiques et spirituelles dans l'activité économique ou dans le management, on l'invoque en l'opposant de front à certaines de ses conséquences, sans prendre en compte sa rationalité propre. Or la différenciation fonctionnelle dans la société s'est développée par le biais de l'autonomie croissante des systèmes sociaux et leur *auto-organisation*; il y a non seulement le fait que la fonctionnalité d'un système porte en elle une rationalité particulière, mais, de plus, ce système opère de façon indépendante. Luhmann montre comment le fonctionnement autonome de chacun de ces systèmes réalise son unité et, par là, son identité comme système, en « s'auto-organisant » par rapport à son environnement. Le système est alors doté d'une rationalité et de pratiques spécifiques que lui seul peut mettre en œuvre.

Cette conclusion est essentielle et nous verrons qu'elle a des conséquences très importantes pour l'interprétation de la relation entre l'éthique, les valeurs spirituelles et l'économie. Ainsi, dans la civilisation moderne, le système économique organise la production des choses, de tous les biens et de tous les services marchands, nécessaires à la société, et il est le seul à pouvoir le faire. Le système du politique, pour sa part, est le seul capable de produire des décisions collectives en vue de l'accomplissement des tâches d'intérêt public qui concernent l'ensemble des membres d'une société, et le seul à pouvoir mettre en œuvre ces décisions.

On voit immédiatement que le système politique à lui seul ne peut intervenir directement sur les finalités ou les démarches de l'économique. Réciproquement, le système économique ne peut prendre seul des décisions lorsque celles-ci ont une portée collective. De plus, dans une nécessité de réglementation, par exemple, le système économique ne peut manifestement pas se donner à lui-même son cadre juridique. Il le reçoit. Mais le droit, à son tour, ne peut s'imposer à l'économique en dehors de la rationalité des procédures économiques elles-mêmes.

Le second point mis en évidence par Niklas Luhmann est important. Il explique comment s'établissent les relations entre les systèmes. Luhmann rappelle que l'opération propre du système psychique de l'individu est l'acte de conscience. Par contre, l'opération de base au niveau des systèmes sociaux est la communication, non seulement définie par la parole, mais aussi attachée à des pratiques et à des objets. En ce sens, les systèmes sociaux sont constitués par un enchaînement d'opérations qui comprend la création d'information, leur transmission et surtout leur compréhension, ce qui donnera lieu soit à l'acceptation du message, à l'indifférence ou à son refus de la part des partenaires systémiques[6].

Enfin, cette approche appelle une troisième remarque: l'affirmation de l'autonomie d'un système ne signifie pas son indépendance totale, son autarcie. Chaque système est fonctionnel et donc, par définition, articulé à un environnement. Cependant, l'autonomie du système fait qu'il règle lui-même le rapport entre son indépendance, et sa dépendance envers l'environnement constitué par d'autres systèmes. En d'autres termes, lorsque l'on parle généralement de l'inté-

---

6. Par cette observation, Nikklas Luhmann propose en fait une critique de l'approche sociologique et philosophique de Jürgen Habermas décrite dans *De l'éthique de la discussion*, 1992. Luhmann a su montrer que Habermas, dans sa théorie de l'agir communicationnel, n'envisage qu'un cas particulier de l'opération sociale ou de la communication, celui de la formation du consensus.

gration des valeurs éthiques dans le système économique, on suppose que c'est à partir de ce système seul que cette intégration est possible. Ma réflexion vise à établir le lieu où pourra s'opérer ce *couplage* entre la sphère de l'économique et celle de l'éthique. Le *couplage* est le terme utilisé par Luhmann pour caractériser les relations qui se nouent entre des systèmes sociaux. L'opération implique un processus de codage et de décodage. Le problème crucial dans une société différenciée comme la nôtre sera, dès lors, celui de l'adaptation et de la compatibilité de ces codages et décodages.

C'est dans ce contexte que l'éthique et le système du religieux peuvent et doivent jouer leur rôle. L'éthique et le système religieux présentent une compréhension concrète de l'existence humaine, de ses droits et de ses devoirs, de sa destinée, des enjeux de la vie personnelle et des relations sociales. Ces systèmes énoncent des valeurs et des principes qui visent à rendre compte de l'humain et de son désir d'accomplissement. Fondés sur la conscience, ils énoncent, de façon tout à fait élémentaire, le premier principe de l'agir : « faire le bien et éviter le mal ». Il s'agit ensuite de mettre concrètement en œuvre ce principe, ce qui jette un regard tout à fait original sur nos pratiques et sur la réalité de nos actions. Les choix économiques ne sont pas neutres, en effet, du point de vue des valeurs, même si tous les actes managériaux n'ont pas immédiatement une dimension morale.

Mais l'éthique et le système religieux ne sont pas non plus, en eux-mêmes, capables d'engendrer une décision concrète dans le domaine économique, une décision managériale. Si, par exemple, à propos de la fusion de deux entreprises, je pose comme principe fondamental : « il faut faire le bien et éviter le mal », cela ne fournit pas la base nécessaire à une décision qui tranchera s'il faut ou non effectuer la fusion. Une analyse complète des enjeux et des conséquences des deux stratégies devrait être effectuée.

Les notions d'absolu, d'universalité du bien et de la valeur ainsi que de dignité de chaque personne humaine doivent donc être médiatisées par l'élaboration de normes éthiques et de directives pratiques. Ces normes et directives doivent considérer la contingence et la diversité de l'histoire des individus, celle des groupes particuliers, des organisations et de la société concernée, ainsi que les interactions systémiques existant dans les domaines multiples de l'activité humaine. Il y a là un moment second de la réflexion éthique qu'elle ne peut pas accomplir seule, pour les raisons systémiques décrites ci-dessus.

Citons un exemple. Dans la foi chrétienne, nous croyons que Dieu est le créateur de l'Univers et qu'il l'a créé avec tout ce qu'il contient pour le bénéfice de tous les humains. Dans l'enseignement social chrétien, on énoncera, en conséquence, le principe de la destination universelle des biens de la terre. Mais cette seule affirmation est difficilement applicable concrètement. Il faudra élaborer des voies qui permettront d'appliquer ce principe. Dans notre culture, ces voies ont été ouvertes par la norme juridique de la propriété privée. Cela n'est pourtant pas la seule manière de gérer l'appropriation ou l'usage d'une terre. Dans d'autres cultures, en Afrique de l'Ouest par exemple, la responsabilité de l'application du principe absolu est confiée à un « chef de terre », dont la tâche est de distribuer les terres selon les possibilités et les besoins des familles.

Pour résumer, la normativité s'exerce sous la régulation d'un principe absolu et dans la particularité d'une pratique située dans un contexte culturel singulier. Ceci doit constituer la démarche méthodique encadrant toutes les grandes valeurs régulatrices de l'éthique. Il s'agit de maintenir, de réfléchir et de recevoir l'absolu et l'universalité des principes pour les mettre en œuvre suivant des normes qui, premièrement, les refléteront et, deuxièmement, régleront la démarche ou la procédure. Enfin, il y a un troisième niveau, celui de l'établissement de directives ou de règlements qui mettront en vigueur cette norme dans une conjoncture donnée.

En corollaire et suivant la théorie systémique de Luhmann, il faut souligner que tous les problèmes posés et les échecs rencontrés ne peuvent trouver une solution que dans le système fonctionnel qui les a engendrés. Cette constatation appelle un effort de communication afin de traduire les exigences et les demandes de la société, dans le langage et dans les procédures du système fonctionnel concerné. Cette observation a pour conséquence de qualifier comme non pertinents deux types de discours en éthique économique.

Le premier discours non pertinent s'exprime dans le projet d'une éthique purement corrective, qui voudrait être un antidote à l'excès de la rationalité propre au système de l'entreprise visant à la rentabilité et à l'efficacité. On ne peut en effet intervenir de l'extérieur d'un système, au nom d'une valeur éthique, pour modifier les finalités, décisions et procédures de ce système. Par exemple, une régulation générale partant du principe pur de la solidarité ou de la fraternité, ne permet pas de fournir des normes immédiates à la décision économique. Pourtant, ces principes seront décisifs puisqu'ils ont une fonction structurante majeure pour les décisions éthiques.

Le second discours non pertinent est celui qui est étroitement fonctionnel, asservissant la morale aux seuls intérêts de l'entreprise. L'éthique, comme moyen stratégique en vue d'augmenter la motivation et la productivité des collaborateurs, est alors rendue instrumentale ou utilisée comme élément de marketing. C'est la critique ordinaire à l'égard de certains codes d'éthique adoptés par de grandes multinationales ou certains traités d'éthique des affaires[7].

La théorie systémique nous indique au contraire la voie d'une éthique *intégrative*. Elle établit l'activité du système économique sur des bases moralement fondées qui constituent un socle de valeurs et de principes d'orientation pour une rationalité économique autre que celle qui entraîne les effets indésirables ou pervers constatés. La différence portera sur la détermination des finalités visées, sur les valeurs reconnues et la qualité des procédures de décision dans l'entreprise[8]. Cette démarche suppose la création ou le renforcement d'une structure de réflexion pertinente à l'intérieur du système économique, dans les entreprises et dans les secteurs de production. Elle peut aussi bénéficier, comme nous le verrons, de la mise en place de pratiques et d'outils de management propres à opérer un relais systémique avec l'instance éthique et spirituelle, comme l'a proposé monsieur Ouimet durant ce forum (voir le chapitre 7). Ainsi pourront être accueillies et traitées les demandes, les exigences et les critiques formulées à l'égard de l'activité d'entreprise et de l'économie, ainsi que les pensées et les valeurs proposées à partir du système de l'éthique, de la spiritualité et de la religion.

---

7. Voir sur ce sujet R. Solomon et K. Hanson, *La morale en affaires...*, 1989, ou P. Ulrich, *Integrative Wirtschaftsethik...*, 1997.

8. Voir J. Pasquier-Dorthe et C.-J. Pinto de Oliveira, « La gestion, carrefour de l'économie et de l'éthique... », 1990, et « Réussir les affaires et accomplir l'homme... », 1997.

3 Les conditions de l'intégration des principes éthiques et des valeurs spirituelles au management de l'entreprise

Un bref regard historique permet de mieux comprendre les conditions actuelles dans lesquelles se pose le problème de l'intégration des valeurs dans l'activité économique. Le sociologue et philosophe allemand Max Weber a mené une étude très éclairante sur la naissance de l'économie capitaliste moderne dans le contexte des villes du Moyen Âge, en particulier des cités italiennes du xve siècle[9].

Ces villes offraient les conditions matérielles permettant la concertation et l'action en commun d'individus dégagés des contraintes traditionnelles du pouvoir féodal. L'intérêt économique et mercantile se développa et prit la forme dominante du marché au sens où nous le connaissons aujourd'hui. Le système du contrat s'imposa comme base objective des opérations, sans considération de la qualité des personnes. Une instance se devait, alors, d'être établie, afin de réglementer les opérations avec autorité et, en cas de conflits, d'intervenir en arbitre ou en juge de manière efficace. L'intensité des échanges modernes exige de même un droit qui fonctionne de manière efficace et sûre. Cet ordre juridique ne considère pas en premier les personnes et leur statut, mais leurs activités. Sa fonction est de régler l'échange des biens et des services. Dans ce système, la dimension morale est assurée par l'exigence sévère du respect de la parole librement donnée : chaque participant à l'entreprise ou à l'échange, dans un contexte de concurrence, attend de son partenaire qu'il tienne les promesses faites, actualisant surtout les normes de la bonne foi et celles de l'équité.

Un autre problème de l'entreprise et de son rapport à l'éthique personnelle fut mis en évidence par Max Weber. En matière de responsabilité, chaque action doit pouvoir être attribuée à une personne concrète, susceptible d'être sanctionnée. Or la forme institutionnelle de l'entreprise moderne est la société de capitaux, surtout pour les plus importantes. Généralement, les bailleurs de fonds ne participent pas personnellement à l'activité qu'ils contribuent à financer et ne sont donc pas directement responsables des opérations, dont pourtant ils peuvent tirer profit. Ce lien entre la personne qui met à disposition son argent et la réalité économique de base de l'activité

---

9. M. WEBER, *The Theory of Social and Economic Organization*, 1947.

de l'entreprise est encore plus ténu lorsque l'investisseur est une institution, une caisse de retraite par exemple, qui opère sur des actifs appartenant à un fonds commun de placement. Dans ce cas, la question de la responsabilité qui sous-tend la prise de décision devra, en conséquence, être différenciée et tirée de la théorie systémique afin de prendre en compte la position de tous les acteurs concernés — les consommateurs/clients, les collaborateurs de l'entreprise, les collectivités publiques, les bailleurs de fonds, les fournisseurs, les concurrents, etc. — dans les trois grands niveaux de décision : l'établissement local, l'entreprise et le *holding*.

Intégrer des principes éthiques et des valeurs spirituelles dans le management de l'entreprise suppose que soit levée une équivoque considérable, touchant la compréhension du marché, sa fonction et ses acteurs : l'objectif général du marché concurrentiel est de répondre aux besoins des sociétés humaines et de satisfaire les consommateurs. En cela, il se révèle être le dispositif le plus performant par rapport à d'autres modèles de transactions. Il n'y a pas de raison éthique de le remettre globalement en cause. Il convient cependant de demeurer attentif à ses limites. Par exemple, il est évident que tout n'est pas marchandise et que le marché ne peut satisfaire tous les besoins humains.

En revanche, l'anthropologie implicite ou thématisée, depuis Adam Smith jusqu'aux économistes néo-libéraux de l'École de Chicago — celle de l'*homo economicus* —, se révèle particulièrement réductrice sous prétexte de « réalisme ». Son présupposé est que la personne est mue essentiellement par intérêt, et non par la bienveillance ou l'altruisme, et qu'elle recherche toujours le meilleur avantage possible. Le danger est ici de réduire toute compréhension de l'être humain et des ses relations sociales à ce modèle unique.

Une seconde condition pour intégrer des principes éthiques et des valeurs spirituelles dans le management de l'entreprise sera donc de nature anthropologique. Il s'agira de reconstruire et de fonder la réflexion éthique sur une anthropologie qui rende compte de la personne dans toutes ses dimensions d'existence et dans sa dignité. Ces personnes sont effectivement engagées dans l'activité économique. Mais une conception anthropologique de la personne devrait intégrer, au minimum, trois dimensions fondamentales, qui ont toutes trois une signification déterminante pour la décision managériale :

L'être humain est tout entier *nature, culture* et *liberté*[10] : « Tout entier nature », car l'être humain a des besoins matériels, biologiques, psychologiques et sociaux qui doivent être satisfaits ; « Tout entier culture », car la culture désigne le fait et le mode dont chaque société gère les besoins de ses membres et organise leur vie en commun suivant la diversité des systèmes sociaux que nous avons évoquée ; enfin « tout entier liberté », car l'être humain est un être de liberté, fondé dans une radicale autoposition — mais non absolue — de soi et de son existence comme projet. Cet être est, de plus, ouvert à la transcendance et à autrui, le toi des relations interpersonnelles et le chacun de la vie dans les systèmes de la société, tout en étant capable de s'actualiser par soi[11]. En sa singularité, l'être humain existe donc selon sa liberté, comme expression la plus concrète de sa dignité. Le premier impératif éthique sera donc d'être libre, d'exister en tant qu'être de liberté et de créer des espaces de liberté, soit pour l'individu, soit pour les sociétés humaines. Créer des espaces de liberté signifie ici créer des possibilités de vie pour chacun et chacune, afin que tous puissent rechercher et favoriser les conditions de leur accomplissement. Cela pourra se réaliser, précisément, par l'intégration de valeurs éthiques et spirituelles à la base et dans les finalités visées par les systèmes de l'activité sociale et économique, ainsi que dans celles visées par l'entreprise en particulier.

Conclusion. Les modalités d'intégration des valeurs dans le processus de la décision économique

La rationalité propre à l'économie de marché et la finalité distinctive assignée à l'entreprise, telle que Milton Friedmann l'a exprimée avec netteté et brutalité, affirmant que la responsabilité sociale des affaires est d'accroître ses profits[12], est un jugement pertinent dans ce contexte pratique, mais partiel. La croissance du profit ne constitue, en aucune manière, l'unique finalité de l'entreprise, mais elle est

---

10. Pour une première ébauche de ce modèle, voir R. Berthouzoz, « Dimensions éthiques et théologiques des droits et devoirs des minorités », 1995.

11. Voir sur ce sujet L. Lavelle, *De l'intimité spirituelle*, 1955 ; et P. Ricœur, *Soi-même comme un autre*, 1990.

12. Voir M. Friedman, *Capitalism and Freedom*, 1962 ; F. A. Hayek, *Droit, législation et liberté...*, 1985.

nécessaire pour sa capacité d'opérer dans le système économique. Il s'agit de considérer les intérêts et droits légitimes de tous les acteurs concernés, ainsi que les valeurs dont ils sont porteurs. Ils ne peuvent être tout simplement subordonnés à l'objectif de maximisation du profit.

La première référence de valeur qui devra être prise en considération sera celle de la dignité de la personne humaine et des droits fondamentaux qui lui sont inhérents. Ces droits précèdent tout examen des relations sociales et ne sont d'aucune manière institués. Le politique et tous les systèmes sociaux sont appelés à les reconnaître et à les promouvoir, à la mesure de leur capacité et de leur responsabilité.

Le deuxième ordre de valeurs présidant à toutes les relations en société, en particulier à celles de l'échange, est celui de la justice. Sa visée est de réaliser l'égalité entre les humains. Il s'agit là d'un principe régulateur qui vaut strictement, au sens arithmétique, lorsqu'il s'agit de choses échangées ou de prestation de services, et proportionnellement lorsque entre en jeu la considération des personnes et des différences de besoins ou de charges assumées. Une autre dimension de la justice est engagée dans le rapport entre chaque personne, chaque entreprise et dans la société en général. C'est la visée du bien commun auquel tous sont appelés à contribuer, pour que soit possible la réalisation du bien particulier et des droits fondamentaux de chaque personne. Ce principe de contribution doit toujours être pris en compte dans la détermination des finalités et des activités de l'entreprise[13].

En ce qui concerne les valeurs qualifiant la personne dans son lien aux autres, se trouve au premier rang la solidarité (amour ou fraternité, suivant son expression chrétienne), qui ne se substitue pas à la justice, ni n'en constitue un complément facultatif par le principe de surérogation. Elle en est la racine, ou la motivation, et s'accomplit comme finalité de l'action juste.

Toujours au fondement de l'agir juste et solidaire, je nommerai la foi religieuse et les ressources apportées par les valeurs spirituelles. Elles sont comme la lumière qui nous éclaire sur la nature radicale des enjeux, une force et un appui, afin d'œuvrer à l'accom-

---

13. Voir aussi sur ce sujet R. PETRELLA, *Le bien commun...*, 1997.

plissement humain de tous les acteurs et partenaires de l'entreprise économique.

Déterminer concrètement les éléments d'une base éthique de l'activité économique ainsi que définir des finalités et des procédures moralement responsables suppose une réflexion dans le cadre du sous-système de l'entreprise en dialogue avec l'éthique, attentif aux enracinements spirituels des porteurs du projet et de sa réalisation. Ces personnes auront recours à des instruments d'orientation pour les aider dans la prise de décisions et la mise en œuvre de celles-ci. Ces instruments sont essentiellement de trois ordres. Je ne peux que les décrire succinctement ici :

— *Les chartes d'éthique économique.* Par exemple, l'Institut interdisciplinaire d'éthique et des droits de l'homme (IIEDH) de l'Université de Fribourg vient de proposer une charte des responsabilités communes dans l'activité économique[14]. Cette charte se présente comme un engagement moral de référence, définissant non seulement des valeurs à reconnaître, mais des buts à atteindre, dans un esprit général de partenariat[15].

— *Les codes d'éthique.* Ces codes se retrouvent au niveau des différentes branches de l'économie. Les codes d'éthique des entreprises établissent, au-delà de la déontologie professionnelle étroitement liée à la législation étatique, des normes d'application des principes majeurs et des normes d'adaptation aux défis particuliers qui se présentent[16].

— *Les outils de management.* Enfin, il y a l'élaboration d'outils de management à composante éthique et spirituelle, tels que ceux présentés par M. Ouimet (voir le chapitre 7). Ces outils mettent en œuvre des démarches et des procédures visant à concrétiser cette intégration des principes éthiques et des valeurs spirituelles dans tous les aspects de l'activité managériale et du travail en général. Ils peuvent aussi faciliter l'application

---

14. Voir IIEDH, « Charte des responsabilités communes dans l'activité économique », 1998.

15. Sur les chartes d'éthique économique, voir M. Borghi et M. Meyer-Bish, *Éthique économique et droits de l'homme...*, 1998 ; et P. Spicher, *Les droits de l'homme dans les chartes d'éthique économique*, 1996.

16. Voir sur les codes d'éthique d'entreprise, par exemple, V. Averos, « L'éthique dans l'entreprise... », 1997.

concrète de valeurs humaines et spirituelles, s'ils considèrent la source profonde d'une attitude ouverte au respect et à la reconnaissance de l'humain, dans toutes les dimensions de son existence.

14 Éthique des affaires et spiritualité chez les juifs, les chrétiens et les musulmans

Michel DION

Je remercie les organisateurs d'avoir organisé ce forum unique. Je crois qu'il répond à des besoins actuels dans les sociétés occidentales.

En 1984, des consultations en vue d'une déclaration interreligieuse sur l'éthique dans les affaires internationales furent réalisées sous l'impulsion du prince Philippe (Grande-Bretagne) et du prince Hassan Bin Talal (Jordanie). Le but des discussions qui suivirent entre les chercheurs appartenant à trois religions monothéistes était de miser sur les valeurs morales et spirituelles partagées par les juifs, les chrétiens et les musulmans, de façon à dépasser les préjugés que peuvent entretenir les membres de l'une ou l'autre religion à l'égard des autres. Un code d'éthique pour les affaires internationales fut conclu en octobre 1993 à Amman. Il a été rédigé par des chercheurs et des gens du milieu des affaires provenant des trois religions en question[1].

---

1. Voir British-North American Research Association, *An Interfaith Declaration*, 1993.

Avocat, théologien et professeur d'éthique, Michel Dion compare dans ce chapitre les principes du judaïsme, du christianisme et de l'islam relatifs à l'économie, au management et au travail en général. Pour ce faire, il commente une déclaration interreligieuse débutée en 1984 sous l'impulsion du prince Philippe de Grande-Bretagne et du prince Hassan Bin Talal de Jordanie, et concrétisée par un code d'éthique pour les affaires internationales, signé en 1993. Cette déclaration a été créée spécifiquement afin de répondre à l'internationalisation des échanges économiques et de développer des standards moraux élevés pour la conduite des affaires.

Michel Dion commente trois thèmes fondamentaux dans ce chapitre : la justice sociale et la recherche du bien commun ; l'intendance de la création ; et les principes d'économie politique, incluant ceux relatifs à la compétition, la prospérité, la fonction de l'État, la dignité humaine et l'environnement. En conclusion, il affirme que le développement d'une éthique collective, d'après ces trois religions monothéistes, n'est pas incompatible avec l'affirmation de leurs différences spécifiques. Ce paradoxe peut être résolu par l'instauration d'un réel dialogue interreligieux.

Cette déclaration peut être vue comme une continuation de l'œuvre débuté par le grand sociologue Max Weber au début du siècle sur les relations existant entre les religions et l'économie[1]. Considérant les religions comme les fondations mêmes de nos cultures et sociétés, l'œuvre de Weber souffrait pourtant d'un certain biais, l'auteur étant seul à interpréter chaque religion, et son point de vue étant plus général, car sociologique. La déclaration commentée par Michel Dion est plus fidèle à chacune des trois religions incluses, émanant d'un dialogue de leurs membres, et plus appliquée au monde des affaires, cette communauté ayant été invitée spécifiquement à participer au dialogue. Dans le chapitre de conclusion, je présenterai une autre déclaration d'éthique interreligieuse proposée par *Le parlement des religions du monde*, créé il y a plus d'un siècle à Chicago, en 1893.

---

1. Voir M. WEBER, *The Sociology of Religion*, 1963.

Cette déclaration de 1993 visait les buts suivants :

— Recourir aux textes sacrés des juifs, en particulier la Mishnah et la Torah, à la Bible des chrétiens et au Coran des musulmans pour aider à résoudre les conflits qui pourraient surgir des différentes manières de conclure des affaires. La mondialisation des affaires, on le sait, a en effet multiplié les relations avec des partenaires d'horizons culturels variés. Or ces partenaires adoptent différentes approches pour conclure leurs transactions et opérations.

— Faire ressortir les valeurs communes aux trois religions, afin de fournir des fondements éthiques au domaine des affaires internationales et des lignes directrices au milieu des affaires.

— Répondre à une tendance actuelle : la croissance de l'égoïsme et de la malhonnêteté dans certains pays. Le but de cette déclaration était de rappeler ce qui est considéré comme bien et mal dans les relations d'affaires, et ce afin d'améliorer les standards moraux dans les affaires internationales.

— Maintenir des standards de comportement élevés dans le milieu des affaires et faire que se développe une meilleure compréhension de la responsabilité sociale des entreprises.

Il fut entendu que l'application des principes de la déclaration pourrait varier selon les pays, d'après le degré d'influence que la religion a dans chaque nation. Je m'arrêterai ci-dessous à quelques thèmes importants de cette déclaration, en me référant aux principaux textes sacrés des trois religions en question.

Premier thème : la justice

Le judaïsme place la justice au centre de tous les rapports humains, y compris des activités économiques. Ce principe exige un contrôle quotidien des prix et des profits afin d'empêcher des pratiques qui dévieraient trop des prix et des profits normaux, c'est-à-dire ceux qui sont pratiqués sur le marché dans un espace-temps donné. Il est contraire à la valeur de justice du judaïsme d'exiger un prix excessif pour des biens et services qui sont essentiels à la vie alors que pour les autres catégories de biens et de services, un profit plus important est permis. Ceux qui profitent des autres en haussant les prix au-delà des standards acceptables violent leurs obligations religieuses stipulant de ne jamais mettre la vie d'autrui en péril. Ils oppriment ainsi les autres, ce qui va à l'encontre de la volonté divine[2].

Dans le christianisme, l'action sociale est commandée non seulement par la charité, mais aussi par la justice. Aucune classe sociale

---

2. Voir *Lévitique* 25,14 ; 25,36.

ne devrait empêcher une autre de participer aux avantages issus du travail et du capital. La distribution des biens matériels devrait être guidée par des exigences de bien commun et de justice sociale, de façon à favoriser le développement de chaque individu mais aussi de la communauté. Pour le christianisme, les marchés libres doivent demeurer justes, c'est-à-dire favoriser le développement humain et moral des sociétés en maintenant un rapport d'égalité entre elles.

Les chrétiennes et les chrétiens qui assument les exigences de justice sociale inhérentes aux messages évangéliques sont prêts à se sacrifier afin de vaincre les structures humaines aliénantes. L'amour de Dieu ne demeure qu'en ceux qui aident les plus démunis. C'est ainsi une question de pure justice pour le christianisme que de créer des syndicats, des coopératives (comme l'a expliqué monsieur Béland lors de ce forum, voir le chapitre 5), de donner des salaires satisfaisants aux employés ainsi que de respecter leur santé et leur vie spirituelle, comme l'a suggéré monsieur Ouimet (voir le chapitre 7). Toute la tradition chrétienne, en particulier celle articulée par les Pères de l'Église, a souligné la nécessité de partager et de redistribuer le superflu aux plus pauvres[3].

Dans l'islam, toute amélioration des conditions de vie matérielles doit conduire à une plus grande justice sociale. Cette justice n'a de sens que dans le cadre de l'interrelation fondamentale entre Dieu, l'univers, la vie et l'être humain. Le développement économique est une partie intégrante du développement moral dans l'islam, car il n'y a aucune contradiction entre la religion et la poursuite de la prospérité terrestre. Pour l'islam, la poursuite de la prospérité est bonne en elle-même et les activités économiques constituent une façon adéquate d'accomplir sa mission sur terre.

L'islam recherchera donc un équilibre entre les obligations individuelles et sociales, un équilibre entre les besoins matériels et spirituels, de façon à ce que toutes les activités soient orientées vers la réalisation du bien-être en ce monde, mais aussi dans l'après-vie. Cela suppose une modération dans les habitudes de consommation, un comportement altruiste et la quête d'une paix intérieure. Ainsi, chaque décision économique a une dimension éthique et spirituelle. Les musulmans du milieu des affaires, qui sont justes et généreux

---

3. Voir, en particulier, *Matthieu* 6,25,31-33 ; 20,25-26 ; 25,31-46 ; *Luc* 11,41 ; *Marc* 8,2 ; *Actes* 20,35.

dans leurs pratiques, seront beaucoup plus respectés dans leur communauté que ceux qui recherchent la maximisation du profit. Pour l'islam, la meilleure personne n'est pas la plus riche ni la plus puissante, mais la plus vertueuse. L'individu doit donc être juste dans ses transactions économiques avec les autres.

La justice signifie de plus un équilibre des avantages, une harmonie dans les intérêts en jeu et une proportionnalité entre les besoins et les récompenses. C'est en contribuant au bien-être collectif que chaque musulman contribue à son propre bien-être. Dans ce contexte, la production des biens nécessaires à la vie est centrale pour les pays musulmans. L'islam met aussi l'accent sur la dimension sociale de la justice et considère que la générosité devrait faire partie de toutes les actions et décisions individuelles. Il prône ainsi les valeurs qui contribuent à la croissance du bien commun[4].

Second thème : l'intendance de la création divine

Dans le judaïsme, seul Yahvé est propriétaire de la terre. C'est pourquoi les êtres humains doivent être préoccupés par les plus pauvres qui ont des droits limitant le pouvoir et l'autorité des plus riches. Tout bien-être économique vient directement de Yahvé et doit être utilisé selon Sa volonté. Ainsi, le judaïsme recherche-t-il un système économique qui tend à réaliser les exigences de justice et de miséricorde de Dieu[5].

Dans le christianisme, toutes les richesses et les formes de prospérité sont aussi considérées comme venant de Dieu. Le droit de propriété ne peut donc être inconditionnel ou absolu. Les droits de propriété individuelle existent dans le contexte du droit collectif à partager l'héritage commun de la Création divine. Les biens ont donc, par la Création de Dieu, une destination universelle. La propriété comporte donc une dimension sociale qui lui est inhérente. La propriété des biens de la Création implique une collaboration mutuelle entre les individus[6].

Dans l'islam, chaque croyant est un intendant de la propriété ultime d'Allah. L'univers appartient à Allah et a été donné collective-

---

4. Voir le Coran, *Sourates* IV, 2 ; VI, 153 ; VII, 31 ; VIII, 27 ; IX, 34.
5. *Deutéronome* 23,15 ; *Baba Bathra*, chap. 2 ; *Mishnah* 9.
6. Voir *Genèse* 1,27-28 ; 3,17-19 ; *Matthieu* 5,3 ; 2.

ment à l'être humain auquel a été accordé le droit de possession, de jouissance et de transfert de la propriété privée. La prospérité doit donc être gérée à la manière d'Allah, c'est-à-dire afin de bénéficier à toute la communauté. Aucun propriétaire ne doit abuser de ses biens en portant atteinte aux autres ou à la communauté, car seul Allah est le propriétaire de l'univers. Chaque musulman est individuellement responsable de la gestion de la Création, de sorte que tout musulman est redevable envers Allah de la manière dont il aura géré les ressources naturelles et agi en fonction de l'intérêt collectif de la communauté. L'islam relie ainsi l'être humain à Allah et le fait vivre en accord avec sa volonté, de façon à ce que, comme fiduciaire d'Allah, il gère les biens de manière socialement responsable. Plus on est riche, plus on est redevable à Allah pour la gestion des biens matériels[7].

Troisième thème : principes d'économie politique

3.1   La compétition

Dans le judaïsme, la concurrence déloyale est interdite dans les faits, notamment quand elle a pour but d'exclure un compétiteur du marché. Cependant, la saine compétition entre commerçants est une exigence religieuse devant permettre que le bien commun et l'intérêt public soient préservés. Les cartels ne sont acceptables que s'il en découle un bénéfice plus grand pour la société, s'ils ont reçu l'accord des intéressés dans le secteur économique en question et s'ils sont supervisés par une autorité rabbinique qui s'assure qu'ils servent le bien commun. Ces cartels doivent de plus être gérés avec droiture, miséricorde et justice. Les monopoles, qui ont pour effet d'éliminer des compétiteurs du marché, constituent une profanation du nom divin[8].

Dans le christianisme, les encycliques sociales de l'Église catholique en particulier, font une critique du libéralisme en tant qu'il fait de la compétition, entre autres, une loi suprême de l'économie. Or Paul VI, dans *Populorum progressio* en 1967, même s'il prenait la défense du libre commerce, le subordonnait aux exigences de justice

---

7. Voir Coran, *Sourates* II, 30,256 ; VII, 54,166 ; XII, 40.
8. Voir Talmud Bavli, *Baba Bathra*, 21b.

sociale (respect du bien commun, service de l'intérêt collectif par l'État, instauration de justes salaires et de justes prix) et de charité sociale (actes gratuits et désintéressés pour la réalisation du bien commun), en faveur desquelles ses prédécesseurs Léon XIII et Pie XI s'étaient déjà prononcés. Le libéralisme économique conduit, poursuit Paul VI, à la dictature de l'argent, à l'individualisme excessif, au matérialisme et au darwinisme social (sélection « naturelle » des plus riches qui, seuls, survivent et croissent). La libre compétition ne fonctionne bien que lorsque les parties impliquées ne présentent pas d'inégalités radicales d'un point de vue économique. C'est alors un incitatif vers le progrès social. La libre compétition est acceptable si elle respecte les exigences de justice sociale. Jean-Paul II tiendra le même langage dans *Centesimus annus*. Il ajoutera cependant qu'il est nécessaire de prendre en compte des exigences de vérité dans la satisfaction des besoins humains fondamentaux[9].

Dans l'islam, l'économie est fondée sur la coopération plutôt que sur la libre compétition. Les pratiques de monopoles sont interdites parce qu'elles restreignent la circulation de la prospérité. Pour les musulmans, les monopoles indiquent qu'il existe un manque d'harmonie entre les intérêts privés et les intérêts sociaux et freinent le développement moral et spirituel des personnes. Les pratiques de monopole sont permises seulement s'il est évident qu'elles créeront un plus grand bien-être collectif. De plus, aucune compétition sauvage n'est acceptable pour l'islam. La réalisation du bien-être matériel et spirituel interdit la maximisation des profits et la consommation aveugle de biens et services. Dans cette religion, la vie économique n'est qu'un moyen en vue d'une fin spirituelle et la prospérité n'est qu'un moyen de vivre une vie virtuelle. La compétition fondée sur la coopération doit ainsi viser le meilleur intérêt de la société dans son ensemble[10].

---

9. Pie XI, *Quadragesimo anno*, 15 mai 1931, nᵒˢ 95, 109, 137; Paul VI, *Populorum progressio*, 26 mars 1967, nᵒˢ 58-59; Jean-Paul II, *Centesimus annus*, 1ᵉʳ mai 1991, nᵒˢ 33-34.

10. Voir Coran, *Sourates* V,3 ; LIX,7.

3.2   La prospérité pour toutes et tous

Le judaïsme considère que la prospérité des riches est donnée par Dieu. Les personnes riches doivent partager leur richesse avec les pauvres. La charité est donc une notion centrale. Cette charité suppose une grande préoccupation pour les pauvres et une conscience sociale profonde. Cette justice sociale veut que l'on réalise des fins justes avec de justes moyens. Dans le judaïsme, la charité n'est pas considérée comme un acte de miséricorde mais de justice. Les juifs ont le devoir moral de protéger les intérêts des plus pauvres. Être compatissant envers les plus pauvres est une injonction divine et la charité n'a pas de limite. La première question à laquelle tout juif devra répondre en entrant dans l'autre vie sera la suivante : « Avez-vous été honnête dans la conduite de vos affaires ? » Ce n'est que par la suite que la personne sera questionnée sur son étude de la Torah et sur son respect des commandements de Yahvé. Cela démontre bien l'importance de l'honnêteté dans le judaïsme[11].

Les encycliques sociales de l'Église catholique font une critique acerbe de la prospérité superflue des pays développés. En fait, cette critique remonte à l'époque des Pères de l'Église (cinq premiers siècles de l'histoire de l'Église). On la trouve en particulier sous la plume de saint Jean Chrysostome. Paul VI en appelle aussi à une redistribution équitable de la prospérité aux nations en voie de développement, d'autant que cela favoriserait aussi les pays développés. Pourquoi ? Simplement parce qu'autrement, les pays développés s'attirent une colère grandissante de la part des pays en voie de développement, avec des conséquences politiques, économiques et sociales souvent imprévisibles. La prospérité ne devrait être détenue que dans l'intérêt commun. Thomas d'Aquin référait aussi à l'usage commun des biens matériels : ceux-ci ne devraient être utilisés que pour aider les plus démunis. C'est une question de redistribution du superflu. Quiconque a reçu de Dieu une plus grande abondance de biens terrestres l'a reçue pour la partager avec les autres. Depuis Léon XIII jusqu'à Jean-Paul II, l'Église catholique a toujours considéré la propriété privée comme un droit naturel, dérivant de la nature raisonnable de la personne humaine. À partir de Pie XI, les papes insistent davantage sur la dimension autant individuelle que sociale du droit de

---

11. Voir *Exode* 22,25-26 ; *Deutéronome* 24,10-13.

propriété, du travail, et donc de l'être humain lui-même. Le droit de propriété est foncièrement subordonné à la destination universelle des biens. Le droit de propriété privée, dit Jean-Paul II, est fondamental pour le développement de la personne humaine, mais a cependant ses limites, en ce qu'il doit demeurer juste et équitable, ne donner lieu à aucune exploitation illicite des ressources naturelles et humaines, à la spéculation abusive ou à la rupture de la solidarité dans le milieu de travail[12].

Pour l'islam, la prospérité ne doit pas être monopolisée par quelques personnes, car cela entraînerait un déséquilibre social. L'islam tente aussi d'abolir la pauvreté, celle-ci étant considérée comme une négation d'Allah. Les personnes plus riches doivent donc assumer des responsabilités sociales. Chaque propriétaire a, par exemple, le devoir moral de partager ses richesses avec les plus pauvres. L'islam condamne aussi l'accumulation de capitaux, car il considère que les richesses matérielles doivent être utilisées dans l'intérêt public. Il propose donc certaines structures politiques et économiques afin d'assurer ce partage.

La recherche de l'équilibre dans l'utilisation de la propriété est mise de l'avant par l'islam, car cette religion estime que la cupidité est inhérente à l'être humain et qu'il est de ce fait nécessaire de contrôler sa soif de prospérité. L'amour de la prospérité matérielle est aussi considéré comme la source de tous les maux. Chacun doit disposer de ses richesses de manière conforme à la Volonté d'Allah. L'islam prône donc la modération de la consommation, et la consommation de biens et services de luxe est le plus souvent considérée comme moralement répréhensible. Simone Weil, influencée pourtant par un tout autre contexte, partageait cet avis (voir le chapitre 12). La prospérité, pour l'islam, a une fonction sociale, ainsi que la propriété privée[13].

---

12. PIE XI, *Quadragesimo anno*, n° 50; PAUL VI, *Populorum progressio*, n° 19, 22-23, 49; JEAN-PAUL II, *Centesimus annus*, n° 43; THOMAS D'AQUIN, *Somme théologique*, IIa-IIae, q. 66, a. 1 et a.2; q. 134; JEAN CHRYSOSTOME, *Homélie sur l'Évangile de Saint Matthieu*, homélie 50.

13. Voir Coran, *Sourates* LI,19; LVII,20; LIX,7.

3.3   Les fonctions de l'État

Le judaïsme souhaite que les employeurs se conforment aux coutumes locales établies ou tolérées par l'État. La coutume du territoire, qu'elle soit codifiée ou non dans une réglementation, peut servir à déterminer les salaires et conditions de travail et à prévenir les querelles entre employeurs et employés. Ainsi, les employeurs ne peuvent exiger de leurs employés qu'ils commencent à travailler plus tôt que la coutume locale le veut, ou qu'ils continuent à travailler plus tard que cette coutume l'impose. Ces coutumes doivent être prises en considération tout autant que les autres usages locaux concernant les prix. Par ailleurs, même si le fait de détenir un second emploi (*moonlighting*) peut compromettre un dévouement maximal envers l'employeur principal, si une telle pratique est coutumière et si l'État la tolère ou la supporte, alors elle peut être considérée comme légitime[14].

Pour le christianisme, si on se réfère en particulier aux Encycliques sociales de l'Église catholique, l'État doit promouvoir le bien commun sans accentuer les intérêts privés de certaines classes sociales, à moins que cela soit dans l'intérêt du bien commun. Les interventions de l'État doivent servir à stimuler l'économie et non à restreindre la liberté et l'initiative économique individuelle. L'État a par ailleurs plein droit d'intervenir pour faire respecter les droits humains fondamentaux, l'individu étant considéré comme prioritaire par rapport à la société civile — à l'opposé de la conception islamique, comme nous le verrons ci-dessous.

L'État, d'après la conception catholique, doit s'assurer que les biens soient utilisés dans l'intérêt collectif. C'est à lui que revient la tâche d'améliorer la condition de vie des travailleurs, d'assurer des salaires minimums, des programmes d'assurance-chômage, etc. L'État doit aussi créer des conditions favorables au libre exercice de l'activité économique et veiller au respect des droits fondamentaux de la personne. Il doit de plus intervenir pour protéger les citoyens et les citoyennes contre les violations de leurs droits, améliorer les conditions de vie et stimuler les forces spirituelles dans la société[15].

---

14. Baba Metzia, chap. 7, Mishnah 1 ; Talmud Bavli, Baba Bathra, 8b ; Mishneh Torah, livre 13, chap. 13, 6.3.

15. Voir : Thomas d'Aquin, *Somme théologique*, IIa-IIae, q. 61, a.1, ad.2 ; Thomas d'Aquin, *De regimine principum*, partie I, chap. 15 ; Léon XIII, *Rerum*

L'État islamique est considéré comme le véhicule de la communauté des fidèles. Les degrés d'intervention de l'État dépendront de la sagesse et de la conscience des leaders impliqués, leaders qui doivent prendre en considération les conditions existantes dans leur société. L'État islamique doit donc convertir les instincts naturels en qualités morales, de sorte que ces qualités puissent servir l'intérêt commun de la société. Cet État peut priver de son droit de propriété la personne aisée qui n'assume pas ses responsabilités sociales. Il peut également intervenir pour priver de son droit de propriété la personne qui accumule indûment des richesses ou qui a acquis une propriété illégalement. Enfin, cet État peut intervenir afin d'empêcher qu'il y ait une concentration excessive de la prospérité au détriment de la communauté, la loi islamique accordant une priorité au droit collectif, par rapport aux droits individuels.

En règle générale, l'État islamique doit promouvoir le bien et empêcher le mal, ainsi qu'agir en conformité avec la loi islamique et la volonté d'Allah. Cet État doit donc s'efforcer d'être juste et équitable dans ses transactions avec les citoyens, chercher à éliminer la pauvreté et créer des conditions de plein emploi. Il doit aussi intervenir afin d'assurer le plus grand bien-être de la société et prendre soin des plus pauvres en leur assurant un standard minimum de vie. L'État islamique a, entre autres, le droit d'instaurer une taxe religieuse obligatoire qui sera redistribuée aux plus pauvres. Il a de plus le droit de punir toutes les activités malhonnêtes, en particulier la spéculation, considérée comme antisociale, ou les moyens illicites utilisés afin d'acquérir une propriété, comme, par exemple, l'usure, l'alcool, les jeux de hasard, etc. Enfin, l'État islamique a le droit d'interdire la constitution de monopoles et d'oligopoles ainsi que le *dumping*[16].

3.4 L'emploi et le respect de la dignité humaine

D'après le judaïsme, l'employeur ne doit pas priver le travailleur de son salaire ni le retenir sans cause plus de 24 heures après la fin de la période de travail, car c'est sa vie ou celle de sa famille qui peut être

---

novarum, n° 12, 26-27 ; Pie XI, *Quadragesimo anno*, n° 54 ; Jean XXIII, *Mater et Magistra*, p. 17, 154 ; Paul VI, *Populorum progressio*, n° 29 ; Jean-Paul II, *Centesimus annus*, n° 15, 48.

16. Voir Coran, *Sourates*, II,29,276,278 ; III,110 ; V,92 ; XXVI,181-183.

alors en jeu. L'employeur qui retarde le paiement du salaire de son employé fait comme s'il enlevait son âme, ses moyens de subsistance, sa vie à ce dernier. Par ailleurs, il est contraire à la Loi juive de prévoir un contrat de travail de plus de trois ans. Car on estime qu'un contrat qui dure trop longtemps amène l'employé à considérer son employeur comme un demi-dieu et le prive ainsi d'une partie de la dignité qui lui revient. Un tel contrat signifierait implicitement que l'employé renonce à son droit de choisir ou de changer d'employeur, et donc à l'exercice de sa liberté individuelle. Il y a également un motif théologique à cette attitude : le peuple d'Israël ne peut être serviteur que de Yahvé et, par conséquent, les fils d'Israël ne doivent jamais être considérés comme les serviteurs de leurs employeurs[17].

Le christianisme met l'accent sur la dignité transcendantale du travail. Il cherche à élaborer une économie sociale orientée vers le bien commun tout en se faisant le défenseur des droits fondamentaux. En règle générale, le christianisme s'oppose à toutes formes de totalitarisme qu'il considère comme niant la liberté et la dignité de la personne, comme un mépris de Dieu et comme l'expression d'un égocentrisme qui exclut toute exigence de justice sociale. L'essence même du message évangélique de Jésus implique la lutte farouche contre toute forme d'injustice et de mal. Pour le christianisme, aucun ordre social, système économique, régime politique ou organisation du travail ne doit porter atteinte à la dignité du travailleur, ce qui entacherait sa légitimité et moralité. Chaque personne est considérée comme étant créée à l'image de Dieu, d'où les droits inviolables dont elle jouit.

Le travail, dans la conception chrétienne, exprime cette dignité transcendantale et peut servir à l'accroître. La dignité du travail vient de l'auto-accomplissement de la personne à travers les tâches et les fonctions qui lui reviennent. Par le travail, la personne peut trouver l'harmonie avec et pour les autres. Elle peut mieux découvrir que tout ce qui existe dans le monde lui a été donné par la Création[18].

Dans l'islam, la dignité du travail est aussi fondamentale. Le travail réalisé dans le but d'utiliser efficacement les ressources reçues

---

17. *Deutéronome* 24, 15 ; Talmud Bavli, *Baba Metzia*, 10a, 76a,111a, 112a ; *Mishneh Torah*, livre 12, chap. 11,1, 2.1, 2.2 ; *Baba Metzia*, chap. 9, *Mishnah* 11-12.

18. Voir *Actes* 5,29 ; *Romains* 13,2.

d'Allah constitue une louange à Allah. En ce sens, le travail est un devoir religieux. L'égalité est aussi une valeur islamique primordiale. Chacun est égal devant la loi. Chacun doit avoir les mêmes chances dans le monde du travail bien que certaines différences existent. Cependant, dans l'ensemble, l'islam met l'accent sur l'égalité sociale qui constitue une garantie d'harmonie dans la société. L'employeur protège ses employés et en retour les travailleurs doivent faire preuve d'honnêteté, de diligence et d'efficacité dans l'accomplissement de leur fonction[19].

3.5 La protection de l'environnement

La protection de l'environnement est une préoccupation centrale du judaïsme. C'est une injonction divine que de protéger la création de Yahvé. Même en temps de guerre, les juifs doivent protéger leur environnement naturel. La Torah déclare que l'être humain est dépendant de l'environnement naturel et que tout être humain doit respecter cet environnement, la destruction de la nature ayant des conséquences désastreuses sur les générations futures. Le judaïsme va même jusqu'à affirmer qu'un être humain cesse d'être humain s'il maltraite la nature, car en la détruisant il met en péril sa vie personnelle et celle de ses descendants[20].

Dans le christianisme, toute la création est mise à la disposition de l'être humain afin qu'il la mette en valeur et qu'il la parachève. L'être humain peut donc exploiter les ressources naturelles pour répondre à ses besoins et découvrir ainsi dans la nature l'action de son Créateur. La destruction de l'environnement, dans la tradition chrétienne, va de pair avec l'oubli de Dieu, c'est-à-dire la négation de la conception que ce monde n'est possible que par l'acte créateur de Dieu. Pour le christianisme, « l'oubli de Dieu » est rendu possible, entre autres, par l'omniprésence de la technologie qui crée chez l'être humain un sentiment d'exaltation qui lui fait oublier sa plénitude. L'être humain se substitue alors à Dieu et oublie ses limites, un thème qui a été évoqué par Solange Lefebvre (voir le chapitre 3)[21].

---

19. Voir Coran, *Sourates* VI,132 ; LXII,10.
20. Voir *Deutéronome* 23,15.
21. Voir *Genèse* 1,27-28 ; 3,17-19 ; *Matthieu* 5,3 ; *2 Corinthiens* 8,9.

Pour l'islam, chaque être humain doit de même s'assurer que les créatures et les autres éléments de la nature ne soient pas maltraités. Selon cette tradition, une relation harmonieuse avec l'environnement n'est possible que si l'on prend conscience que toutes les créatures sont égales aux yeux d'Allah et qu'elles cherchent toutes constamment le plaisir de Dieu. L'islam vise aussi une utilisation efficiente de toutes les ressources, humaines, naturelles et spirituelles, afin d'atteindre un taux optimal de croissance économique et améliorer ainsi les standards de vie collective[22].

Conclusion

J'aimerais conclure en suggérant trois propositions. Pour moi, cette déclaration interreligieuse nous apprend trois choses fondamentales :

— Les trois religions monothéistes, le judaïsme, le christianisme et l'islam, ont en commun un certain nombre de principes et de normes éthiques concernant les comportements dans la sphère économique.

— Les différences, qui existent par ailleurs, doivent être l'occasion pour chaque croyant et croyante de mieux comprendre les traditions culturelles et religieuses. Cette compréhension doit s'effectuer non seulement à partir du lieu d'interprétation propre de la personne, à l'intérieur de sa religion personnelle, mais à partir du questionnement suscité par l'autre. Nous avons évoqué à plusieurs reprises dans ce livre la nécessité du respect des différences et d'un réel dialogue.

— Enfin, la stratégie d'une communauté d'idées n'est pas incompatible avec une différenciation entre les trois religions dans la mesure où chaque partenaire, dans le dialogue interreligieux, respecte sa propre tradition et, en même temps, est ouvert à d'autres perspectives.

---

22. Voir Coran, *Sourates* XI,86 ; XCIX,7-8.

15 Dialogue sur la troisième partie

Ceci est le troisième et dernier dialogue présenté dans ce livre. Dans ce dialogue, les participants et participantes reviennent sur des questions abordées durant tout le forum et explorent les thèmes qui ont été introduits. Ce dialogue étant le troisième, le lecteur devrait être maintenant habitué à sa nature spontanée et non structurée. Je reviendrai dans le chapitre de conclusion sur la pertinence de la discipline du dialogue.

Thierry C. PAUCHANT

* *

*

Jean-Marie Sala (directeur des affaires environnementales, Société d'électrolyse et de chimie Alcan). — Mon commentaire s'adresse à M. Berthouzoz. Je pense avoir assez bien saisi sa démonstration. Je suis cependant déçu de sa conclusion qui aboutit à des chartes d'éthique économique, à des codes d'éthique d'entreprise et à la création d'outils de gestion. Je me suis dit « tiens, encore un autre système… *The best way to do things in the World* ». Je n'ai pas tellement apprécié cette partie et, si c'était possible, j'apprécierais que M. Berthouzoz revienne sur ces notions.

Roger Berthouzoz. — Je vais vous expliquer le motif pour lequel j'ai terminé cette présentation en me référant à des chartes, à des codes et à des outils. D'abord, le présupposé de toute ma démarche est précisément que chaque personne porte en elle des valeurs. J'ai abordé cette question afin d'introduire l'idée, surtout devant les personnes qui contestent la pertinence d'une référence spirituelle ou éthique dans les affaires, ou celles qui contestent — et cela est encore plus grave — qu'il n'y ait d'autres finalités à l'entreprise que celle de maximiser le profit : selon ces personnes, les problèmes que connaissent nos sociétés ne sont pas reliés aux activités des entreprises... Je partage tout à fait les vues de mon collègue Ian Mitroff (voir le chapitre 2) sur ce sujet. Nous devons repenser le sens de l'entreprise. Une évolution formidable de l'organisation du travail doit se poursuivre.

D'autre part, Solange Lefebvre (voir le chapitre 3) a fait allusion à la cassure existant entre la vie privée et la vie publique. Je ne suis pas du tout certain que cette vue de notre existence, entre privé et public, soit vraiment analysée selon sa nature actuelle. Une part de ce qu'on appelle le *privé* se vit précisément en lieu de travail, ce dernier étant un lieu d'humanisation et de socialisation. Je crois que nous avons repris des schémas de vie privée/publique qui touchaient le problème de la conscience et de la liberté de conscience, et on s'est rendu compte qu'il existait une manière publique de vivre une religion, des valeurs ou une spiritualité qui pouvaient devenir aliénantes, violentes, et cela, pas seulement au XVIᵉ ou au XVIIᵉ siècle. Aujourd'hui encore, on soupçonne la foi, la religion et la spiritualité d'être des sources de division et de violence. Donc, repenser ces milieux de vie est la manière de structurer la communication spirituelle.

J'insiste à nouveau sur la fonction que jouent les chartes : elles permettent d'associer, de faire converger des personnes dont les expériences, les convictions et les buts sont différents, mais qui sont suffisamment attentives à des enjeux fondamentaux pour pouvoir les exprimer ensemble, les communiquer, les faire connaître et mettre en œuvre ces chartes. Il est évident que l'on pourrait dire à leur sujet, et c'est d'ailleurs la critique habituelle : « ce sont de belles paroles, mais ce n'est pas la réalité ». La réalité se joue dans la décision individuelle et dans l'action collective menée d'une façon régulière. Nous le savons, en effet.

Pour finir, j'aimerais attirer votre attention sur une dimension que je n'ai pas beaucoup développée, mais qui, pour moi, est tout à fait fondamentale : l'appui et les ressources que l'expérience spirituelle et la conviction de la foi peuvent apporter afin de mettre en œuvre de nouvelles pratiques dans l'entreprise ou dans le système économique.

Edward Aronson (étudiant au programme de doctorat en administration, Université McGill). — Il existe plusieurs religions et cultures différentes ainsi que plusieurs théories de l'éthique. L'animatrice de ce forum nous a demandé de réfléchir sur la nature des problèmes qui se posent au sujet de la différence entre les religions. Une des réponses possibles à ce questionnement est que nous avons de la difficulté à nous accepter mutuellement. Conséquemment, nous ne nous comprenons pas. Et comment peut-on d'ailleurs se comprendre, si l'on ne sait pas de quoi l'on parle ? Je crois donc que le problème central en est un de langage, de communication. Il concerne notre capacité à parler, à comprendre ce que représente l'éthique pour chacun d'entre nous, car cette éthique prendra toujours un sens différent pour chacun.

J'ai beaucoup aimé la présentation du professeur Dion. Dans un prochain forum, il serait peut-être utile qu'une telle présentation des différences ait lieu au tout début afin que nous ayons dès le départ la possibilité de mieux comprendre ces différences et partir de là.

Jean-Bernard Guindon (directeur, Centre de sécurité civile, Communauté urbaine de Montréal). — Ma question s'adresse à M. Ouimet. On a dit que le fait de se préoccuper de valeurs spirituelles dans une organisation n'empêche pas l'entreprise d'être rentable. Mais nous n'avons pas beaucoup parlé de l'aspect rentabilité. Quelle est cette rentabilité ? En quoi consiste véritablement le rendement ? Quel rapport y a-t-il entre une entreprise qui promulgue ces valeurs et la rentabilité, tant à long terme qu'à court terme ? Quel rôle jouent les valeurs éthiques dans cette rentabilité à court terme et à long terme ?

Je me questionne aussi sur un aspect de l'éthique : l'enrichissement démesuré des entreprises au détriment d'une vaste majorité de citoyens, privés des choses les plus essentielles à la vie — situation que l'on observe à l'échelle planétaire —, est-ce éthique ? Les valeurs éthiques ne doivent-elles pas aussi avoir un effet sur l'enrichissement de l'entreprise ? Peut-on imaginer que, grâce à ces valeurs éthiques, une entreprise établisse un meilleur équilibre à long terme plutôt que de ne viser que les profits à court terme?

J.-Robert Ouimet. — La réponse à votre question se trouve dans toute la doctrine sociale chrétienne et sans doute dans celles d'autres religions que je ne connais pas. De façon pratique, le point de départ pour la richesse, pour le droit de propriété, est vraiment la parabole des talents[1] : il faut qu'il y ait une justice et une équité dans la rémunération de chaque membre de l'entreprise. Dans notre économie de marché, la seule référence que nous avons se situe dans la comparaison des entreprises de taille et d'envergure similaires. Donc, à partir du moment où les êtres humains ont une rémunération et une sécurité sociale comparables à celles qui existent dans des entreprises similaires, dans un pays similaire et pour des activités similaires, il y a un minimum de justice sociale au départ.

Ensuite, dans notre Projet (voir le chapitre 7) il est clairement écrit que les gestionnaires assument des responsabilités grandissantes et plus lourdes que ceux qui ne sont pas gestionnaires. Pourquoi? Parce qu'ils sont privilégiés. Leur travail est plus stable que celui des non-gestionnaires. Ils sont souvent mieux protégés contractuellement que les non-gestionnaires. En plus, certains d'entre eux ont une capacité croissante d'épargner. Donc, ils sont moins vulnérables s'ils perdent leur emploi.

De même, pour un actionnaire — et je suis bien placé pour en parler — les responsabilités sont colossales. Le droit de propriété implique des obligations très lourdes qui vont beaucoup plus loin que la justice et l'équité au départ. D'où la nécessité de trouver progressivement des moyens de partager des valeurs dans l'entreprise, et de les proposer aux personnes qui œuvrent dans cette entreprise. Nous concluons souvent trop rapidement qu'il faudrait donner plus d'argent. Mon expérience personnelle, aussi limitée soit-elle, m'a permis de découvrir que, si au départ il y a équité et justice et que les gens sont traités correctement en comparaison avec d'autres, ce qui leur manque fondamentalement, c'est d'être traités en véritables êtres humains, des êtres aimés et habités par Dieu, Allah, Jéhovah ou employez le nom qu'il vous plaira. Les gens veulent à tout prix être considérés correctement et avec dignité.

---

1. *Matthieu*, 25,14-30.

J'arrive à la fin de la réponse à votre question, à laquelle, probablement, je n'ai pu répondre efficacement. C'est vraiment lorsque nous confrontons des résultats financiers difficiles que le test est réel. Une mauvaise situation peut mener à des mises à pied, à des fermetures d'usines. Et c'est là que la plupart des entreprises qui ont tenté de belles expériences spirituelles de générosité dans le milieu du travail ont manqué de sagesse. On parle ici de la sagesse de Salomon et non de celle de l'homme de réflexion face à une décision difficile. Cette sagesse de Salomon nous dit: «Bon, il n'y a plus d'issue; il faut congédier des personnes et, ensuite, on les accompagnera.» Au cours des quarante dernières années, j'ai eu l'occasion de vivre, à trois ou quatre reprises, ces expériences où nous avons effectué des mises à pied sérieuses, pendant lesquelles je me posais de sérieuses questions. Je n'ai pas vendu ma maison; j'ai gardé mon auto; je n'ai pas perdu mon emploi. Je me suis demandé comment un gestionnaire devait procéder «à la manière de Dieu». Faute de meilleurs outils à ce moment, ou de meilleures connaissances et compétences, il fallait fermer l'usine.

Jean-Marie Sala (directeur des affaires environnementales, Société d'électrolyse et de chimie Alcan). — J'ai bien aimé la conclusion de M. Benoît. J'ai cependant un problème avec les trois conditions que M. Ouimet nous a présentées à la fin de sa présentation. Je les accepterais et les intégrerais beaucoup plus facilement si elles étaient des conditions «souhaitables» plutôt que «nécessaires». Dans la mesure où, à l'intérieur d'une entreprise, chacun possède cette spiritualité qui ne demande qu'à éclore, je ne voudrais pas que, par ces recommandations de conditions «nécessaires» et «universelles», nous devions passer d'un management «par objectifs» à un management «par objections».

J.-Robert Ouimet. — Je défie n'importe qui de vivre dans une entreprise, évoluant dans une économie de marché, pendant un quart de siècle, sans rencontrer les trois conditions mentionnées (voir la fin du chapitre 7). Dans les limites de ma connaissance actuelle, je serais fou de joie que quelqu'un prouve le contraire et que, pendant un quart de siècle, il ait été possible d'observer, dans un département ou une entreprise, une croissance du mouvement des valeurs d'humanisation et de spiritualisation en boucle de rétroaction, alors que les patrons ne s'y sont pas intéressés. J'attends de le voir pour le croire.

Yves Benoît. — J'ai, pour ma part, mentionné dans ma conclusion que nous étions à la première étape. Je suis d'accord sur le fait que nous puissions aussi, probablement, trouver un « noyau » quelque part et travailler avec des ressources. Je partage la pensée de M. Ouimet quand il mentionne que si nous voulons aller plus loin, il faudra qu'il y ait d'autres personnes qui se joignent au projet et que l'organisation dans sa totalité s'implique davantage.

Maurice Villet (professeur, sciences économiques et sociales, Université de Fribourg). — J'aimerais ajouter une anecdote aux conditions « nécessaires » mentionnées par M. Ouimet. Sa thèse de doctorat, pour laquelle je fus le directeur, fut une « naissance aux forceps » ! Je me souviens lui avoir imposé plus ou moins ces conditions en lui disant : « Votre expérience est très belle, mais elle doit quand même avoir un caractère universel. Elle doit pouvoir être imitée, même s'il y a beaucoup de conditions d'imitation. » C'est à savoir si, comme toute œuvre scientifique, sa thèse sera un jour dépassée. Mais j'ai, pour ma part, accepté cela, comme des conditions « d'universalité ».

Eugène Houde (Formation 2000). — J'ai une question à l'intention de M. Ouimet. Vous avez dit que toutes les entreprises qui ont appliqué des valeurs similaires ont disparu. Je vois là une certaine contradiction avec ce que M. Villet vient de dire sur l'universalité du modèle : comment se fait-il que toutes les entreprises ayant appliqué un modèle similaire n'existent plus ?

J.-Robert Ouimet. — Je ne connais pas une seule entreprise qui ait pu actualiser la doctrine sociale catholique pendant un quart de siècle sans se limiter — et c'est déjà beaucoup — à l'établissement d'une justice et d'une équité matérielle : salaires et rémunération totale comparables à des entreprises similaires. La situation devient très difficile — je ne connais pas toutes les entreprises, je peux me tromper — au moment où les gestionnaires, les dirigeants, le conseil d'administration doivent, dans les cas de revirement économique, prendre de grandes décisions de redressement. Souvent, ces grandes entreprises qui ont disparu en voulant bien faire ont décidé de couper les salaires pendant six mois. Ce qui aurait pu être fait, c'est se pencher sur le bilan, sur les résultats de rentabilité, et les comparer avec ceux des concurrents et, s'il était nécessaire, supprimer 18 % des « êtres humains » (ce qui est plus difficile que 18 % des « employés »). Pour être capable de prendre une telle décision sans devenir « fou » — si on croit vraiment que chaque personne est créée, aimée et habitée par Dieu — il faut, soit avoir un groupe de ressourcement ou soit ne pas prendre cette décision et laisser l'entreprise disparaître. Le bon Dieu ne désire pas que l'entreprise disparaisse.

Horia Roscann (étudiant de doctorat en théologie). — J'ai eu les larmes aux yeux en entendant la présentation de M. Ouimet. Je ne sais pas si d'autres partagent mes sentiments mais je me suis dit que s'il y avait plus d'employeurs philanthropes et souriants comme lui, la vie serait encore plus belle dans le monde du travail. J'aimerais proposer, si cela n'existe pas encore, que l'un des buts de FIMES soit la définition des normes ISO des valeurs humaines. Ces normes envahissent graduellement le monde de l'écologie. Peut-être que, en management, nous pourrions définir des normes éthiques, écologiques, sociales, humaines et spirituelles ?

Michel Dion. — Aux États-Unis, le Council for Economic Priorities, à New York, a créé une série de critères éthiques. Ce ne sont pas des indices spirituels. Ils accolent une étiquette éthique aux entreprises qui répondent à ces critères, d'après leurs études annuelles. Nous pourrions aussi créer cela au Canada. Il y a aussi des fonds mutuels éthiques pour des gens qui veulent investir de façon éthique. Si cela vous satisfait, vous pouvez investir dans des portefeuilles qui conviennent à vos valeurs. Il existe plusieurs moyens, mais un indice qui serait fondé sur des valeurs spirituelles pourrait être assez original. À ma connaissance, cela n'existe pas encore.

Thierry C. Pauchant. — FIMES a démarré un projet sur cette notion. Nous l'appelons *l'audit du compas*. Il s'agit d'évaluer l'efficacité d'une organisation d'après les quatre points cardinaux : économique, social, écologique et spirituel. Cette approche devient aujourd'hui possible, car, de plus en plus, nous utilisons, en économie et en gestion, des approches dites « multicritères », c'est-à-dire des approches où l'on fait intervenir plusieurs données différentes.

Par exemple, la Banque mondiale a commencé depuis peu à évaluer les nations, non plus seulement sur le produit intérieur national brut — les richesses économiques produites par une nation — mais aussi sur la qualité de vie des populations, les conditions de santé, d'éducation, etc., et la qualité des ressources naturelles disponibles.

Dans l'entreprise, nous commençons à utiliser des critères qui dépassent strictement les données comptables ou financières. Body Shop, par exemple, conduit un audit écologique élaboré; Ben & Jerry's évalue ses contributions sociales; des « bilans sociaux » commencent à apparaître, avec toutes les difficultés méthodologiques que cela implique. Les critères mentionnés par M. Ouimet sont très avant-gardistes. Medtronic, aux États-Unis, entreprise classée *Fortune 500*, en a développé d'autres. Au Canada et au Québec, Estelle Morin, des HEC, qui a fait sa thèse de doctorat sur l'efficacité des organisations, et Michel Guindon, professeur en comptabilité, ont proposé de nouveaux indicateurs comptables de performance. Ces critères incluent, par exemple, le nombre d'employés congédiés dans l'année, la satisfaction de la clientèle, le nombre d'infractions aux lois, le climat de travail, etc. Ces critères sont aujourd'hui acceptés par l'Ordre des comptables généraux licenciés du Québec[1]. Les Administrateurs agréés du Québec ont aussi proposé des principes dits de « saine gestion », où l'on évalue des indices comme l'équité, la transparence, etc. Ces indices sont à la base d'un système d'accréditation[2].

Le développement de l'approche multicritère — si on ne tombe pas dans l'excès de mathématiques — suggère d'autres possibilités et, oui, nous pourrions imaginer évaluer nos organisations, non seulement sur une base éthique, mais aussi sur une base spirituelle. Abraham Maslow, par exemple, dénonçait des conditions de travail qui rendaient « l'âme malade ». Simone Weil a, de même, défini certains « besoins de l'âme ». Forcément, avec cette approche, nous arriverons à terme à de tels critères. Les comptables eux-mêmes le demandent, car beaucoup d'entre eux considèrent que leurs évaluations sont trop unidimensionnelles. Ce sont des humains comme vous et moi qui ont aussi des aspirations éthiques, spirituelles, etc. À FIMES, nous tenterons de proposer de tels critères. Mais cela demandera du temps et un travail très important de recherche.

---

1. Voir E. M. Morin, M. Guidon et E. Boulianne, *Les indicateurs de performance*, 1996.
2. Voir B. Brault, *Exercer la saine gestion...*, 1999.

J.-Robert Ouimet. — En toute humilité, permettez-moi de vous suggérer, en réponse à votre question et à votre commentaire, de lire les six chapitres de notre Projet (voir le chapitre 7). Cet ouvrage ne contient pas toutes les réponses à vos questions, mais vous trouverez suffisamment d'éléments aux plans éthique, moral et spirituel, pour en discuter longuement.

Intervenante anonyme. — Je travaille sur l'éthique et la gestion et j'ai beaucoup d'intérêt pour ce forum. J'ai été cependant un peu frustrée par l'aspect ethnocentrique catholique. M. Pauchant a cependant abordé la question. J'ai aussi été apaisée par l'intervention de M. Dion. J'aurais pourtant aimé que ce forum, dans son esprit international, réunisse plusieurs perspectives et soit plus ouvert à d'autres types de spiritualité, à d'autres éthiques. Voici une citation de Saint-Exupéry : « Si tu diffères de moi, mon ami, loin de me léser, tu m'enrichis. » Ce serait intéressant que ce forum soit une occasion d'échanges, d'ouverture, et intéressant aussi de considérer l'être comme une entité *intégrative*, comme « nature », comme « culture » et comme « liberté », ainsi que le proposait M. Berthouzoz.

Intervenante anonyme. — Je trouve un peu dommage que lorsque nous parlons de christianisme, nous ne parlions que du catholicisme. Je peux le comprendre, mais il y a aussi le protestantisme, dont la particularité première est, justement, qu'il n'y ait pas d'intermédiaire entre l'individu et Dieu. J'aimerais mentionner aussi qu'il existe un document de l'Église unie du Canada sur l'œcuménisme qui invite toutes les religions, et tous les gens de bonne volonté, quelles que soient leurs convictions religieuses, ou athées de bonne volonté, à soigner la création de Dieu, création qui est en péril. Je pense que dans cet appel œcuménique, l'Église unie va très loin pour la réunion des peuples.

Michel Dion. — Cette remarque est effectivement pertinente et disons que la religion protestante — et cela vaut autant pour la religion luthérienne que pour la religion calviniste — se distingue de la religion catholique. Je n'ai pas eu le temps de faire ces distinctions dans mon exposé. Mais dans mes cours, je fais toujours la distinction entre les valeurs des catholiques, des luthériens, des calvinistes et aussi des orthodoxes dans le monde chrétien, pour essayer de les distinguer, quoiqu'il faille admettre que cela ne soit pas trois mondes totalement différents... Ces religions sont relativement proches, mais elles présentent quand même des différences importantes.

Thierry C. Pauchant. — Nous avons la chance de vivre la fin d'un millénaire. Avec l'avènement de l'an 2000, plusieurs événements, qui peuvent devenir historiques, se préparent. Par exemple, Jean-Paul II a annoncé une rencontre interreligieuse à Assise, dans un souci de dialogue interreligieux. Nous verrons si cette rencontre a lieu. Des scientifiques, des politiciens, des religieux, en connexion avec l'Unesco, ont aussi affirmé la nécessité de concevoir une Déclaration internationale de protection des générations futures, mettant l'accent sur des devoirs des êtres humains et non seulement leurs droits, complétant ainsi la Déclaration universelle des droits de l'homme de 1948[3]. Imaginez! Nous parlerions de droits mais aussi de devoirs! Simone Weil avait demandé une telle déclaration internationale des responsabilités des êtres humains en 1941. Sa proposition est incluse dans son livre *L'enracinement* dans lequel toute la première partie est consacrée aux *besoins de l'âme*. Voilà, encore là, une autre source d'inspiration pour établir des critères spirituels dont nous parlions. Pour elle, la notion « d'obligation » prime sur celle du « droit », car une personne seule sur une île déserte n'aurait aucun « droit », seulement des « obligations » afin de survivre. Elle considère que l'obligation est d'origine divine : ses conditions dépassent l'humain et visent à nourrir convenablement l'âme et le corps.

Pierre Desaulnettes (président, CIIT). — Permettez-moi cette boutade : « Il est toujours plus facile de pratiquer sa chasteté dans un couvent que dans une maison close. » Sans assimiler les entreprises à des maisons de prostitution, je dirais qu'il est plus facile d'exprimer sa spiritualité dans un forum comme celui-ci qu'en milieu de travail. Ce qui m'amène à faire cette remarque : nous avons entendu un témoignage poignant, mais anonyme, de cette personne de la fonction publique. Elle exprimait ce que M. Pauchant appelait « l'écrasement de l'individu ». J'ai eu l'occasion de le ressentir à diverses reprises et surtout dans les grandes entreprises. La personne qui n'est

---

3. F. Mayor, « Pour une éthique planétaire », *Le Nouvel Observateur*, numéro hors série, 1996, p. 56.

plus capable d'exercer son libre arbitre est celle qui est obligée d'agir presque contre sa conscience. Qu'allons nous faire dans les jours et les mois qui viennent, pour que des gens à l'intérieur des entreprises, des cadres et des cadres supérieurs, aient connaissance de ce qui s'est dit à l'occasion de ce forum? C'est à partir de ce moment que les choses pourront changer.

J.-Robert Ouimet. — J'ai une réponse très pratique à vos questions. Pour trouver une solution à cet «écrasement» de l'être humain, particulièrement aux paliers les plus bas de l'entreprise évoluant dans une économie de marché, il faudrait utiliser ce qu'on appelle le 15ᵉ outil de management: les enquêtes (voir le chapitre 7). Ces enquêtes respectent l'anonymat et sont produites par des experts externes. Elles comportent 25 questions sur lesquelles nous avons travaillé depuis huit ans et je dois dire qu'elles ne sont pas dépourvues d'intelligence. Elles cernent une quinzaine de valeurs fondamentales et permettent d'obtenir scientifiquement le «cardiogramme du bien-être». Ces enquêtes ne sont ni parfaites, ni complètes, mais elles sont mieux que rien du tout.

Souvent, les premières enquêtes disent peu de chose. Les gens ont peur, et avec raison. Mais après deux ou trois ans, ils voient bien que personne n'a été congédié, «comme par hasard», six mois après l'enquête. Ils s'en aperçoivent. Ils constatent aussi que l'entreprise fait des gestes pour corriger, non pas les 32 choses qu'ils ont soulignées, mais 12 ou 14. Puis, quelques mois après l'enquête, les hauts dirigeants les rencontrent et leur expliquent ce qu'ils pensent pouvoir améliorer dans un temps déterminé. Après quatre enquêtes sur une période de sept ans, «l'écrasement diminue». Cela est scientifiquement prouvé. Mais il devrait y avoir un peu moins d'orgueil au niveau de la haute direction. Je parle pour moi, et non pour les autres. Personne n'aime se faire dire les faits directement. C'est pour cette raison que ces enquêtes externes et anonymes existent.

J'espère ne pas offenser quiconque, mais, considérant la qualité et la beauté de ce qui nous enrichit tous et toutes depuis 48 heures, je propose que ce soir, chacun d'entre nous, à l'endroit où il sera, adresse à qui il voudra — le Créateur, le *Higher Power*, le Dieu Amour ou autre — un mot pour Le remercier de ce qui nous a enrichi et nourri depuis deux jours, durant ce forum.

Conclusion

*Toute pensée ou action managériale
est basée sur une certaine conception
du vrai, du bien et du beau*

Thierry C. PAUCHANT

Dans ce chapitre de conclusion je présente
une évaluation du forum faite par les participants et participantes. Je
propose de plus de considérer que le management est avant tout
l'actualisation d'une certaine conception du vrai, du bien et du beau,
qui comporte des implications épistémologiques, éthiques et esthétiques très concrètes et fort importantes pour nos organisations et leur
impact sur notre monde.

Puis, ayant noté l'influence actuelle de nos organisations sur la
structuration de nos sociétés et de nos vies, l'impact planétaire de
nos technologies avancées et l'accroissement de l'idéologie néolibérale dans le système politico-économique mondial, je conclus que
nous sommes littéralement acculés à la philosophie et à l'éthique :
nous n'avons comme choix que de mettre en place collectivement
une éthique planétaire et de rendre les aspirations et les valeurs
spirituelles les plus sociales et concrètes possibles.

Revenant enfin à la notion de « niveaux de conscience » développée dans le chapitre d'introduction de ce livre, je présente un modèle
systémique mettant en évidence les interrelations complexes qui existent entre ces niveaux de conscience et la santé de nos corps, les

valeurs dominantes dans nos sociétés ainsi que le type d'institutions, de technologies et de pratiques de management que nous développons. Ce modèle systémique me permet également de définir plus précisément les dangers potentiels associés à l'utilisation de l'éthique et de la spiritualité en management et de signaler quelques-unes des conditions essentielles à leur développement et leur application.

Enfin, je tire 12 constats généraux dérivés du chemin parcouru dans ce livre et je propose plusieurs axes de priorités pour les activités futures du FIMES.

1   Évaluation du forum et du contenu de ce livre

Nous sommes arrivés au terme de ce premier livre sur l'intégration de l'éthique et de la spiritualité en management. D'autres suivront. Pour l'instant, j'aimerais partager certains résultats d'une évaluation, conduite auprès des participants et participantes à ce premier forum. Une présentation plus complète de ces résultats a été effectuée par Maguelone Boë et Nathalie Morin, toutes deux graduées du programme de M.Sc. en management des HEC de Montréal et assistantes de recherche pour le FIMES. Cette évaluation est disponible sur le site Web du FIMES[1] et présente un point de vue critique sur le contenu de ce livre. Cette évaluation permet, de plus, de tracer certaines lignes directrices pour les tâches à accomplir dans le futur.

Sur les 197 participants et participantes au forum, 69 ont remis un questionnaire complété. Considérant que nous n'avons pas demandé d'évaluation ni aux personnes qui ont présenté une communication, ni à celles qui ont travaillé à l'organisation du forum (environ 30 personnes), le taux de réponse fut de plus de 40 %, ce qui est très acceptable. Ces réponses proviennent à 70 % de consultants, cadres et exécutifs travaillant dans l'industrie privée et le secteur public (50 %) et dans le secteur associatif (20 %), et à 30 % de professeurs, étudiants et chercheurs scientifiques, représentant le milieu universitaire.

Le premier Forum international sur le management, l'éthique et la spiritualité fut un succès. Un fort pourcentage (87 %) des participants et participantes se sont déclarés «totalement satisfaits», «très

---

1. Voir N. MORIN et M. BOË, *Évaluation du premier Forum international sur le management, l'éthique et la spiritualité*, 1998, www.hec.ca/fimes

satisfaits » ou « satisfaits » de son contenu et de son processus. Des commentaires positifs ont salué particulièrement les apprentissages réalisés (89 %, dont 66 % à court terme et 23 % à moyen ou long terme) ainsi que le format du forum (80 %). Les répondants ont particulièrement apprécié la richesse du forum, la qualité des conférenciers et conférencières, l'équilibre atteint entre la théorie et la pratique et la diversité des milieux organisationnels représentés (entreprise privée et publique, milieu universitaire, etc.). Ces personnes ont de plus apprécié l'utilisation de temps de silence et de pauses musicales, facilitant la réflexion, l'introspection et la méditation, la participation active de l'auditoire ainsi que l'organisation sans prétention du forum[2]. D'après ces commentaires, le forum a été jugé respectueux des personnes et des différents points de vue et aspirations exprimés, ce qui a permis de créer un climat convivial, authentique, enrichissant et rempli d'espoir.

Les commentaires émis visent des améliorations sur les points suivants : un encadrement plus directif des dialogues avec l'auditoire (25 %) ; moins de contenu religieux et, en particulier, catholique, à la faveur d'autres religions ou d'autres pratiques spirituelles non religieuses (25 %) ; et le développement d'apprentissages encore plus pratiques, directement utilisables dans les organisations, ce qui demanderait peut-être une formule d'ateliers, durant le forum (19 %).

Les participantes et participants ont aussi exprimé leur opinion quant aux rôles futurs que le FIMES devrait jouer. D'après eux, ces rôles incluent, dans l'ordre :

1. la publicisation de modèles, d'outils et d'approches pratiques afin d'intégrer l'éthique et la spiritualité dans l'entreprise, par le biais de publications, de vidéos, de logiciels et de conférences ;
2. l'assistance directe aux gestionnaires par l'entremise de séances de formation, de cercles de dialogue, d'activités de conseil et d'accompagnement ;

---

2. Le format que nous avons adopté pour ce forum fut quatre périodes de trois conférences plénières d'une demi-heure chacune, chaque période étant suivie d'un dialogue d'une heure avec l'auditoire. Les conférences et les dialogues furent aussi entrecoupés par des moments de silence et de musique classique, interprétée sur scène par une pianiste. Une animatrice professionnelle avait la tâche d'assister le processus d'échange, de réflexion et d'apprentissage.

3. la création de programmes d'éducation et de diplômes formels et la constitution d'un réseau actif pour la diffusion de l'information ;

4. la nécessité de conduire de la recherche appliquée afin de fournir des définitions plus précises, de tester l'efficacité d'outils et de modèles, de réaliser des expérimentations intéressantes, d'étudier la pensée d'auteurs importants et de rassembler et d'évaluer l'information pertinente ;

5. et, enfin, ouvrir la réflexion à de multiples religions, comme le christianisme, l'hindouisme, l'islam, le judaïsme, etc., ainsi qu'aux traditions spirituelles non religieuses, comme le bouddhisme, la psychologie transpersonnelle, les traditions ancestrales, les pratiques spirituelles autochtones, les disciplines méditatives, certains arts martiaux, etc.

Nous avons déjà intégré les commentaires concernant les forums et les activités suggérées dans la vison stratégique et les politiques générales du FIMES (voir l'Annexe 1). De nouveau, ces commentaires indiquent qu'il existe une demande réelle et spécifique chez les gestionnaires pour une meilleure intégration des richesses économiques, éthiques et spirituelles dans les organisations. Je ferai à présent état de plusieurs raisons pour lesquelles répondre à cette demande ne correspond pas seulement à un souhait personnel, mais aussi — et surtout — à un impératif planétaire.

2 L'impératif de rendre l'éthique objective et planétaire

Dans l'introduction de ce livre, j'ai exposé un certain nombre de raisons qui motivent le développement et l'utilisation concrète de principes éthiques en entreprise. Comme nous l'avons vu, des facteurs comme la crise de l'emploi, la crise du sens, la crise écologique ou la crise du croire poussent différents groupes sociaux — les employées, les gestionnaires, les consommatrices, les investisseurs, les syndicats, les gouvernements, les universités, les institutions religieuses, etc. — à vouloir définir et actualiser des valeurs éthiques capables d'orienter les pensées et les actions managériales. Cette réalité *systémique* — c'est-à-dire le fait que cette demande émane de différents groupes d'intérêts ou *stakeholders* — fait écho à l'économie qui devient de plus en plus systémique, globale, interconnectée, complexe. Comme nous l'avons vu dans l'introduction de ce livre, dans un monde systémique, les différences existant entre « ils » et « eux » s'estompent : les problématiques éthiques touchent de plus en plus un « nous » collectif.

La pensée systémique, depuis sa création au tout début de la philosophie et des sciences, vers le VIIe siècle avant Jésus-Christ, a tenté de combattre les méfaits de la fragmentation, ou de ce que nous appelons plus communément aujourd'hui la « spécialisation[3] ». Dans ce livre, nous avons abordé à plusieurs reprises le problème de la fragmentation. Il a par exemple été suggéré que des différences importantes existent entre les valeurs personnelles et profondes qui animent les personnes, gestionnaires ou non, et celles qui sont tolérées au travail.

Il est évident que la spécialisation a de nombreux avantages. Elle est à l'origine d'une efficience accrue, de l'identité des métiers, des corporations professionnelles et d'une expertise plus facilement négociable. Je ne remets aucunement en question les bienfaits de cette spécialisation. Mais force est de constater que, souvent, les efforts consentis à la spécialisation ne sont pas contrebalancés par le développement, en même temps, d'une vision plus intégrative, plus globale, plus systémique. Jean-Marie Toulouse, dans ce livre, a insisté sur le fait qu'il devrait exister, pour la formation des gestionnaires, un équilibre entre l'instruction technique et spécialisée, et une éducation générale et critique (voir le chapitre 1).

Ce problème de fragmentation, c'est-à-dire ce manque d'adéquation entre les capacités spécialisées et une vision d'ensemble qui guide l'action, n'est pas nouveau. Si l'on attribue généralement l'origine de ce biais à René Descartes pour les sciences en général, à Adam Smith pour les sciences économiques et à Frederick Taylor pour l'administration en particulier, Hippocrate, le père fondateur de la médecine, dénonçait déjà les dangers de la spécialisation et prônait la nécessité d'embrasser une vision plus globale et systémique de la santé au Ve siècle avant Jésus-Christ[4] !

---

3. Sur la pensée systémique voir, par exemple, P. CHECKLAND, *Systems Thinking, Systems Practice*, 1981 ; C.W. CHURCHMAN, *The Systems Approach*, 1968 ; J.-W. LAPIERRE, *L'analyse de systèmes...*, 1992 ; T. C. PAUCHANT et I.I. MITROFF, *La gestion des crises et des paradoxes...*, 1995 ; P. SENGE, *The Fifth Discipline*, 1994 ; ou L. VON BERTALANFFY, *General System Theory*, 1968.

4. Voir L. AYACHE, *Hippocrate*, 1992.

Dans ce livre, de nombreuses personnes ont insisté sur la nécessité d'utiliser cette pensée systémique afin de permettre l'intégration de l'éthique et de la spiritualité dans les organisations. Par exemple, Ian Mitroff a soutenu qu'une approche systémique est une condition *sine qua non* pour qu'un changement durable s'opère (voir le chapitre 2); J.-Robert Ouimet a basé son Projet sur les interrelations existant entre six groupes d'intervenants et leurs différentes valeurs et responsabilités (voir le chapitre 7); Vera Danyluk a décrit l'adéquation nécessaire qui doit exister entre ses valeurs profondes et le service qu'elle rend aux employés, aux élus et aux concitoyens (voir le chapitre 8); Yves Benoît a de même stipulé qu'une meilleure intégration des valeurs spirituelles dans le réseau de la santé a été rendue possible par la création d'équipes multidisciplinaires (voir le chapitre 9); enfin, Roger Berthouzoz a dénoncé les dangers de n'utiliser qu'une discipline afin de guider les pensées et les actions — l'économisme (voir le chapitre 13).

De façon plus générale, tous les contributeurs et contributrices à ce livre, sans se consulter préalablement, ont dénoncé les dangers de la fragmentation et ont indiqué que le désir d'éthique et de spiritualité en entreprise émane d'une volonté de vivre une vie plus unifiée, plus systémique, répondant à un besoin d'enracinement, de « faire partie du tout » et de contribuer à son bien.

L'un des apports les plus importants de la pensée systémique au management a été de suggérer que, pour assurer la pérennité d'une organisation ainsi que son développement, il est nécessaire de connaître avec précision les différents « enjeux » qui animent ses multiples « groupes d'intérêt » ou *stakeholders*, ainsi que de pouvoir répondre adéquatement à ceux-ci. La notion de *stakeholder*, plus large que celle de *shareholder*, inclut toute personne ou groupe de personnes ayant un intérêt particulier envers une organisation ou qui est affecté par ses activités. L'une des difficultés les plus importantes en management, en leadership ou en stratégie, est de pouvoir effectivement répondre adéquatement à ces groupes qui sont motivés par des enjeux, des motivations, des besoins fort différents. Souvent, par exemple, les besoins des consommateurs sont différents de ceux des investisseurs. L'emphase actuelle mise sur les besoins de la clientèle dans le monde des affaires, mais aussi en administration publique, peut-être vue comme un contre-balancement de l'emphase mise, dans le passé, sur les seuls besoins des investisseurs.

De nombreuses personnes ne réalisent pas que ce problème d'équilibre, face à des enjeux et des besoins disparates, est en fait un problème *d'éthique* : chaque groupe poursuit, en fait, une éthique différente qui influence ses besoins, ses motivations, ses désirs ainsi que sa conception du vrai et du faux, du bien et du mal, du beau et du laid. Le problème managérial en matière d'éthique n'est donc pas seulement de choisir et d'appliquer *une* éthique universelle, mais de répondre adéquatement à *des* éthiques différentes, chacune pouvant souvent invoquer des raisons légitimes afin de défendre son point de vue. Si la première stratégie émane de la supposition de base selon laquelle nous vivons dans un « univers », c'est-à-dire un monde où il existe *une* vérité, *une* façon de concevoir les choses et d'agir, la seconde stratégie présuppose, au contraire, que nous vivons dans un « plurivers », un monde où il existe *plusieurs* vérités, *plusieurs* façons de concevoir les choses et d'agir. Le fait que la notion même de « plurivers », proposée par William James au début du siècle[5], soit étrange pour de nombreuses personnes, indique bien la force de la vision universelle qui prévaut dans nos sociétés et sur nos « habitudes du cœur », comme le disait joliment Alexis de Tocqueville[6].

Pour donner un exemple, Claude Béland (voir le chapitre 5) a particulièrement bien décrit les « éthiques » différentes qui animent le système bancaire en général et le système coopératif en particulier. Condamner ou idéaliser l'un ou l'autre système fait partie de nos habitudes de fragmentation. Comme l'a rappelé Roger Berthouzoz (voir le chapitre 13), chaque système génère sa propre rationalité et ses propres pratiques, et dérive de ces créations un sens de l'identité. Le fait que des préférences peuvent s'affirmer, décréter une fois pour toute qu'un système est « diabolique » et qu'un autre représente « le bien suprême » non seulement traduit qu'il existe une certaine fragmentation mais, de plus, empêche les possibilités d'enrichissements réciproques.

---

5. Sur cette notion de « plurivers » voir W. JAMES, *The Writings of William James*, 1965, p. 405-417.

6. A. DE TOCQUEVILLE, *Democracy in America*, 1956 ; Voir aussi R.N. BELLAH *et al.*, *Habits of the Heart*, 1985 pour une analyse contemporaine du caractère et de la culture américaine et, de façon plus large, de nombreuses nations occidentales.

Au niveau organisationnel, une démarche éthique consiste donc à prendre en compte les intérêts des *stakeholders*, internes et externes, de l'entreprise si ces intérêts sont considérés dans la société ambiante comme moraux et légaux, et à répondre aux enjeux majeurs auxquels notre monde est confronté, comme nous le verrons ci-dessous.

Cette démarche éthique-systémique est basée sur la notion *d'adéquation* qui a été formulée, dans les sciences modernes, par le cybernéticien Ross Ashby[7], mais elle l'avait déjà été à travers les siècles, par des auteurs comme Platon, en philosophie, ou saint Thomas d'Aquin, en théologie. Ce principe d'«adéquation», aussi connu sous le nom de «principe de variété requise», soutient qu'un système, comme une organisation, doit avoir le même degré de complexité, en son sein, que la complexité présente dans son environnement. Comme l'a indiqué Jean-Marie Toulouse dans ce livre (voir le chapitre 1), ce problème de l'«environnement» est l'un de ceux auxquels il est le plus difficile de répondre en gestion.

Mais le problème éthique ne se pose pas seulement au niveau collectif. Si la pensée systémique aide à mieux comprendre et permet de répondre aux différents enjeux poursuivis par des entités disparates — des enjeux financiers, stratégiques, légaux, logistiques, mais aussi sociaux, écologiques, moraux et spirituels —, différentes éthiques existent aussi au niveau personnel et nous invitent à entamer une conversation profonde avec nous-mêmes. S'il est déjà difficile d'étudier les motivations qui animent des groupes différents, sonder les multiples tensions qui nous habitent profondément — nos «habitudes du cœur» — est parfois plus difficile encore. La première stratégie demande une analyse sociopolitique, la seconde une introspection personnelle. Le «connais-toi toi même» de Socrate, tâche difficile, est pourtant considéré comme l'une des qualités essentielles de tout bon gestionnaire ou leader[8].

Les conflits entre les différentes éthiques personnelles sont particulièrement visibles à l'occasion d'une crise majeure. Des études ont par exemple montré qu'un bon nombre d'ingénieurs de la NASA, après l'explosion de la navette spatiale Challenger en 1986, ont été

---

7. Voir R. ASHBY, *Introduction to Cybernetics*, 1956. Voir aussi sur cette notion, appliquée à la pensée économique, E.F. SCHUMACHER, *A Guide for the Perplexed*, 1977, chap. 4 et 5.

8. Sur ce sujet, voir W. BENNIS, *On Becoming a Leader*, 1989, chap. 3.

affectés dans l'ensemble de leurs expériences subjectives, leurs différentes « éthiques[9] » : ces personnes ont été bouleversées en tant que gestionnaire, scientifique, employé, ingénieur, citoyen, parent, ami, humain, être spirituel, etc. Certaines ont, par exemple, remis en question leur expertise en tant qu'ingénieur, en se demandant : « Suis-je un bon ingénieur ? Aurais-je pu prévenir cette tragédie ? » D'autres ont remis en question l'expertise de la NASA, voire le rêve collectif de la conquête de l'espace. D'autres encore se sont posé des questions plus intimes : suis-je une bonne personne qui est disponible pour ses amis ? qu'aurais-je pu faire de plus ? À la maison, certains parents ont dû être confrontés aux questions posées par leurs propres enfants : « Papa, maman, est-il vrai que vous êtes responsables de la mort des astronautes ? »

Comme l'a suggéré Chester Barnard dès 1958, la question de l'éthique dans les organisations pose aussi bien le problème des différents intérêts poursuivis par les divers groupes situés à l'intérieur et à l'extérieur de l'organisation que le problème, non pas de l'identité d'une personne, mais de ses identités multiples[10] : « De quel point de vue dois-je juger cette situation ? Quelle éthique dois-je adopter ? Ma foi religieuse ? Mon rôle de vice-président en finance ? Mes obligations en tant que membre du conseil d'administration ? Mes responsabilités et droits en tant que client des produits de mon entreprise ? Mes croyances et valeurs en tant qu'être spirituel ? » Souvent, ces différents rôles et les différentes éthiques rattachées à chacun, tous légitimes d'un certain point de vue, mèneront à des pensées et à des actions fort différentes.

Barnard fut l'un des premiers, dans les sciences administratives, à la fin des années 1950, à demander qu'une formation adéquate soit donnée aux gestionnaires et aux leaders afin que ceux-ci puissent aborder, le mieux possible, des situations complexes et déchirantes. Encore aujourd'hui, cette préparation à la complexité éthique fait défaut. Certaines organisations vont même jusqu'à imposer, de façon formelle et informelle, un point de vue unique — souvent la défense des intérêts de l'organisation — afin d'éviter cette complexité éthique et les problèmes de conscience qu'elle génère. Comme nous l'avons

---

9. Pour cet exemple, voir T. C. Pauchant et I.I. Mitroff, *La gestion des crises et des paradoxes...*, 1995, chap. 1.

10. Voir C.I. Barnard, « Elementary Conditions of Business Morals », 1958.

vu, de nombreux gestionnaires souffrent de cette fragmentation et désirent agir autrement. Aussi ai-je suggéré dans l'introduction de ce livre que différents types d'éthiques sont associés à différents niveaux de développement de la conscience. Je reviendrai sur ce sujet capital dans ce chapitre.

2.1 La quête du vrai, du bien et du beau

D'une certaine façon, cette demande pour une meilleure intégration de l'éthique en organisation, et en particulier une éthique inspirée spirituellement, touche à l'un des problèmes qui ont hanté l'être humain depuis la nuit des temps : la recherche du vrai, du bien et du beau. Cette recherche a mobilisé la vie entière d'une multitude de personnes, que ce soit en philosophie, en théologie, ou en spiritualité : Platon, Aristote, Thomas d'Aquin, Emmanuel Kant, Wilhem Windelband, Kahlil Gibran, John Dewey, Hannah Arendt, Pierre Teilhard de Chardin ou Simone Weil, pour ne nommer que ceux-là[11]. La « quête de sens » qui mobilise tant de gestionnaires aujourd'hui peut être considérée d'un point de vue général, comme une « quête éthique ». Elle émane de la réalisation que toute pensée ou action managériale présuppose une certaine conception du vrai, du bien et du beau, conception qui engendre des effets fort réels sur la pratique du management et sur le monde naturel, social et spirituel.

Dans l'entreprise, la *conception du vrai*, par exemple, influencera le choix des types d'outils ou d'approches à privilégier afin de prendre des décisions : enquêtes statistiques, modèles économétriques ou analyses financières ? Ou alors : les décisions intégreront-elles des analyses politiques, le sentiment des personnes concernées, leurs états d'âme, leurs intuitions ou des valeurs fondamentales ?

---

11. Pour ces auteurs, voir E. HAMILTON et H. CAIRNS, *The Collected Dialogues of Plato*, 1963 ; ARISTOTLE, *The Ethics of Aristotle...*, 1955 ; THOMAS D'AQUIN, *St. Thomas Aquinas...*, 1982 ; E. KANT, *Critique of Pure Reason*, 1965 ; W. WINDELBAND, *History of Philosophy*, 1958 ; K. GIBRAN, *The Prophet*, 1982 ; J. DEWEY, *Logic*, 1938 ; H. ARENDT, *The Human Condition*, 1958 ; P. TEILHARD DE CHARDIN, *Hymne de l'univers*, 1961 ; S. WEIL, *L'enracinement*, 1949. Sur la recherche du vrai, du bien et du beau et ses relations avec les différents niveaux de conscience discutés dans l'introduction de ce livre, voir K. WILBER, *A Brief History of Everything*, 1996, chap. 8, « The Good, the True and the Beautiful », p. 120-134.

La *conception du bien* influencera, quant à elle, des décisions affectant l'équité et la justice, comme, par exemple, la redistribution des richesses — doit-on privilégier les actionnaires, la clientèle, les employés, la communauté ou la société en général ? Elle influencera, de plus, les méthodes d'organisation du travail qui se traduisent, entre autres, dans les politiques en ressources humaines, en santé et sécurité ou dans les conventions collectives.

Enfin, la *conception du beau* influencera, par exemple, les décisions prises au sujet du design des produits et des services, ainsi que les politiques environnementales en vigueur dans une organisation — peut-on polluer une rivière au nom de l'efficacité financière ? Elle influencera, de même, la construction de grands ouvrages — une autoroute qui longe une plage peut être pratique, mais est-elle esthétique ?

Il faut évidemment faire attention à la généralisation — abusive — que je viens d'effectuer. Sans entrer dans des considérations philosophiques qui deviendraient trop techniques, résumer la recherche du vrai, du bien et du beau à « l'éthique » est un raccourci qui a tous les défauts d'un raccourci. En philosophie et en théologie, cette recherche correspond à des branches différentes, bien qu'interreliées. La recherche du vrai, par exemple, est un enjeu *épistémologique*, la fonction de l'épistémologie étant de différencier ce qui est considéré comme « vrai » de ce qui est considéré comme « faux ». La recherche du beau, quant à elle, est un enjeu *esthétique*, l'une des branches les plus complexes en philosophie, l'analyse esthétique tentant de définir le « beau » et le « laid ». Enfin, la recherche du bien est un enjeu *éthique*, la fonction de l'éthique étant — comme je l'ai proposé dans l'introduction de ce livre — de distinguer le « bien » du « mal », ce qui est « moral » de ce qui est « immoral ».

Je ne fais pas cette remarque sur les différents domaines de l'épistémologie, de l'esthétisme et de l'éthique afin de « couper les cheveux en quatre », ou plutôt, dans ce cas, en trois. Comme nous le verrons, il est nécessaire de faire en sorte que ces différents domaines gardent leurs spécificités propres, tout en les intégrant dans un ensemble plus large. Par exemple, Emmanuel Kant a distingué la recherche du vrai, du bien et du beau dans trois livres différents, considérés comme une trilogie, soit, respectivement : *Critique de la raison pure*, un livre qui traite surtout d'épistémologie ; *Critique de la raison pratique*, un livre sur l'éthique ; et *Critique du jugement*, centré sur l'esthétisme[12]. De même, en théologie, saint Bonaventure a distingué entre trois modes de réalité, « l'œil du corps », « l'œil de la raison » et « l'œil de la contemplation », et a proposé des distinctions entre ces différents modes de réalité et l'appréhension du vrai, du bien et du beau[13].

Il est dangereux, pour le monde en général et la vie organisationnelle en particulier, de rassembler dans un même tout la recherche du vrai, du bien et du beau. Dans le passé, nous avons déjà connu un tel « aplatissement du réel » dû à la domination de l'un de ces termes. Des systèmes dogmatiques religieux, par exemple, ont dicté les comportements en imposant une vision de la « vérité », du « vrai », faisant dériver de cette vérité les notions de « bien » et de « beau ». Aujourd'hui, nous sommes peut-être, surtout dans les milieux économiques, sous l'emprise, non plus de la religion, mais de la raison et, en particulier, de la raison instrumentale. Cette raison détermine à son tour sa propre conception du « bien » et du « beau » par le type de « vérité » qu'elle propose, c'est-à-dire une vérité concrète, observable, mesurable. Le point n'est, bien sûr, aucunement de condamner une fois pour toutes la religion ou la raison sous prétexte qu'elles ont dominé, à certains moments historiques, notre vision du monde ; il s'agit plutôt de rester vigilant aux différences qui existent dans la recherche du vrai, du bien et du beau et de ne pas tolérer qu'un des termes « aplatisse » les autres.

Le philosophe Charles Taylor est l'une des voix qui s'est le plus élevée contre cet « aplatissement de la réalité » par la raison. Son point, encore une fois, n'est pas de condamner le développement de cette raison, cette « quête du vrai », mais de tenter de retrouver un équilibre entre le vrai, le bien et le beau[14] ; ou, pour le dire autrement, entre l'épistémologie, l'éthique et l'esthétique ; ou pour le dire encore différemment et selon une autre grille d'analyse, entre la réalité du corps, de la raison et de la contemplation. Écoutons-le.

---

12. Pour une introduction à ces œuvres, voir de H. J. DE VLEESCHAUWER, *L'évolution de la pensée kantienne*, 1939.

13. Sur ces trois modes d'appréhension de la réalité voir E. GILSON, *La philosophie de saint Bonaventure*, 1953.

14. Voir C. TAYLOR, *Hegel*, 1975, et *Sources of the Self*, 1989.

Nous avons conquis notre liberté moderne en nous coupant des anciens horizons moraux. Nos ancêtres croyaient faire partie d'un ordre qui les dépassait. Dans certains cas, il s'agissait d'un ordre cosmique, d'une « grande chaîne des êtres », dans laquelle les êtres humains figuraient à leur place parmi les anges, les corps célestes et les autres créatures terrestres. [...]

Quand une société n'a plus de structures sacrées, quand l'organisation sociale et les modes d'action ne reposent plus sur l'ordre des choses ou la volonté de Dieu, elle tourne, en un sens, à la foire d'empoigne. Tout peut être repensé en fonction de la quête du bonheur et du bien-être des individus. La raison instrumentale détermine l'étalon qui prévaut désormais. [...]

En un sens, cette transformation nous a libérés. Mais elle a suscité aussi cette inquiétude très répandue que la raison instrumentale n'a pas seulement élargi son domaine propre, mais qu'elle menace de prendre entièrement possession de nos vies. Nous craignons que des décisions, qui devraient être soumises à d'autres critères, ne soient prises en termes d'efficacité ou d'un rapport entre coûts et bénéfices, que les fins autonomes qui devraient éclairer nos vies soient éclipsées par le désir d'accroître au maximum la productivité. On pourrait signaler quantité d'exemples qui alimentent ce malaise : l'utilisation des exigences de la croissance économique pour justifier la répartition très inégale des biens et des revenus, ou la façon dont ces mêmes exigences nous rendent insensibles aux besoins de l'environnement, au point de nous mener peut-être au désastre[15].

Pour mieux comprendre les relations subtiles qui peuvent exister entre la recherche du vrai, celle du bien et celle du beau, les séparant d'un côté afin d'éviter l'effet « d'aplatissement » évoqué, tout en les rassemblant de l'autre dans un ensemble équilibré, j'aimerais revenir à la notion de niveaux de conscience que j'ai exposée dans l'introduction de ce livre, me référant aux travaux de Ken Wilber[16]. Pour le dire succinctement, la « fusion » à éviter entre la recherche du vrai, la recherche du bien et celle du beau est du type « prépersonnel » et

---

15. C. Taylor, *Grandeur et misère de la modernité*, 1992, p. 13, 15, 16.

16. K. Wilber a lui-même traité de cette question de l'intégration subtile du vrai, du bien et du beau. Voir *A Brief History of Everything*, 1996, chap. 8.

celle souhaitée du type « transpersonnel ». Dans le premier cas,
l'épistémologie, l'éthique et l'esthétique ne sont pas encore différen-
ciés, et toute fusion des trois risque de dégénérer en un aplatissement
de leurs différences sous l'effet de l'écrasement exercé par un seul
terme ; dans le second cas, ces modes de recherche ont été différen-
ciés et sont devenus relativement matures, « personnalisés », si bien
qu'une fusion subtile peut s'effectuer alors, qui préserve à la fois
leurs différences et les les intègre dans un ensemble équilibré[17].

Cette incursion en philosophie et en théologie peut sembler dépla-
cée dans un livre destiné à des gestionnaires. Mais la philosophie et
la théologie ne sont pas seulement le fait des philosophes et des
théologiens. Aujourd'hui, de plus en plus d'employés, de gestionnaires et de cadres supérieurs réalisent que *leur métier est en fait une
philosophie et une théologie appliquées* ; non pas une philosophie ou
une théologie de salon où l'on dissèque les termes et les idées, assis
dans un fauteuil, bercé par le crépitement du bois dans l'âtre, à l'abri
des enjeux réels vécus concrètement dans le monde. Non. De plus en
plus de personnes, qui travaillent dans les organisations et qui sont
affectées par elles, réalisent aujourd'hui que le management et le
leadership sont en fait une philosophie et une théologie de l'action
qui engendrent des conséquences bien réelles et concrètes sur leur vie
et le sort du monde, que ce monde soit naturel, social ou spirituel, et
les trois en même temps.

Dans le présent livre, Ian Mitroff est la personne qui a peut-être
posé le problème le plus directement, tout en proposant ce que peu
de personnes ont le courage d'aborder. Pour lui, le management est,
avant toute chose, « une gestion de la vérité » et « une gestion de
l'esprit » (voir le chapitre 4). Pour le dire autrement, toute pensée et
action managériales émanent, consciemment ou non, d'une éthique
— prise dans un sens générique —, c'est-à-dire d'une certaine

---

17. En philosophie, c'est à mon avis les pragmatistes qui, jusqu'à présent, ont
le mieux effectué ce tour de force subtil. Le pragmatisme, l'une des dernières
grandes philosophies proposées durant le XXᵉ siècle, est souvent assimilé, à tort, à
une vision «utilitaire» et «instrumentale» des choses ou est même trivialement
reconnu comme ayant seulement une orientation « pratique ». Différemment, des
auteurs comme William James ou John Dewey ont proposé de concevoir que
l'éthique, inspirée de l'esthétisme, était le fondement de la vérité. Les étudiants en
sciences organisationnelles, ainsi que les gestionnaires eux-mêmes, gagneraient à
mieux connaître le pragmatisme.

conception du vrai, du bien et du beau et ont des effets importants sur le monde en général, y compris les valeurs morales des personnes et leurs aspirations spirituelles. En ce sens, la question primordiale n'est pas : « doit-on intégrer l'éthique en management ? » puisqu'une certaine forme d'éthique est déjà à la base de toute pensée et action managériale. La question fondamentale est plutôt : « Quels types d'éthiques et de spiritualités veut-on promouvoir au travail ? »

Pour le dire autrement, ce livre aurait pu s'appeler *Le management de l'éthique et de la spiritualité*. Ce titre aurait suggéré que, de façon volontaire ou non, consciemment ou non, toute action managériale repose sur une éthique et a des effets importants sur les richesses économiques, sociales, écologiques, morales et spirituelles du monde. Pour donner un exemple, la personne qui gère un fonds mutuel dans le seul but de maximiser son rendement, ainsi que celle qui tente d'obtenir un rendement compétitif tout en respectant des critères moraux qui font l'objet d'un consensus, actualisent toutes les deux une certaine conception de l'éthique ; de même des politiques générales qui dénient les valeurs profondes des personnes ainsi que leurs aspirations spirituelles, et d'autres politiques qui encouragent le développement de ces aspirations, « gèrent » toutes l'esprit des personnes, la première en « l'écrasant », la seconde en encourageant son éclosion. Il est probable, cependant, que ce titre, *Le management de l'éthique et de la spiritualité*, ou même *Gérer le vrai, le bien et le beau*, aurait surpris.

Encore une fois, la recherche du vrai, du bien et du beau et de leur équilibre subtil n'est pas seulement une quête intellectuelle perdue dans les méandres des mots et des concepts. Elle s'exprime aussi concrètement dans des activités quotidiennes. Des millions de personnes tentent chaque jour d'atteindre cet équilibre en achetant des biens, des services ou de l'information sur le marché. Il est intéressant de noter qu'on assiste aujourd'hui à un « refus du faux » par un nombre grandissant de consommateurs et consommatrices[18], ou, plus précisément, un « refus du faux », du « mal » et du « laid ». Il est évalué que ce refus anime environ un quart de la population adulte, soit, aux États-Unis, environ 45 millions de consommateurs et

---

18. Sur ce « refus du faux », voir P.H. RAY, *The Integral Culture Survey...*, 1996 ; C. SPRETNAK, *The Resurgence of the Real...*, 1997 ; « Reclaiming Real Life », *Utne Reader*, 1997.

consommatrices[19], ce qui représente — c'est le moins qu'on puisse dire — un marché potentiel important. Ce refus du faux, du mal et du laid se traduit fort concrètement, par exemple, par l'achat de maisons plus traditionnelles, qui s'inscrivent dans l'environnement ambiant ou qui demandent à être restaurées dans leur beauté d'antan ; un refus des objets en plastique, des imitations, des objets à jeter après utilisation ou de ceux qui sont manufacturés à grande échelle ; une recherche de produits artisanaux et un retour aux matériaux naturels, tels le coton, le chêne ou le granite ; dans le domaine alimentaire, une volonté de consommer des produits naturels et d'éviter les produits chimiques, les colorants, les manipulations génétiques et les agents de conservation ; une volonté de moins jeter mais de recycler, de préserver et d'acheter des produits durables, de résister aux achats impulsifs et aux achats d'objet à la mode ou obéissant à des considérations de statut.

Cette quête du vrai, du bien et du beau s'exprime aussi dans une volonté de connaître l'histoire des produits : leur lieu de fabrication, qui les a fabriqués, dans quelles conditions et avec quelles conséquences, positives et négatives, ils ont été produits ; la recherche d'expériences véritables au cours des voyages, qu'ils soient historiques, culturels, spirituels ou religieux ; une volonté d'investir dans des projets ou des entreprises qui ne s'engagent pas dans des activités jugées immorales ou même amorales, d'où le développement de fonds mutuels éthiques, de portefeuilles d'investissements « verts », etc. ; un désir de développement personnel par le biais de *workshops*, de séminaires, de programmes éducatifs, de logiciels, de vidéos, de magazines ou de livres ; une volonté de redécouvrir les grandes traditions et les grands classiques, d'où les succès, par exemple, de livres tels que *Le monde de Sophie*, de Jostein Gaarder, *Les bâtards de Voltaire*, de John Saul ou *Un café pour Socrate*, de Marc Sautet.

Dans les entreprises et les organisations, cette recherche du vrai, du bien et du beau se traduit, par exemple, dans le choix d'entreprises moins agressives sur le plan marketing et qui vendent des produits, des services ou de l'information jugés nécessaires et moraux. Elle s'oriente aussi vers un management plus authentique, moins bureaucratique et moins politisé, qui respecte les personnes et encou-

---

19. Voir P.H. RAY, *op. cit.*, 1996, et sa description du groupe social nommé les «transmodernes».

rage leur créativité ; un refus des processus de production qui sont nuisibles aux personnes, aux contextes sociaux, à la nature ou à l'âme ; un désir de congruence entre la parole et l'action des cadres supérieurs et des politiciens ; ou la volonté de connaître les raisons réelles qui motivent des décisions.

2.2 Trois raisons pour rendre l'éthique objective et planétaire

Ces remarques sur la recherche du vrai, du bien et du beau suggèrent que l'éthique est un sujet complexe. Une conception éthique est le produit de groupes disparates et de la complexité de la personnalité humaine. Elle met en jeu, de plus, une réalité subjective, tout en ayant des effets bien concrets. Malgré sa complexité et sa diversité de sources et d'effets — liant le collectif, le personnel, le subjectif et le matériel — nous sommes pourtant obligés de rendre aujourd'hui l'éthique plus objective. Il est *impératif* que nous rendions l'éthique objective et planétaire, et ce pour trois raisons fondamentales que je commenterai brièvement : la place prépondérante qu'ont prise les organisations dans notre monde ; l'impact planétaire des technologies modernes ; et les effets globaux du système économique dominant, l'économie de marché.

2.2.1 *La place prépondérante qu'ont prise les organisations dans notre monde*

Notre monde devient de plus en plus « organisé ». La manifestation la plus visible de cette tendance, et souvent la plus critiquée, est l'influence qu'exercent les firmes internationales ou dites « transnationales[20] ». Bon nombre d'entre elles ont en effet des actifs financiers et des ressources humaines et technologiques plus importants que de nombreuses nations. Ces entreprises effectuent entre elles le tiers de toutes les transactions commerciales mondiales et, du fait de nombreuses fusions, acquisitions ou alliances stratégiques, leur poids politique et économique s'accroît encore. Si la notion d'*État-nation*, porteuse de démocratie, existe encore, les *transnationales* sont devenues, durant ce siècle, une force importante, et de plus en plus

---

20. Voir, sur ce sujet, D.C. KORTEN, *When Corporations Rule the World*, 1995, ou le GROUPE DE LISBONNE, *Limites à la compétitivité*, 1995.

autonome, du fait des règles du néolibéralisme. Elles sont même courtisées par les États.

Mais la croissance des transnationales n'est elle-même qu'un signe d'une tendance plus lourde. En 1938, Chester I. Barnard avait suggéré qu'il existait dans le monde plus d'organisations que de personnes[21]. Il avait peut-être raison. Dans nos sociétés modernes, une personne est membre de multiples organisations incluant, par exemple, des entreprises privées, des partis politiques, des mairies, des universités et des écoles, des organismes municipaux, des entreprises de service, des organismes gouvernementaux, des associations de bienfaisance, des clubs de toutes sortes, des associations multiples, des églises, des temples, des synagogues, etc. Parmi ces organisations, les organisations non gouvernementales (ONG) connaissent une croissance très importante[22].

L'influence que ces organisations exercent sur le monde ne s'explique pas simplement par leur nombre. Leurs logiques internes et leurs pratiques particulières (voir le chapitre 13), marquées par la culture ambiante de la montée de l'utilitarisme et de l'individualisme, influencent en retour la culture de nos sociétés et nos caractères. Dans un très beau livre signé par une équipe de sociologues, philosophes et théologiens, Robert N. Bellah et ses associés ont décrit « les habitudes du cœur » que ces entreprises ont aidé à forger. Bien que ce livre décrive la situation existant aux États-Unis, les thèmes abordés sont génériques et présentent une certaine conception moderne du vrai, du bien et du beau qui est celle de nombreux pays occidentaux. On y suggère, par exemple, que « détenir la vérité » — l'antique quête du vrai — se réduit aujourd'hui à « avoir la bonne réponse » ; qu'il ne faut plus simplement « être bon » — la quête éthique — mais qu'il faut devenir « bon à quelque chose » ; ou que la distinction entre le vrai et le faux est effectuée aujourd'hui en référence à l'argent qui a été gagné ou perdu. Comme ces auteurs l'ont écrit, reprenant le thème de la fragmentation :

> La caractéristique la plus remarquable de la société américaine du XXe siècle est la fragmentation de la vie en plusieurs secteurs fonctionnels distincts : la maison et le bureau, le travail et les loisirs, les cols blancs

---

21. Voir C.I. BARNARD, *The Functions of the Executive*, 1982, p. 4.
22. Voir « Between Nations and the World », *The Economist*, 1993.

et les cols bleus, le privé et le public. Cette division répondait aux besoins des corporations industrielles bureaucratiques qui, elles, nous suggéraient ainsi le meilleur modèle d'organisation de la société ; celui qui équilibrait et reliait les secteurs comme s'ils étaient des départements dans une entité fonctionnelle, comme dans une grande entreprise [...].

Au sein de la petite localité du milieu du XIXe siècle, il était évident que le travail de chacun contribuait au bien-être de tous ; que le travail constituait une relation morale entre les personnes ; qu'il ne générait pas seulement une source de satisfaction matérielle ou psychologique. Toutefois, avec l'avènement des grandes corporations industrielles, il est devenu de plus en plus difficile de considérer le travail en tant que contribution au tout et, plus facile, de le voir plus en termes d'activités segmentées, égoïstes, visant l'intérêt personnel[23].

Bien que ces auteurs se réfèrent au siècle dernier, leur conception n'appartient pas au groupe des « traditionnels » présenté dans l'introduction de ce livre, groupe qui prône un retour au passé. Il est probable que, dans le futur, devant la montée du chômage, l'augmentation de la précarité de l'emploi, des contrats à très court terme, et l'idée de plus en plus répandue qu'une organisation n'a pas la responsabilité de fournir du travail à un employé, mais seulement de le rendre « employable », la tendance à s'orienter vers un intérêt personnel et fragmenté s'accroîtra chez un certain nombre de personnes.

2.2.2 *L'impact planétaire des technologies modernes*

Si l'impact des organisations sur notre monde est important, il en est de même de l'impact de nos technologies. Il est évident que dans de nombreux secteurs, nous avons dépassé — et de beaucoup — la limite de sécurité. L'idée qu'il est nécessaire de respecter des limites a déjà été abordée par Solange Lefebvre (voir le chapitre 3) et par moi-même (voir le chapitre 12). Pour le dire succinctement, nous avons récemment changé d'échelle sans trop nous en apercevoir, et notre maîtrise de la nature nous oblige maintenant à prendre de nouvelles responsabilités. Non seulement l'impact de nos technologies

---

23. R.N. BELLAH *et al.*, *Habits of the Heart*, 1985, p. 43, 66.

avancées est devenue planétaire, mais leurs interrelations multiples et systémiques ont parfois des effets contre-productifs. Par exemple, quand un bateau coulait au siècle dernier, les dommages étaient peut-être tragiques, ils étaient néanmoins minimes. Aujourd'hui, un accident de *super-tanker* peut polluer plus de 700 km de côtes[24]. Il est aussi probable que les nouvelles technologies — la biotechnologie, la robotique, la chimie supra-moléculaire — auront, dans le futur, des effets importants, positifs et négatifs, sur notre monde. Je donne, ci-dessous au tableau 5, des exemples de domaines dans lesquels nous avons dépassé la limite. Dans certains cas, nous avons dépassé la limite considérée comme viable 1800 fois[25]!

2.2.3 Les effets globaux du système économique dominant: l'économie de marché

Enfin, le poids de nos organisations, l'importance de la raison instrumentale et l'impact de nos technologies sont eux-mêmes encouragés par le système économique dominant qui se nourrit lui-même de ces trois facteurs. Bien que l'économie de marché se soit avérée être un système plus stable que d'autres, et plus séduisant pour beaucoup, il est certainement perfectible — c'est là un thème dominant dans cet ouvrage. De nombreux auteurs de ce livre ont aussi dénoncé les dangers de l'*économisme*, cet «aplatissement du réel» qui fait que le thème politique actuellement dominant dans de nombreuses démocraties n'est qu'économique, axé sur l'emploi et l'abondance matérielle.

De nouveau, nous sommes dans une situation où une certaine conception du vrai — l'illusion que «la croissance économique est la

---

24. La pollution du Exxon-Valdez a affecté 470 milles de côtes; à ce sujet, voir J. KEEBLE, *Out of the Channel...*, 1991.

25. Ces données proviennent de différentes sources: E. CHIVIAN *et al.*, *Critical Conditions...*, 1993; E. GOLDSMITH *et al.*, *Imperiled Planet...*, 1990; GROUPE DE LISBONNE, *Limites à la compétitivité*, 1995; D.C. KORTEN, *When Corporations Rule the World*, 1995; G. LEAN et D. HINRICHSEN, *Atlas of the Environment*, 1992; D.H. MEADOWS *et al.*, *Beyond the Limits*, 1992; D. MÉDA, *Le travail...*, 1995; C.W. MONTGOMERY, *Environmental Geology*, 1992; P. LANOIE, B. LAPLANTE et M. PROVOST, Environnement, économie et entreprise, 1995; T. C. PAUCHANT *et al.*, *In Search of Meaning*, 1995; J. RIFKIN, *The End of Work*, 1995; P. SÉGUIN, *En attendant l'emploi...*, 1996; et D. SMITH, *Business and the Environment...*, 1993.

Tableau 5   Exemples de dépassement des limites

Production de produits dangereux	En 1990, l'industrie chimique américaine a fêté la création de son dix millionième produit chimique depuis 1957. • Un comité d'étude a conclu, après une analyse de 66 000 médicaments, pesticides et produits chimiques, qu'aucune donnée de toxicité n'était disponible pour 70 % d'entre eux et qu'une évaluation complète des dangers potentiels n'était envisageable que pour seulement 2 % de ces produits. • Le marché international des armes est évalué à plus de 2000 milliards de dollars par année, somme globalement équivalente à la dette totale du tiers-monde.
Énergie	L'énergie dépensée par jour dans une société industrielle comme la nôtre est évaluée entre 5 et 7 kilowatts par personne. On évalue actuellement qu'une dépense viable pour la planète ne devrait pas dépasser 1 kilowatt par jour et par personne. • Tous les cinq ans, chaque Nord-Américain produit l'équivalent du poids de la statue de la Liberté en déchets. • Un milliard de personnes, soit environ 20 % de la population humaine actuelle, consomme 80 % des richesses naturelles et de l'énergie disponibles.
Eau	La production d'une tonne de maïs nécessite l'utilisation de 1,1 million de litres d'eau, 4,5 millions pour une tonne de riz, et 34 millions pour une tonne de bœuf. • Un être humain a un besoin biologique de 4,5 litres d'eau par jour (1 gallon). Aux États-Unis, la consommation de la population, de l'industrie et de l'agriculture équivaut à 8100 litres par jour et par personne (1800 gallons), soit 1800 fois plus. • Un quart de l'eau potable sur la planète n'est plus utilisable, car polluée, alors que l'eau potable ne représente que 0,009 % de toute l'eau disponible. • Tous les quatre ans, un nouveau désert de la taille de l'Allemagne est créé sur terre.
Travail	Au Japon, le *karoshi*, la mort résultant du travail trop intensif, est officiellement la seconde cause de décès des hommes, juste après le cancer. • En Amérique du Nord, entre 50 et 75 % des personnes au travail sont considérées comme présentant des caractéristiques de comportement de « type A », se manifestant par un sentiment d'urgence chronique, une compétitivité exagérée allant jusqu'à l'agressivité, une aversion pour l'oisiveté ou de l'irritation devant les obstacles. • Le chômage touche actuellement plus de 40 millions de personnes dans les pays de l'OCDE, comparativement à 11 millions en 1973. Dans le monde, on évalue à plus de 800 millions les adultes privés de travail.
Divers, par jour et par heure...	Chaque jour, environ 100 espèces animales et végétales disparaissent à tout jamais. • Chaque jour, un individu en Occident est exposé à près de 2500 messages publicitaires. • Chaque jour, on échange sur le marché financier international l'équivalent de la valeur financière annuelle totale produite dans le monde entier. • Chaque heure, près de 10 km^2 de forêt tropicale sont détruits. • Chaque heure, 3600 millions de barils de pétrole sont brûlés. • Chaque heure, 1500 personnes meurent de malnutrition.

source du bonheur » — dicte notre conception du bien et du beau. Fondamentalement, la quête actuelle pour l'éthique et la spiritualité dans l'entreprise émane de cette reconnaissance que, malgré tous ses avantages, la fragmentation du réel entretenue par l'idéologie du marché, accrue par la thèse néolibérale, est dangereuse quand elle est comparée à la complexité et à la beauté de la vie et du monde.

L'évolution de la signification du mot « monde » à travers l'histoire traduit d'ailleurs cette fragmentation. Formé du latin *mundus*, « l'univers », ce mot a connu une première fragmentation en signifiant non plus « l'univers » mais « la terre », le « monde terrestre » ; une seconde fragmentation fut introduite au XIIᵉ siècle, la notion de « terre » faisant place à celle de société, d'où l'expression « être mondain » ou « faire des mondanités » ; la dernière fragmentation est apparue très récemment, dans les années 1950, avec l'introduction des mots « mondialiser » et « mondialisation », qui ont réduit le social à l'économique. Du cosmos et de son ballet de planètes, de dieux et de déesses, nous sommes passés à notre terre ; de la terre, chargée de roches, d'eau et d'humus, à nos sociétés humaines ; et, enfin, de l'humain, pétri de politique, d'art et de sentiment, à l'économisme. Aujourd'hui on attribue le titre « de classe mondiale » aux entreprises les plus performantes du seul point de vue économique.

2.3   Stratégies pour rendre l'éthique objective et planétaire

L'impératif de rendre l'éthique objective et planétaire est une nécessité vitale pour les trois tendances lourdes mentionnées ci-dessus. Le pari que nous avons emprunté au Siècle des lumières de « maîtriser la terre » par la raison, la science, la technologie, et maintenant l'économie, a été gagné. Comme le dit l'académicien des sciences français, Michel Serres, nos prouesses scientifiques et technologiques et les dangers qu'elles recèlent, en dépassant des limites viables, nous acculent à la moralité et à la philosophie :

> Nous maîtrisons le monde et devons donc apprendre à maîtriser notre propre maîtrise. Voyez le retournement rapide des choses : que nous puissions faire ceci ou cela, nous devons, immédiatement, gérer cette faculté. Dominons-nous la planète ou la reproduction ? Alors aussitôt, nous devons décider, j'allais dire sagement, sous de probables menaces, de tous les éléments de cette domination. Sans nous en apercevoir, nous sommes passés du pouvoir au devoir, de la science à la morale, et

l'iceberg a pivoté. Exemple : pourrons-nous choisir le sexe de nos enfants ? Que faire, alors, si les futurs parents choisissent tous ou des garçons ou des filles ? [...] Oui, nous sommes acculés à la morale et à la philosophie[26] !

Dans la recherche du vrai, du bien et du beau, il se peut également que nous assistions aujourd'hui à une revanche du « bien » sur le « vrai ». Alors que la science traditionnelle tente d'établir ce qui est vrai ou faux dans le monde matériel, notre impact sur ce monde matériel — avec ses implications sur le cœur et l'âme des personnes — nous oblige à nous demander aujourd'hui non plus seulement ce qui est « vrai », mais aussi ce qui est « bien ». Michel Serres a évoqué cette nécessité :

> La question « disons-nous vrai ? » converge vers la question « faisons-nous bien ? » À quels dangers de violence, de famine, de douleurs, de maladies, de mort... ces mondes nouvellement créés exposent-ils nos contemporains et leurs successeurs, les générations futures ? Le problème, épistémologique, du faux converge donc vers le problème, éthique, du mal. La loi « dis vrai » converge vers la règle « tu ne tueras point »[27].

Rendre l'éthique objective et planétaire — tout en respectant sa subjectivité et son enracinement dans la personne — prendra du temps. Dans ce livre, plusieurs stratégies ont été suggérées afin d'aider à débuter ce voyage, plaçant l'éthique dans un horizon spirituel. Je n'en rappellerai ici que quelques-unes, de façon succincte et partielle. Mon but est de rendre compte de la diversité des approches proposées :

— Un cheminement inspiré d'une tradition religieuse spécifique mais ouvert à d'autres traditions, disséminé et soutenu dans une organisation par un petit nombre de personnes.
— L'encouragement d'une intégration spontanée, stimulée, par exemple, par une réforme touchant un secteur d'activité dans sa totalité.

---

26. M. SERRES, « Nous entrons dans une période où la morale devient objective », 1994, p. 95-96.
27. M. SERRES, *Atlas*, 1994, p. 244.

— La création d'un espace sécurisant de changement permettant à la conscience elle-même de se modifier.
— L'utilisation de la pensée systémique dans un contexte d'expérimentation et d'apprentissage continu.
— La définition d'une philosophie de gestion et la mise en place d'un design organisationnel particulier.
— L'appel aux valeurs profondes qui animent les personnes ainsi qu'à leur héritage religieux.
— La création de rituels et le développement de modèles inspirant la vie.
— L'utilisation de chartes des valeurs, de codes d'éthique et d'outils de management.
— L'identification de valeurs communes à différentes religions et le recours à ces valeurs.
— La création d'espaces de dialogue entre soi et les autres.
— Le développement et l'intégration sociale d'une nouvelle conception du travail.

Toutes ces stratégies présentent, bien sûr, un intérêt, plusieurs d'entre elles se recoupant. D'autres pourraient être ajoutées à cette liste déjà riche. Cela suggère qu'il existe de multiples voies et qu'un important travail de recherche-action est nécessaire afin d'évaluer les conditions d'utilisation de ces stratégies et leur performance dans différents contextes organisationnels ou sociétaux. J'ai inclus dans cette liste certaines stratégies déjà mises en œuvre concrètement :

— L'institution sérieuse de serments professionnels, comme les médecins le font encore aujourd'hui avec le serment d'Hippocrate.
— L'utilisation du droit international afin de délimiter des contraintes minimales, comme cela a été fait pour le bannissement des CFC, des armes chimiques ou des mines antipersonnel.
— La mobilisation des citoyens et citoyennes du monde, misant sur un changement émanant du *bottom-up*[28].
— La création d'une Déclaration internationale sur les responsabilités de la personne, complémentaire à la Déclaration universelle des droits de l'homme de 1948.

---

28. Voir sur ce sujet D.C. KORTEN, *When Corporations Rule the World*, 1995.

— L'institution d'organismes d'évaluation des pratiques éthiques des organisations, tel le Council on Economic Priorities, basé à New York, qui évalue pour ses membres dépassant le million, près de 200 entreprises et 2500 produits d'après 10 critères sociaux[29].

— L'utilisation des apprentissages profonds réalisés à l'occasion de l'expérience douloureuse d'une crise majeure; en sont un exemple les 10 principes créés par la Coalition of Environmentally Responsible Economics après la crise écologique du Exxon-Valdez, connus sous le nom de principes de Valdez, auxquels ont souscrit de nombreuses entreprises[30].

— La proposition d'un nouveau « contrat mondial », comme celui, par exemple, déjà proposé par le Groupe de Lisbonne et qui suggère « d'aller au-delà de l'esprit de conquête[31] ».

— La création de programmes de formation, d'éducation et de recherche-action pour la promotion d'outils de management permettant le développement de richesses économiques, éthiques et spirituelles et pour, inversement, la promotion de nouveaux outils de management dérivés des pratiques spirituelles qui ont été encouragées.

Comme l'a rappelé M. Béland dans ce livre (voir le chapitre 5), il est « moins difficile » — expression qui suggère que cela n'est pas aisé — de mettre en place des principes éthiques dans une organisation ou à l'intérieur d'une profession établie, que dans une société ou au niveau international. Le développement d'une éthique objective et planétaire demandera probablement que de multiples personnes déploient des efforts importants, inventent et utilisent *adéquatement* les technologies performantes, et impliquera beaucoup de souffrances, individuelles et collectives. La spiritualité peut non seulement servir ici d'inspiration pour déterminer des bases éthiques, mais aussi

---

29. Voir Council on Economic Priorities, *Shopping for a Better World*, 1998. Le Council publie également un guide : *Rating America's Corporate Conscience*.

30. Voir B.W. Karrh, « Du Pont and Corporate Environmentalism », 1990, p. 74-76.

31. Voir Groupe de Lisbonne, *Limites à la compétitivité*, 1995.

fournir la force intérieure nécessaire au soutien de l'énergie, de la foi et de l'espérance des personnes engagées dans cette démarche.

3   Un impératif: rendre la spiritualité concrète et sociale

Avant d'aborder la spiritualité, il est fondamental de revenir sur les différences entre spiritualité et religion, tant elles sont importantes. Nous avons vu dans ce livre que si environ 90 % des gestionnaires en Amérique du Nord sont ouverts à la spiritualité, près de 60 % d'entre eux ont une perception négative de la religion (voir le chapitre 2). Comme le suggère le tableau 6 ci-dessous, inspiré des travaux que Ian Mitroff et Elisabeth Denton ont mené auprès de gestionnaires qui rejettent la religion mais qui sont ouverts à la spiritualité, ces différences sont marquées et même polarisées.

Ce rejet du religieux, perçu à tort ou à raison comme étant «imposé», «emprisonnant», «dogmatique», est paradoxal. Il est effectué par une majorité de personnes qui embrassent la notion d'économie de marché[32]. Le paradoxe tient au fait que l'idéologie propre à ce système économique — qui n'est que peu contestée dans le milieu économique dominant — a été évaluée par certains comme étant la plus récente et la plus secrète des religions!

Dans un essai susceptible de générer des controverses, le théologien Harvey Cox a récemment affirmé que notre système économique actuel présente tous les signes d'une religion établie[33]. Il soutient que si les religions reposent sur la notion fondatrice de l'existence de «Dieu», notre système économique fait de même avec le Marché. De plus, il avance que les trois caractéristiques générales d'une déité dans une religion traditionnelle monothéiste — *l'omnipotence, l'omniscience* et *l'omniprésence* — sont toutes les trois présentes dans la «théologie» — comme il l'appelle — de l'économie de marché.

L'omnipotence s'attribue rapidement le privilège de définir ce qui est réel et ce qui ne l'est pas. En économie de marché, cette caractéristique consiste, par exemple, à affirmer que toute chose peut être transformée en commodité qui peut être échangée sur un marché, et que cette réalité monnayable est la seule qui soit réellement impor-

---

32. Le groupe des «modernes» est majoritaire dans nos sociétés, comme nous l'avons vu dans le chapitre d'introduction.

33. Voir H. Cox, «The Market as God...», 1999.

Tableau 6 Quelques perceptions des gestionnaires
envers la religion et la spiritualité[1]

Religion	*Spiritualité*
Organisée	Personnelle
Formelle	Informelle
Structurée	Non structurée
Imposée du dehors	Provenant de l'intérieur
Dirigée	Choisie
Rigide	Flexible
Fermée	Ouverte d'esprit
Emprisonnante	Libératrice
Dogmatique	Enrichissante
Entraîne des divisions	Permet des rapprochements
Vie après la mort	Vie sur terre

1. Adapté de I.I. Mitroff et E. Denton, *A Spiritual Audit of Corporate America...*, 1999, chap. 3.

tante. La notion de « terrain » est un bon exemple de ce phénomène. Alors que cette notion a connu de nombreuses connotations à travers les âges — le lieu physique où s'enracine un peuple et une culture, la manifestation de la mère nature, la « preuve » esthétique de l'existence du Divin, la terre des ancêtres, un endroit où se ressourcer, un espace de détente, de plaisir ou de jeu, une propriété où une famille se retrouve chaque année, etc. —, la notion actuelle de « terrain » est souvent fragmentée dans le milieu immobilier à celle de sa valeur marchande. Des remarques identiques pourraient être faites au sujet du travail d'un être humain, des ressources dites « naturelles » ou du commerce des animaux.

L'omniscience, attribut voulant que la déité possède toute la connaissance, est aussi, d'après Harvey Cox, observable dans le domaine de l'économie de marché. Le marché est en effet supposé déterminer de façon optimale le prix de chaque bien, service ou information ainsi que les rémunérations qui devraient être considérées comme normales dans l'industrie. Ce marché est lui-même personnifié. On parle alors d'un « marché fébrile », « jubilant », « nerveux », « optimiste ». De plus, ce marché s'abreuve aux résultats de multiples analyses sur les tendances de la consommation future, de façon à pouvoir anticiper la demande et produire l'offre en conséquence — ce qui augmente encore son omniscience. Enfin, ce marché « consulte » les études produites par les analystes financiers, études qui influencent les tendances observées sur ledit marché, ainsi que les interventions médiatisées des « grands prêtres » de l'économie et de la finance internationale, tels Alan Greenspan ou George Soros.

Enfin *l'omniprésence*, attribut voulant que la déité soit présente en chaque chose, est aussi observable en économie de marché. Des méthodes économétriques sont, par exemple, utilisées pour déterminer le nombre optimal d'enfants qu'une famille devrait avoir, les vocations professionnelles à encourager, les politiques de santé, d'éducation ou de culture que le gouvernement devrait développer. Comme nous l'avons vu, les méthodologies de marché — plan de communication, stratégies marketing, techniques de promotion, méthodes de fidélisation, etc. — sont aussi utilisées dans les domaines les plus intimes, comme l'amour ou la spiritualité.

Les caractéristiques de l'économie de marché sont, évidemment, beaucoup plus complexes que celles évoquées ci-dessus et je ne puis développer ici les nuances introduites par Harvey Cox. Je n'indiquerai que deux de ses conclusions.

Première conclusion : si tous les médias rapportent abondamment les violences occasionnées entre groupes religieux, que cela soit entre les catholiques et les protestants en Irlande ou entre les hindous et les musulmans en Inde, relativement encore peu de voix dénoncent les avatars de la « religion de marché », qu'ils prennent la forme de la misère économique de populations entières ou de la destruction de la nature. Les manifestations à Seattle contre l'Organisation mondiale du commerce sont, peut-être, signe de changement.

Deuxième conclusion : cette nouvelle « religion », qui est peut-être la plus secrète, car elle n'est pas identifiée comme telle, est aujourd'hui l'alternative religieuse la plus importante face aux religions traditionnelles[34].

---

34. Comme nous l'avons vu dans l'introduction, le groupe des « modernes », qui embrasse les valeurs du marché, représente actuellement la tendance dominante.

Si Harvey Cox a raison, le rejet du religieux d'un côté, mais l'acceptation de l'idéologie religieuse du marché d'un autre côté, et ce par les mêmes personnes, est, en effet, paradoxal.

Mais un autre paradoxe existe au sujet de la religion, comparée cette fois non plus à l'idéologie de marché, mais à la notion même de spiritualité. Comme nous l'avons vu dans ce livre, les gestionnaires ouverts à la spiritualité recherchent en elle une possibilité d'intégration, de relation, une réponse à leur sentiment de fragmentation. Le paradoxe tient au fait que la fonction même de la religion est, aussi, de faciliter cette intégration, de « mettre en relation ». Le mot même de « religion » en latin dit cette relation: ce mot vient du latin *religare*, de *re* exprimant le recommencement, et *ligare* « lier », « attacher », « mettre en relation », « mettre en communication ». Littéralement, la « religion » signifie un désir et une possibilité de liaison, de relation, d'interrelations, d'attachement, envers soi-même, les autres, la nature et le divin. Être religieux, dans le sens de *religare*, c'est rechercher et honorer les relations, établir des liens durables, s'attacher affectivement, être « proche », ce qui est, en fait, ce que les gestionnaires recherchent dans la spiritualité. Nous sommes ici fort loin des notions de « dogme », « d'emprisonnement » ou de « séparation » qu'ils prêtent aux systèmes religieux.

Cette fonction de « relier », de prendre en considération des ensembles, de penser et d'agir en termes de totalité, de désirer et d'encourager un développement harmonieux global, est aussi la fonction de la pensée systémique qui a souvent été évoquée dans ce livre. Des théoriciens et théoriciennes ont même décrit les liens existant entre la théorie des systèmes et la spiritualité, ou la religion prise dans le sens de *religare*. C'est le cas, par exemple, de Joanna Macy qui, dans un livre brillant et touchant, a décrit les similarités existant entre la pensée systémique et le bouddhisme[35]. De même, le père moderne de la théorie des systèmes, Ludwig von Bertalanffy, a reconnu l'influence de la philosophie et de la théologie de Nicolas de Cues, un cardinal du XVe siècle particulièrement influencé par les présocratiques, les néoplatoniciens, saint Bonaventure et Maître Eckhart. Ludwig von Bertalanffy a même écrit un livre sur la pensée de Nicolas de Cues avant de publier son opus sur la théorie des sys-

---

35. Voir J. MACY, *Mutual Causality in Buddhism and General Systems Theory*, 1991.

tèmes[36]. Autre paradoxe, donc, entre ce désir de réunion, d'intégration, de fusion mature, exprimé par les gestionnaires et que ces derniers recherchent dans la spiritualité et la pensée systémique, et le rejet qu'ils opèrent de la religion, ignorant sa fonction de *religare*.

Mon propos, en rendant plus explicite ces deux paradoxes, ne vise pas à prêcher pour un retour aux religions traditionnelles. Il est de faire prendre conscience à la lectrice et au lecteur que si les différences de perception entre la religion et la spiritualité sont extrêmement tranchées et polarisées pour de très nombreux et nombreuses gestionnaires, le rejet des religions est lui-même paradoxal. Bien évidemment, le second paradoxe peut venir du fait que les religions traditionnelles n'ont pas su actualiser le *religare* défini ci-dessus ou ne sont pas perçues comme l'ayant fait. Bien que des données plus précises sur les perceptions des gestionnaires sur cette question seraient nécessaires, les travaux d'Ian Mitroff et d'Elisabeth Denton suggèrent que ces gestionnaires reprochent en particulier aux institutions religieuses de manquer de congruence, d'utiliser des dogmes de manière rigide ou de manquer de pertinence face aux problématiques complexes que pose la vie moderne. Une enquête réalisée dans 14 pays d'Europe, mais incluant également les États-Unis, les Philippines et Israël, a de même suggéré que les répondants — gestionnaires et non gestionnaires — considèrent en majorité que les religions traditionnelles ne peuvent aujourd'hui les aider à résoudre des problèmes quotidiens[37].

Mon propos n'est pas ici de trouver un ou des coupables que l'on pourrait rendre responsables de cette situation. Il est plutôt de suggérer qu'une « allergie » à la religion mène à un appauvrissement de la vie. Le théologien protestant Paul Tillich est, par exemple, l'une des voix qui a le mieux mis en garde la communauté des affaires de ne pas rejeter « l'esprit religieux », ce qui est différent des « institutions religieuses ». S'adressant à un auditoire composé de près de 300 personnes qui avaient fait l'objet d'un article de couverture dans *Time Magazine*, et donc incluant bon nombre de P.-D.G. d'entreprises classées *Fortune 500*[38], Paul Tillich n'a pas proposé à ces personnes de « rentrer au bercail ». Il a choisi plutôt d'indiquer les dangers

---

36. Voir L. von BERTALANFFY, *General System Theory*, 1968, p. 10-13.

37. Sur cette enquête, voir M. DOGAN, « Le déclin des croyances religieuses en Europe occidentale », 1995.

38. Sur cette intervention, voir W. et M. PAUCK, *Paul Tillich...*, 1989, p. 273-274.

inhérents à l'atrophie de la *dimension verticale* de la vie et du travail, comme le faisait aussi Simone Weil avec son axe de « pesanteur et de grâce » (voir chapitre 12). Ainsi qu'il l'a déclaré :

> J'ai la conviction que la caractéristique de la condition humaine tout comme celle de la vie en général est *l'ambiguïté* ; ce mélange inséparable du bien et du mal, du vrai et du faux, des forces créatrices et destructrices — tant au niveau individuel que social [...]. Celui ou celle qui n'est pas conscient de l'ambiguïté de sa perfection en tant que personne et dans son travail n'a pas encore atteint la maturité [...].

> Alors que le concept de l'ambiguïté de la perfection s'applique à la condition humaine en toute circonstance, il existe une ambiguïté qui correspond particulièrement bien à notre situation actuelle. Elle découle du fait que notre culture est « unidimensionnelle », c'est-à-dire déterminée par l'élan d'expansion suivant un axe horizontal : que ce soit la conquête de l'espace, la production d'outils toujours plus sophistiqués, une croissance des moyens et techniques de communication, le nombre sans cesse croissant de « biens culturels » offerts à chaque individu — tous des exemples d'« expansion horizontale » [...].

> Nous devons arrêter cette course dans l'unidimensionnel. Nous devons nous immobiliser ; nous introduire au cœur de la Création et nous unir à son Pouvoir Intérieur. Il est cependant difficile d'atteindre un tel repos dans une culture unidimensionnelle [...]. Le marché des « biens culturels » requiert toujours plus de production et d'échanges : c'est ce que signifie l'ambiguïté de l'expansion.

> Vous pensez peut-être que ces mots sont ceux d'un théologien qui cherche à vendre à tout prix le plus vieux des « biens culturels » : la religion. Mais ce n'est pas le cas. Même si l'on qualifie de religieuse l'expérience de la dimension verticale, ce n'est pas ce à quoi réfère habituellement le mot « religieux » [...]. La religion, en tant qu'expérience de l'« axe vertical », est présente dans toute œuvre créatrice, artistique ou même scientifique ; dans les créations éthiques ou économiques [...]. Dans ce sens, la religion est l'état dans lequel nous sommes envahis par l'« infiniment sérieux » de la quête du sens de notre vie et de notre ouverture à recevoir les réponses et à agir en conséquence. [...] La dimension verticale, celle des profondeurs, est autant présente dans le *profane* que dans le *religieux*[39].

---

39. P. TILLICH, « The Ambiguity of Perfection », 1963, p. 53.

Le phénomène « d'aplatissement du réel » est profondément dénoncé par Paul Tillich. Ses commentaires sur le développement unilatéral d'une « ligne horizontale », qui prend de plus en plus d'expansion, qui devient de plus en plus « globale », au détriment d'une « ligne verticale » — source de profondeur — est le cri de l'âme que l'on entend des gestionnaires mêmes. Même si Tillich note ici que cette ligne verticale n'émane pas seulement des religions, rejeter « l'esprit religieux » — ce qui est différent de rejeter les institutions qui l'encadrent — peut produire un appauvrissement important de nos cultures et de nos caractères.

Le rejet des religions ou le développement d'une allergie à tout ce qui est religieux peut aussi mener à une amnésie culturelle, faisant oublier les racines religieuses qui sont à la base même, encore aujourd'hui dans notre monde désacralisé, de nos civilisations et de nos « habitudes du cœur ». Ce thème a déjà été abordé dans ce livre. Pour prendre un exemple précis ayant des implications directes dans la pratique du management et du leadership, ce rejet systématique du religieux peut mener à un appauvrissement des apprentissages potentiels des gestionnaires. Il serait, par exemple, important d'apprendre des pensées et des actions de grands leaders inspirés par une tradition religieuse ou spirituelle. Je pense particulièrement, durant ce siècle et représentant différentes traditions, à l'abbé Pierre, au Dalaï-Lama, à Mahatma Gandhi, Vaclav Havel, Nelson Mandela, Martin Luther King ou Mère Teresa[40]. Il est évident que ces personnes — plusieurs d'entre elles ayant reçu un prix Nobel de la paix — ont dépassé, tout en les intégrant, les valeurs humanistes, et qu'elles opéraient à un niveau transpersonnel. Pour le dire autrement, ces personnes n'ont pas agi simplement en tant qu'humains responsables, engagés dans une cause humanitaire ou humaniste. Leur foi religieuse et leur profondeur spirituelle les a aussi inspirées et soutenues, et sans cette foi et cette aide spirituelle, il est certain que leurs actions auraient été

---

40. Voir Abbé Pierre, *Testament*, 1994; Dalaï-Lama, *Freedom in Exil*, 1990; E. Erickson, *Gandhi's Truth...*, 1969; V. Havel, *Disturbing the Peace*, 1990; N. Mandela, *Long Walk to Freedom*, 1994; M.L. King, *I Have a Dream...*, 1992; et Mère Teresa, *No Greater Love*, 1997. Un récent livre intéressant sur le leadership compare deux de ces leaders, Martin Luther King et Mahatma Gandhi, à d'autres, incluant Alfred P. Sloan, Jean XXIII, Eleanor Roosevelt et Margaret Thatcher; voir H. Gardner, *Leading Minds...*, 1995.

différentes, plus limitées, voire impossibles. Ces hommes et ces femmes comprenaient la nécessité et le bonheur de travailler au *religare*. Il me semble que se couper de ces exemples mène à un appauvrissement. J'espère que, dans le futur, des gestionnaires réussiront à passer outre leurs perceptions négatives, non pas obligatoirement pour joindre une religion traditionnelle, mais pour pouvoir puiser dans les religions ce qu'elles ont de plus beau à offrir.

3.1. La nécessité du dialogue

Retrouver et puiser dans les richesses des traditions religieuses — ce qui n'implique, je le redis, en aucune façon de se rallier à une religion traditionnelle — demande que soit instauré un processus qui transpire de presque toutes les pages de ce livre : *le dialogue*. En approfondissant ce qui a été dit au sujet de l'éthique et de l'approche systémique, une démarche éthique inspirée par la spiritualité conduira à inclure dans la liste des *stakeholders* des entités rarement prises en considération traditionnellement, par exemple : les populations les plus démunies, les générations futures, la nature, le divin[41]. Cette approche *systémique* de l'éthique est différente de celles souvent prônées dans les traités scientifiques et de celles généralement adoptées en entreprise. Il ne s'agit pas ici d'appliquer un ou plusieurs principes dits « universels », supposés garantir une position morale dans tous les cas. Il s'agit plutôt de rentrer en conversation avec soi-même et avec chaque *stakeholder* ou entité concernée, pour se mettre à la recherche du vrai, du bien et du beau[42].

Cette approche *dialogique* de l'éthique se fonde sur la rencontre profonde de plusieurs personnes ou entités, par la parole et le silence, par la raison et les émotions, par les sensations et l'intuition, l'introspection et la méditation. Ces entités incluent soi-même et les autres, les différents *stakeholders* — associés par leurs choix ou non aux activités d'une organisation —, mais aussi des entités imaginaires, comme la planète, Dieu, le diable ou des personnages mythiques[43].

---

41. Sur ce sujet voir T. PAUCHANT et I. FORTIER, « Anthropocentric Ethics in Organizations... », 1990.

42. Sur cette notion, voir W. ISAACS, *Dialogue...*, 1999, p. 310-317 ; D. ZOHAR, *Rewiring the Corporate Brain...*, 1997, chap. 8.

43. Sur cette vue « dialogique » de l'éthique, c'est-à-dire une éthique dérivée d'un dialogue profond avec soi-même et les autres, voir T. PAUCHANT et I.I.

Paul Tillich, pour continuer avec cet auteur, a particulièrement insisté sur la source dialogique de l'éthique, position qui était, par exemple, partagée par Martin Buber, provenant d'une autre tradition religieuse[44]. Comme Tillich l'a proposé :

> Une personne devient une personne dans la rencontre avec d'autres personnes, et par nul autre moyen. Toutes les fonctions de notre esprit sont basées sur ce que j'appelle la *réalisation morale de soi centré*. C'est cela la moralité — et non la soumission aux lois. La seule manière d'y arriver est par la rencontre d'un autre ego qui établit des limites. La nature accepte le contrôle humain et son activité transformatrice indéfinie, mais une personne résiste à ce genre de contrôle. L'autre personne ne peut être contrôlée comme la nature. Chaque être humain est une limite absolue, un mur indestructible qui résiste à toute tentative de le transformer en objet[45].

Cette reconnaissance de l'importance du dialogue, en particulier le dialogue interreligieux et le dialogue entre des personnes non croyantes et des personnes croyantes, connaît, depuis peu, un certain regain. Il existe quelques dialogues récents et fascinants : celui de l'abbé Pierre, fondateur du mouvement Emmaüs en France, avec Albert Jacquard, biologiste et vulgarisateur humaniste des sciences ; celui du Dalaï-Lama, chef spirituel des moines bouddhistes tibétains et prix Nobel de la paix, avec des membres de la World Community for Christian Meditation ; celui d'Umberto Eco, le philosophe, sémiologue et romancier célèbre, avec Carlo Maria Martini, jésuite, cardinal de Milan et recteur d'université ; le dialogue entre Jay Krishnamurti, philosophe indien et figure internationale en spiritualité, et David Bohm, théoricien en physique quantique, perçu par certains comme l'héritier d'Albert Einstein ; celui de Jean-François Revel, philosophe réputé, membre de l'Académie des sciences en France et non croyant, avec Matthieu Ricard, son fils, moine tibétain et interprète du Dalaï-Lama ; ou le dialogue d'Arnold J. Toynbee, le célèbre histo-

---

MITROFF, *La gestion des crises et des paradoxes*, 1995, chapitre de conclusion ; voir aussi C. R. ROGERS, *On Encounter Groups*, 1970 ; J. HABERMAS, *Communication and the Evolution of Society*, 1979, *Moral Consciousness and Communicative Action*, 1990 ; M. BUBER, *Pointing the Way*, 1990.

44. M. BUBER, *I and Thou*, 1958.
45. P. TILLICH, « Existentialism and Psychotherapy », 1990, p. 46.

rien, avec Daisaku Ikeda, bouddhiste et président de plusieurs organisations internationales[46]. Pour moi, ces dialogues représentent des exemples concrets de la possibilité d'une ouverture à des personnes différentes, ouverture qui est à la base même du développement d'une éthique et d'une spiritualité. J'aimerais citer ici une partie du dialogue entre Umberto Eco, non croyant, et Carlo Maria Martini, homme de foi. Ce passage fait état de certaines des conditions minimales nécessaires à l'établissement d'un dialogue entre croyants et non croyants, entre personnes de différentes confessions ou entre des praticiens et praticiennes de différentes disciplines spirituelles.

Umberto Eco : Les laïcs n'ont pas le droit de critiquer le mode de vie d'un croyant — sauf, comme toujours, s'il va à l'encontre des lois de l'État (par exemple, le refus de soumettre son enfant malade à une transfusion sanguine) ou bien s'il lèse les droits de ceux qui pratiquent une autre religion. Le point de vue religieux consiste toujours à proposer un mode de vie tenu pour optimal, tandis que, du point de vue laïque, on considère comme optimal tout mode de vie étant l'effet d'un libre choix, à condition que ce choix n'exclue pas celui d'autrui.

Par principe, je considère que personne n'a le droit de juger les obligations que les diverses confessions imposent à leurs fidèles. Je n'ai aucune raison de m'opposer au fait que la religion musulmane interdise la consommation de boissons alcoolisées ; si je ne suis pas d'accord, je ne me fais pas musulman. [...]

Il est des réceptions (on ne peut plus laïques) où le smoking est exigé, et c'est à moi de décider si j'accepte de me plier à une coutume qui m'irrite, car j'ai une raison impérieuse de participer à cet événement, ou si je veux affirmer ma liberté en restant chez moi [...].

Carlo Maria Martini : Chaque fois que l'on impose de l'extérieur des principes ou des comportements religieux à qui n'est pas consentant, on viole la liberté de conscience. J'irais même plus loin : si ces contraintes ont existé dans le passé, dans des contextes différents de ceux

---

46. Pour ces dialogues, voir Abbé Pierre et A. Jacquard, *Absolu*, 1994 ; *Le Dalaï-Lama parle de Jésus*, 1996 ; U. Eco et C. M. Martini, *Croire en quoi ?*, 1998 ; J. Krishnamurti et D. Bohm, *The Future of Humanity*, 1986 ; J.-F. Revel et M. Ricard, *Le moine et le philosophe*, 1999 ; et A.J. Toynbee et D. Ikeda, *The Toynbee-Ikeda Dialogue...*, 1976.

d'aujourd'hui et pour des raisons que nous ne pouvons plus désormais partager, il est juste qu'une confession religieuse s'en amende[47].

Je forme le vœu que ces conditions minimales soient respectées dans le futur, non seulement afin d'établir un minimum de tolérance entre différents points de vue, mais surtout afin de soutenir le développement d'une éthique dialogique et spirituelle du travail. De plus, le but fondamental de ces dialogues ne devrait pas être d'établir la « synthèse des synthèses » des religions et des mouvements spirituels du monde. Si la mise en évidence des similarités entre ces différents systèmes est intéressante et, d'un certain point de vue, nécessaire afin d'établir un terrain commun, cette « synthèse des synthèses », comme l'a proposé Michel Dion (voir le chapitre 14), risquerait aussi d'appauvrir les systèmes religieux ou spirituels en les réduisant à leurs plus petits dénominateurs communs. Comme il a déjà été suggéré, pour la recherche du vrai, du bien et du beau, un équilibre délicat doit s'opérer entre la compréhension et le respect des spécificités, de même qu'une intégration de celles-ci dans un tout plus grand — un paradoxe fondamental. Dans le passé, de nombreuses personnes ont tenté de proposer une « synthèse des synthèses » ou une *philosophia perennis*, une « philosophie éternelle », terme introduit en philosophie par Leibniz. Aldous Huxley fut l'auteur qui a peut-être le plus popularisé cette démarche durant ce siècle, avec les dangers d'aplatissement du réel qu'elle comporte[48]. En France, Jean Mouttapa a écrit un superbe livre sur ce sujet, annonçant peut-être « l'ère des échanges entre les religions[49] ».

Une tentative intéressante de dialogue, résistant à cette tentation de la « synthèse des synthèses », est poursuivie depuis plus d'un siècle par le Parlement des religions du monde[50]. Bien que certains de ses plus ardents défenseurs soient eux-mêmes critiqués par les autorités de leur propre religion — c'est le cas, notamment, du théologien Hans

---

47. Citations de U. Eco et de C.M. Martini, *Croire en quoi?*, 1998, p. 48-50 et 65.

48. Voir A. Huxley, *The Perennial Philosophy*, 1944.

49. Voir J. Mouttapa, *Dieu et la révolution du dialogue*, Paris, Albin Michel, 1996.

50. Voir H. Küng et K.J. Kuschel, *A Global Ethic...*, 1993.

Küng, ouvertement critiqué par l'Église catholique[51] —, ce mouvement a signé, en octobre 1993, une première déclaration en vue d'établir une éthique planétaire. Cette déclaration fut signée par un groupe fort divers de dignitaires, incluant le cardinal de Chicago, le chef spirituel des Sikhs, un important rabbin, une féministe militante de l'islam, et des représentants de différentes organisations comme le Conseil œcuménique des Églises, la Conférence mondiale des religions pour la paix, le Conseil mondial luthérien, etc. D'autres mouvements spirituels non religieux furent également associés à cette démarche : le Dalaï-Lama, le patriarche du bouddhisme cambodgien, des associations zen, des centres de Tai Chi, le mouvement théosophique, celui de l'anthroposophie, des associations de diverses traditions autochtones, des centres de yoga, la fondation Joseph-Campbell, et beaucoup d'autres groupes.

Le but de ce parlement n'est pas de créer une « religion des religions » ou une « spiritualité des spiritualités » mais de définir entre les différentes religions et mouvements spirituels du monde un certain nombre de valeurs contraignantes, des critères et des normes concrètes concernant l'être humain et la planète. Comme l'explique Hans Küng et Karl Joseph Kuschel, reprenant l'expression d'« éthique planétaire » que j'ai utilisée précédemment :

> Devant une situation mondiale aussi dramatique, l'humanité a besoin plus que d'un programme ou d'interventions politiques. Elle requiert une vision de convivialité pacifique des peuples, des ensembles ethniques, éthiques et des religions, interpellant leur commune responsabilité pour la planète terre. [...]

> À nos yeux, le concept d'éthique planétaire ne désigne pas une nouvelle idéologie ; pas davantage aucune religion mondiale unitaire, synthèse de toutes les religions existantes ; moins encore la prééminence d'une religion sur les autres. Éthique planétaire signifie pour nous l'accord fondamental concernant les valeurs contraignantes présentement reconnues, les critères inébranlables et les dispositions essentielles de la personne[52].

---

51. Voir sur ce sujet M. MARTIN, *The Decline and Fall of the Roman Church*, 1981, dernier chapitre.

52. Citation de H. KÜNG et K.J. KUSCHEL, *A Global Ethic...*, 1993, p. 18-20.

Si ce mouvement, créé en 1893 à Chicago durant une exposition universelle, a réussi à s'entendre 100 ans plus tard sur un premier document, de nombreux sujets restent encore problématiques. Cela montre les difficultés qu'occasionne un réel dialogue avec des personnes et des groupes différents ainsi que les difficultés d'une actualisation concrète. Des problèmes de langage, en particulier, se sont posés, la notion de « Dieu » n'étant pas, par exemple, reconnue par le bouddhisme. La culture de la non-violence prônée par le Parlement fut aussi fort débattue, certains groupes soutenant fortement le droit à l'autodéfense, surtout dans des situations extrêmes, comme la Bosnie en connut. De même, le statut de la femme et l'égalité de ses droits avec ceux des hommes posèrent des problèmes, en particulier aux communautés musulmane et hindou, mais aussi à d'autres groupes, comme l'Église catholique ; dans ce dernier cas, on peut penser à la problématique de l'ordination des femmes. Enfin, certains groupes ont considéré que le Parlement était trop occidental et ne recourait pas assez à des notions spirituelles venues d'autres continents, comme l'Asie ou l'Afrique.

Malgré ces initiatives, nul ne peut prédire aujourd'hui quel sera le futur des religions et des mouvements spirituels. Pourtant, il semble qu'un certain rapprochement entre la religion, la spiritualité, les sciences et l'économie soit déjà entamé, dans une perspective intégrative non réductrice. Je donne à nouveau ci-dessous la parole à Michel Serres sur ce sujet, comme je l'avais fait avec l'éthique. Dans cette citation, il fait l'hypothèse que nous sommes peut-être à un moment charnière de l'histoire où non seulement les sciences exactes se rapprocheront des sciences humaines, mais aussi où un nouvel équilibre moins réducteur est recherché entre la raison, l'éthique et la religion, le *religare* que j'ai évoqué.

> Nous contrôlons nos entreprises ponctuelles, aveugles à leurs relations : nous n'avons ni science ni technique des interactions. Nous avons conquis notre efficience par la spécialité, d'où notre impuissance dans la somme ; autre raison des déséquilibres imprévus qui peuvent transformer en déficit un bénéfice.

> Ce projet d'intégration semble insensé alors que l'âge des ordinateurs le rend possible, alors que l'histoire et la culture derrière nous lui avaient donné plusieurs noms jadis et naguère. On dit que le mot religion, par exemple, a pour origine ce sens de liaison ou relation qui fait notre problème aujourd'hui. [...]

Qu'un observateur venu d'un autre monde écoute ou voie pour la première fois ce que nous appelons, par antiphrase, les nouvelles ou les informations, et il ne pourrait pas ne pas penser que notre culture universelle, ravagée de guerres et de terreur, se fonde sur autre chose que le sacrifice humain. [...]

La religion [...] a parlé [...] d'amour; elle approchait bien le problème, puisque la relation d'amour, déjà, concerne le local et le global, le proche, le voisin, le prochain et le Tout le plus infini. [...]

Étranges retrouvailles que personne n'aurait cru aussi proches. Attentive à ces interactions, la nouvelle culture ne réconciliera pas seulement les sciences exactes et humaines, mais le savoir rationnel le plus avancé avec l'éthique et [la religion][53].

À celle de Michel Serres, je voudrais ajouter une seconde voix, celle d'une personne non croyante qui est pourtant souvent citée à propos du futur de la religion et de la spiritualité, André Malraux. Si la fameuse phrase qui lui est attribuée : « Le XXIe siècle sera religieux ou ne sera pas » n'a jamais été prononcée par lui et n'est pas conforme à sa pensée[54], Malraux a cependant proposé des vues relativement similaires à celles exprimées ci-dessus. En particulier, il a suggéré qu'il est fort difficile de prédire aujourd'hui quelle forme cette nouvelle intégration prendra :

En gros, nous vivons dans une civilisation qui nous apporte une puissance telle que l'homme n'en a jamais connue, et qui fait de la science une sorte — nouvelle — de valeur suprême. Le drame, c'est que nous savons cette valeur incapable de former un type humain. Alors, en attendant, ce sera le temps des nimbes, jusqu'à l'époque où quelque chose de sérieux resurgira ; ou bien un nouveau type humain, ou bien un nouveau fait religieux, ou bien [...] quelque chose de totalement imprévisible [...].

Si le prochain siècle devait connaître une révolution spirituelle, ce que je considère comme parfaitement possible [...], je crois que cette spiri-

---

53. M. SERRES, *Statues*, 1989, p. 30, 33, 34.

54. Voir sur ce sujet O. GERMAIN-THOMAS, « Les yeux fertiles d'André Malraux », 1996, p. 57.

tualité sera du domaine de ce que nous pressentons sans le connaître, comme le XVIIIe siècle a pressenti l'électricité avec le paratonnerre[55].

3.2 La spiritualité : un modèle systémique

S'il est impossible aujourd'hui de prédire avec précision la forme que prendra la spiritualité au XXIe siècle et quel effet cette spiritualité aura sur le monde en général, nos vies, nos cultures, l'économie et la conduite de nos organisations, on peut pourtant esquisser des tendances potentielles. Récemment, Ken Wilber a proposé un modèle systémique particulièrement intéressant afin de relier les niveaux de conscience et leurs diverses manifestations. Comme je l'ai suggéré précédemment, l'éthique et la spiritualité sont à la fois subjectives et objectives, personnelles et collectives. Le modèle de Wilber nous permet non seulement d'intégrer ces différentes réalités, ce qui est déjà un tour de force, mais il nous permet également, chose encore plus rare, de préserver leurs spécificités.

Comme je l'ai proposé dans le chapitre d'introduction, d'après les travaux de Wilber, différents niveaux de conscience, appelés de façon très générale les niveaux « prépersonnel », « personnel » et « transpersonnel », sont associés à différentes réalités du monde, soit la matière, le mental et le spirituel. Nous avons également vu, grâce aux travaux de Maslow et de Kohlberg, que ces niveaux de conscience sont associés à des « attractions psychiques » et à des sens moraux différents. Nous savons enfin que ces niveaux ne sont pas strictement séparés les uns des autres, mais que chaque niveau « transcende » le précédent, c'est-à-dire qu'il l'intègre et le dépasse. Je renvoie ici à la figure 8, déjà présentée dans le chapitre d'introduction[56], qui met en relation les « niveaux de conscience » de Wilber, les « attracteurs biopsychosociaux » de Maslow et les « sens moraux » de Kohlberg.

Ken Wilber a travaillé sur les niveaux de conscience dans les années 1970 et 1980. C'est au cœur des années 1990 qu'il a proposé de concevoir que chaque niveau opère à la fois dans quatre réalités différentes et complémentaires. Comme nous l'avons vu dans ce chapitre, ces réalités incluent le subjectif et le concret ainsi que le personnel et le collectif. De même, plusieurs auteurs dans ce livre

---

55. Citations d'André Malraux, dans O. GERMAIN-THOMAS, « Les yeux fertiles d'André Malraux », 1996, p. 57.

56. Voir page 53.

Figure 8   Niveaux de conscience et leurs interrelations avec les « attractions psychiques » et les différents « sens moraux »

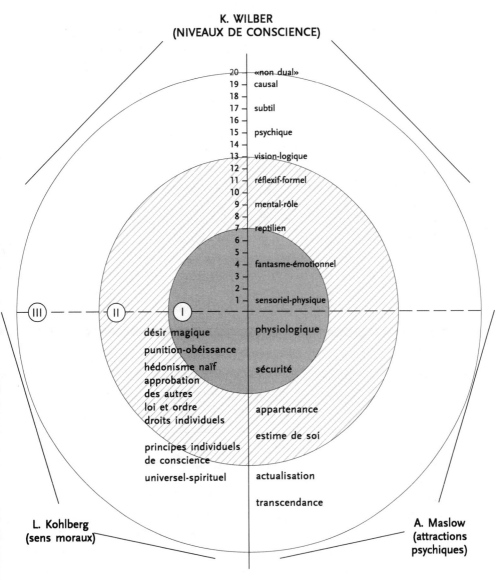

K. WILBER
(NIVEAUX DE CONSCIENCE)

20 — « non dual »
19 — causal
18 —
17 — subtil
16 —
15 — psychique
14 —
13 — vision-logique
12 —
11 — réflexif-formel
10 —
9 — mental-rôle
8 —
7 — reptilien
6 —
5 —
4 — fantasme-émotionnel
3 —
2 —
1 — sensoriel-physique

physiologique

désir magique
punition-obéissance
hédonisme naïf
approbation
des autres
loi et ordre
droits individuels

sécurité

appartenance

estime de soi

principes individuels
de conscience

universel-spirituel

actualisation

transcendance

L. Kohlberg
(sens moraux)

A. Maslow
(attractions
psychiques)

I ◯ niveau prépersonnel/matière

II ◯ niveau personnel/mental

III ◯ niveau transpersonnel/spirituel

considèrent que la spiritualité ne peut rester individuelle et subjective : la spiritualité se doit d'être traduite dans le domaine collectif, dans une organisation ou une société, ainsi que, concrètement, par l'utilisation de différents outils de management, par exemple.

Je présente à la figure 9 une version très abrégée des quatre types de réalité distingués par Wilber, synthétisés dans quatre quadrants interreliés[57]. Je présenterai chaque type séparément avant de les relier aux différents niveaux de conscience. Puis, je discuterai certaines interrelations qui existent entre ces quatre modes de réalité et qui sont essentielles à l'intégration de l'éthique et de la spiritualité dans les organisations et dans l'économie en général. Ce modèle me permettra également d'indiquer certains dangers inhérents à chaque quadrant, de définir certaines conditions nécessaires au développement de l'intégration, ainsi que de conclure sur la possibilité de développer un équilibre subtil entre le vrai, le bien et le beau. Le modèle de Ken Wilber est, en effet, fort riche.

Dans son modèle, Wilber propose deux paires de modes de réalité : une réalité « intérieure » et « extérieure », et une réalité « individuelle » et « collective ». Ces deux paires forment quatre quadrants, comme indiqué dans le figure 9, soit, en commençant en haut et à gauche et en tournant dans le sens des aiguilles d'une montre, les quadrants A, B, C et D.

Le quadrant A se réfère au monde « intérieur » vécu par une personne. Il n'est que peu accessible de « l'extérieur » de la personne sauf par un dialogue profond, lorsqu'on tente de se projeter le plus possible à l'intérieur de cette personne. Ce monde intérieur est constitué par ce qu'une personne ressent, sa subjectivité, ses rêves, ses conversations avec elle-même articulées par un langage intérieur, et toute autre forme de « conversation » intrapersonnelle passant par des images, des sentiments, des sensations, des intuitions, etc. Ce monde est celui du « je » ; c'est celui des images, des pensées, des émotions vécues par une personne en son for intérieur, modulées par les niveaux de conscience « prépersonnel », « personnel » et « transpersonnel ».

---

57. Pour ce nouveau développement dans les travaux de Ken Wilber, voir *Sex, Ecology and Spirituality*, 1995 ; *A Brief History of Everything*, 1996 (qui présente ce matériel sous la forme d'un dialogue non technique) ; et *The Marriage of Sense and Soul*, 1999.

Figure 9   Modèle systémique de Ken Wilber.
Présentation des quatre quadrants et de leurs interrelations

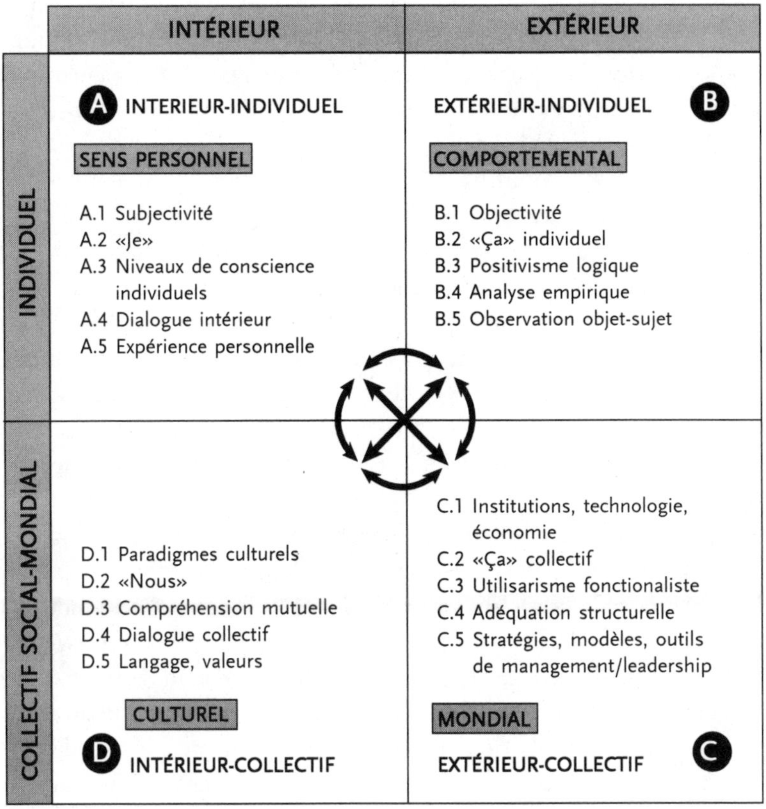

	INTÉRIEUR	EXTÉRIEUR
INDIVIDUEL	**Ⓐ INTERIEUR-INDIVIDUEL** SENS PERSONNEL A.1 Subjectivité A.2 «Je» A.3 Niveaux de conscience individuels A.4 Dialogue intérieur A.5 Expérience personnelle	EXTÉRIEUR-INDIVIDUEL **Ⓑ** COMPORTEMENTAL B.1 Objectivité B.2 «Ça» individuel B.3 Positivisme logique B.4 Analyse empirique B.5 Observation objet-sujet
COLLECTIF SOCIAL-MONDIAL	D.1 Paradigmes culturels D.2 «Nous» D.3 Compréhension mutuelle D.4 Dialogue collectif D.5 Langage, valeurs CULTUREL **Ⓓ INTÉRIEUR-COLLECTIF**	C.1 Institutions, technologie, économie C.2 «Ça» collectif C.3 Utilisarisme fonctionaliste C.4 Adéquation structurelle C.5 Stratégies, modèles, outils de management/leadership MONDIAL EXTÉRIEUR-COLLECTIF **Ⓒ**

Le quadrant B englobe aussi ce monde personnel, mais en tant qu'il est perceptible de l'extérieur de la personne, par l'intermédiaire des sens ou d'une technologie, d'un appareil qui prolonge les sens. Ce monde est celui du «ça» individuel. Il comprend la matière organique qui compose une personne, son cerveau, ses synapses, ses muscles, ses sens, ainsi que les actions concrètes menées par cette personne, son mode comportemental. Ce monde est observable de l'extérieur de l'individu par la science moderne dite «positiviste logique», qui utilise l'observation clinique ou empirique, l'analyse, la mesure ainsi que des technologies et des appareils sophistiqués (Cat Scan, rayons X, microscope électronique, etc.). Il ne s'agit plus ici, comme dans le quadrant A, de ressentir un sens subjectif et personnel de façon intrapsychique. Si le monde du quadrant B correspond également à l'intérieur d'un individu, aux différents processus neurophysiologiques qui s'opèrent dans son cerveau, par exemple, c'est dans la mesure où ces processus sont observables de l'extérieur de cet individu par l'intermédiaire de diverses technologies.

Le quadrant C se réfère également au monde concret, palpable, mesurable de caractéristiques qui peuvent aussi être appréhendées de l'extérieur, mais cette fois dans la réalité collective. Ce monde est celui du «ça collectif». Il est formé d'institutions, d'entreprises, de technologies, de lois, de règlements, d'outils de management et de leadership, incluant la comptabilité, la finance, le marketing, les technologies d'information et de communication, etc. Ce monde collectif et concret peut être vécu au niveau d'un groupe, d'une organisation, d'une nation ou de la planète entière. Il peut être appréhendé, par exemple, par l'analyse du système économique et de ses flux de biens, de services d'information et de capitaux. Ce monde est régi par les interrelations complexes existant entre le monde humain institutionnalisé et technologisé et la nature, les matières premières, la géographie, la géologie, etc.

Enfin, le monde D correspond de nouveau à la subjectivité et à l'ineffable, comme dans le quadrant A, mais cette fois-ci dans leur expression collective. C'est le monde des valeurs, des tabous, des normes informelles et des paradigmes culturels. Ce monde du «nous» fonctionne par le langage et les signes communs qui sont compréhensibles par d'autres, établissant un dialogue collectif et menant, potentiellement, à une compréhension mutuelle, même si cette compréhension ne procède pas toujours par consensus. Ce monde représente aussi le niveau de conscience qui anime un collectif, que ce collectif soit un groupe, une organisation, une société donnée ou le monde entier. Il représente « l'axe central » qui oriente une culture ou, en reprenant la terminologie d'Abraham Maslow, « l'attraction bio-psychosociale » dominante au niveau collectif, son « centre de gravité culturel ».

Enfin, les flèches qui figurent au centre du modèle (voir la figure 9) suggèrent que ces quatre mondes, loin d'être séparés les uns des autres, entretiennent des interrelations constantes et complexes. Un exemple aidera à saisir ces interrelations : imaginons que je désire — une réalité intérieure et subjective du quadrant A — un verre de lait. Ce désir, associé à des manifestations chimiques et neuronales dans mon corps, engendrera peut-être un mouvement et un comportement physique de ma part, manifestations relevant du quadrant B. Je pourrais alors décider d'aller chercher une bouteille de lait dans mon réfrigérateur ou d'aller en acheter une dans un magasin, des réalités appartenant au quadrant C. Mais le fait que je puisse désirer un verre de lait ou même avoir la possibilité d'aller en acheter présuppose aussi une interrelation avec le monde culturel du quadrant D. Ce monde subjectif collectif formé d'habitudes culturelles, de consentements collectifs, veut que dans notre civilisation, les êtres humains boivent du lait de vache, et que ce lait soit disponible en permanence dans des magasins, en échange d'un billet de banque reconnu par tous.

Le génie de Ken Wilber est d'avoir intégré ce modèle des quatre modes de réalité — le « je » personnel, le « ça » comportemental, le « ça » mondial et le « nous » culturel — à la fois fort simple et très complexe quand on prend conscience des interrelations effectives et potentielles, avec le modèle des niveaux de conscience. Je présente dans la figure 10 une version simplifiée de cette intégration. Les 20 niveaux de conscience, détaillés précédemment à la figure 8, sont résumés dans le quadrant A de la figure 10. Dans cette figure, je n'ai indiqué que les états de conscience qui sont situés « à la porte » de chaque niveau, soit l'état « sensoriel-physique » avec lequel débute le niveau I de conscience, le « prépersonnel » ; l'état « reptilien », qui se situe à la porte du niveau II de conscience, le « personnel » ; et l'état

« vision-logique », qui correspond à la porte du niveau III de conscience, le « transpersonnel[58] ».

Les interrelations existant entre le quadrant A (les niveaux de conscience individuels) et le quadrant C (les réalités concrètes présentes dans le monde) étant peut-être les plus familières pour des personnes habituées aux organisations et à l'économie, je commencerai avec elles l'exploration des interrelations dans le modèle. Afin de rendre cette présentation plus pertinente, je n'ai mentionné dans le quadrant C que deux manifestations concrètes et collectives : premièrement, la structure sociale dominante dans la société, partant des premières tribus d'une quarantaine de personnes qui se sont constituées entre 0,5 million à 1 million d'années, pour aller jusqu'au phénomène très récent de la mondialisation qui émerge depuis la Seconde Guerre mondiale ; et, deuxièmement, la structure de l'économie, allant de la chasse et de la cueillette primitives pratiquées dans la préhistoire à l'économie informationnelle, toute récente et encore en émergence.

Il est essentiel de réaliser que le cerveau reptilien (quadrant B) et le niveau de conscience qui lui est associé (quadrant A), ne pouvaient engendrer qu'une société qui était culturellement archaïque (quadrant D), basée sur le clan, puis la tribu, ne subsistant que par des activités de chasse et de cueillette primitives (quadrant C). Cette conscience permet de saisir l'effet déterminant que les niveaux de conscience exercent sur les autres quadrants. Mais il est aussi fondamental de réaliser que ces conditions de vie difficiles — basées sur la survie face à un monde hostile, l'espérance de vie moyenne pour les humains dans ces temps fort lointains n'étant que d'une vingtaine d'années — ont influencé à leur tour les autres modes de réalité. Ces conditions de vie ne laissaient en effet que peu de temps et de possibilités pour le développement de la conscience, de la connaissance, des arts, etc. En ce sens, il est fondamental de comprendre que le modèle de Wilber n'implique pas qu'un quadrant, par exemple le

---

58. De nouveau, la description de ces niveaux, comme suggéré dans l'introduction de ce livre, a été entreprise par de très nombreuses personnes, provenant de cultures fort différentes. Pour ne prendre qu'un exemple, Pierre Teilhard de Chardin a proposé les notions de « litosphère » (matière inerte), « biosphère » (matière organique), « noosphère » (mental) et « chritosphère » (spirituel), voir *Le phénomène humain*, 1955.

Figure 10   Modèle systémique de Ken Wilber.
Niveaux de conscience et interrelations
entre les quatre quadrants

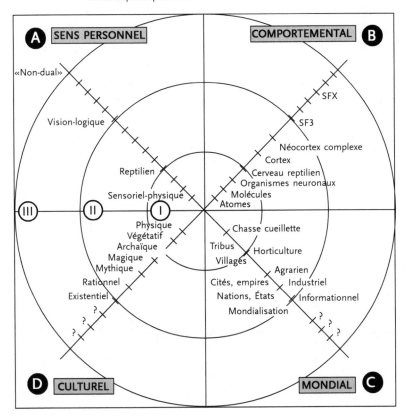

(I)   niveau prépersonnel/matière

(II)   niveau personnel/mental

(III)   niveau transpersonnel/spirituel

quadrant A (les niveaux de conscience), soit la « cause » des autres modes de réalité exprimés dans les autres quadrants. À la place de relations strictes de *cause à effet*, Wilber nous invite à saisir la *coévolution* — une notion introduite dans les sciences par la théorie des systèmes — qui lie les quatre quadrants, aucun quadrant ne déterminant strictement les autres. Cette différence fondamentale entre la notion de « coévolution » et celle plus connue de « cause à effet », tranche radicalement avec les conceptions traditionnelles de la science qui utilisent fréquemment le principe de cause à effet, en supposant que certaines variables sont « déterminantes » et que d'autres sont « déterminées ». Cette conception coévolutive tranche aussi radicalement avec les procédures utilisées généralement en entreprise où l'on présuppose, par exemple, qu'une série de variables déterminent strictement le comportement d'autres variables ; on considère, par exemple, qu'un plan marketing a « causé » un certain volume de vente.

Avec le temps et le lent passage du niveau de conscience « prépersonnel » au niveau « personnel » (quadrant A), l'horticulture pratiquée à force de bras humain fit place à la culture agrarienne, utilisant une charrue tirée par un animal. La structure de base de la société évolua de même, s'organisant d'abord en villages, puis en cités, certaines formant des empires (quadrant C). Les conditions de vie relativement plus faciles permirent un accroissement de la longévité de la vie humaine, qui passa à 30-35 ans environ (quadrant B), ainsi que le développement d'une culture sociétale qui évolua de l'« archaïque » au « magique », puis au « mythique » (quadrant D)[59]. De même, cette lente évolution engendra la naissance des arts et des sciences, de la raison et de la démarche scientifique, l'innovation technologique ainsi que les premiers balbutiements de la démocratie. Cette période engendra également, entre le VIe et le Ve siècle avant Jésus-Christ, les premières grandes philosophies, religions et mouvements spirituels qui furent introduits par des personnes comme Bouddha, Confucius, Héraclite d'Éphèse, Lao Tsu, Mahariva,

---

59. Le niveau « archaïque » représente un niveau de pensée des plus primitives ; le niveau « magique », celui de la pensée magique et superstitieuse qui attribue, par exemple, à un Dieu, chaque événement ; le niveau « mythique » exprime par des histoires des événements complexes — comme, par exemple, l'ouverture de la mer Rouge —, mais ne peut encore utiliser la raison formelle.

Patanjali, Platon, les sages des Upanisads, Socrate, les Zaputecs du Mexique, etc., bien que d'autres religions aient vu le jour avant (judaïsme, tradition zoroastrienne, etc.) et que d'autres aient émergé plus tard (christianisme, islam, etc.).

Par la suite, le développement du niveau de conscience « personnel » (quadrant A) et ses implications sur, et ses interrelations avec le développement culturel de la raison (quadrant D), et l'avènement des États-nations (quadrant C) participèrent, avec des hauts et des bas, à un nouvel accroissement des conditions et de l'espérance de vie (quadrant B), permettant l'essor d'un nouvel ordre économique mondial, le système industriel. Ce système, qui remplaça radicalement la force musculaire humaine et animale par la force mécanique des machines, eut aussi des effets considérables sur l'essor de la conscience et les conditions de vie de milliards d'êtres humains. Le système industriel fut, de même, associé à un essor sans précédent des sciences et des technologies ainsi qu'à des innovations sociales radicalement nouvelles, comme l'abolition grandissante de l'esclavage, le développement de la démocratie ou la naissance d'organisations mondiales, gouvernementales, privées ou non gouvernementales. Comme tous les stades de développement, l'ère industrielle connut aussi ses fléaux : des inégalités sociales criantes, des guerres sanglantes, l'aliénation, le matérialisme et la sécularisation de nos sociétés, ainsi que la destruction de l'habitat naturel dont les ravages sont proportionnels à la force gigantesque du système industriel.

D'après la conception des niveaux de conscience de Ken Wilber, mais aussi de multiples traditions occidentales et orientales, il semblerait que nous soyons actuellement à la fin du stade de développement de la conscience « personnelle » touchant aux extrêmes de l'individualisme et de l'utilitarisme, tels que relevés dans ce livre. Une partie de la population dans nos sociétés a, par exemple, développé une culture dite « existentielle » (quadrant D) dans laquelle, comme nous l'avons vu, le « cri du faux » est de plus en plus audible. Une autre partie grandissante de la population s'adonne à des pratiques spirituelles afin d'améliorer sa santé (quadrant B). De même, nos sociétés évoluent de plus en plus vers une structuration mondiale qui intègre mais dépasse le système industriel, cette structuration étant appelée « postmoderne » ou « informationnelle » (quadrant C). Ce mouvement est cependant limité aux nations développées économiquement. Il accentue de ce fait les disparités avec d'autres pays

(Afrique, Amérique du Sud, etc.). Ce développement ultime du niveau de conscience « personnel » et la lente entrée dans le niveau « transpersonnel », non seulement expérimenté par une relative minorité de personnes (quadrant A) mais aussi transformant la culture planétaire (quadrant D), expliquerait peut-être en partie l'émergence de la quête spirituelle dans la société en général et les organisations en particulier.

Il est intéressant de noter que Ken Wilber n'attribue pas cette émergence du transpersonnel à quelques alignements spécifiques de planètes comme certains l'affirment, ni même à l'aliénation introduite par le système industriel ou informationnel. Plus fondamentalement, Wilber considère que cette évolution est le résultat d'une lente évolution historique et de l'intégration dynamique entre les quatre modes de réalité qui coévoluent de la matière au mental et du mental au spirituel. Il considère de plus que cette lente évolution est une forme d'émergence « transcendée » et de plus en plus complexe du divin, de l'esprit, du Tao, de Dieu. Par « émergence transcendée », Wilber suggère que si chaque niveau est différent — la matière, le mental, le spirituel —, tous sont reliés entre eux. Pour lui, le divin se rend de plus en plus manifeste à travers cette coévolution, se révélant toujours de façon plus complexe, en premier lieu à travers la matière, en deuxième lieu à travers le mental, en troisième lieu à travers le spirituel.

Si l'explication historique de Ken Wilber est séduisante — bien que nécessairement simplificatrice comme toute théorie —, il reste impossible de prédire aujourd'hui quel serait le futur dans un monde plus « transpersonnel », d'où les points d'interrogation inclus dans la figure 10. Cette impossibilité de prédiction est motivée par une raison fondamentale : jamais un tel niveau de développement, touchant en même temps nos niveaux de conscience et notre corps, notre culture et nos institutions, nos sciences et nos organisations, n'a été atteint par une civilisation entière et, qui plus est, telle que la nôtre. André Malraux, cité précédemment, avait peut-être raison de suggérer que nous ne pouvons pas plus pressentir aujourd'hui ce que serait le futur d'un monde plus « transpersonnel », que nous pouvions imaginer au XVIIIᵉ siècle en examinant un paratonnerre l'impact qu'aurait l'avènement de l'électricité.

Le modèle de Wilber permet pourtant d'indiquer certains des dangers que présente ce monde « transpersonnel » et les conditions nécessaires à son développement. Je les ai résumées dans la figure 11 d'après la supposition de base fondamentale que si l'un des quadrants venait à dominer les autres, notre monde connaîtrait, à nouveau, un effet « d'aplatissement ». L'utilisation du modèle de Wilber va nous permettre d'effectuer une synthèse des dangers et des nécessités impliqués par notre évolution et tels qu'ils ont été abordés dans ce livre, ainsi que de les mettre en relation les uns avec les autres.

En commençant par le quadrant A, le premier danger consisterait à sombrer dans un « nombrilisme du nouvel âge » (voir la flèche A.1 dans la figure 11). Ce nombrilisme peut se produire si la quête spirituelle est exclusivement enfermée dans le quadrant A dans le but de développer le sens personnel et subjectif. Comme il a été dit précédemment, la spiritualité n'est pas seulement individuelle et subjective, mais elle se doit, sous peine « d'aplatir » la réalité, d'être traduite dans les autres quadrants, c'est-à-dire concrètement et collectivement, sous peine d'asservir le monde. Un conte traditionnel zen exprime particulièrement bien cette nécessité[60]. Un disciple, après de longues années de contemplation solitaire et après avoir expérimenté une « illumination », accourt voir son maître. Pendant trois jours, il lui explique ce qu'il a découvert et il lui demande ce qu'il en pense. Le maître, resté silencieux durant tout ce temps, lui répond : « Tu devrais aller laver tes sandales qui sont sales et redescendre dans ton village pour y travailler. »

Un second danger serait de succomber à la « fusion prépersonnelle » ou à « la course à l'actualisation » dans le travail (voir flèche A.2). J'ai déjà décrit les dangers qu'il y aurait à confondre la quête spirituelle avec un désir de « fusion prépersonnelle » (voir l'introduction de ce livre); cela correspond à un enfermement dans le quadrant A. La « course à l'actualisation » dans le travail, du fait du désir d'atteindre un sentiment exacerbé d'existence de soi par des réalisations personnelles, « aplatit » les autres modes de réalité. Dans ce chapitre, nous avons déjà parlé des dangers de l'utilitarisme individualiste, et Abraham Maslow a indiqué les « méta-pathologies » qui peuvent survenir si une personne n'arrive pas à transcender l'« attraction psychique » que suscite l'actualisation[61].

---

60. Pour ce conte, voir Taïsen DESHIMARU, *Le bol et le bâton*, 1986.

61. Sur ce sujet, au niveau individuel, voir A. MASLOW, *The Farther Reaches of Human Nature*, 1971, p. 317-319.

Figure 11   Modèle systémique de K. Wilber.
              Dangers et nécessités

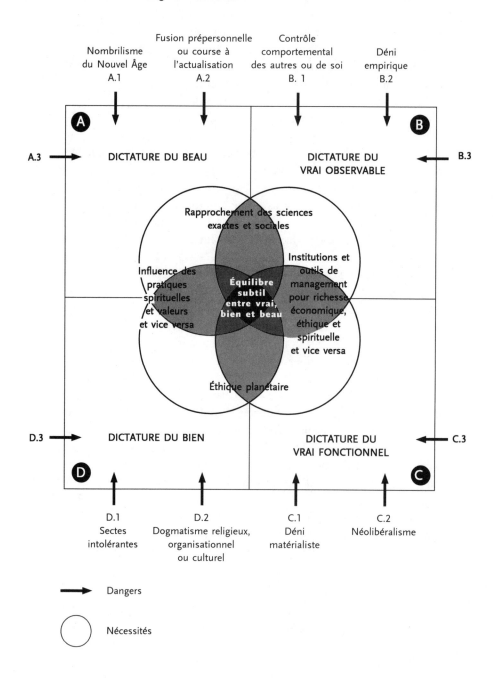

→   Dangers

◯   Nécessités

Utiliser l'éthique et la spiritualité afin d'exercer un « contrôle comportemental » sur une autre personne est un troisième danger tenant de la manipulation démagogique (voir flèche B.1). De même, l'utilisation de pratiques spirituelles afin d'obtenir un contrôle comportemental sur son propre corps ou même de favoriser sa santé physique constitue aussi un danger, car cela réduit la spiritualité à ce seul moyen. L'utilisation des techniques spirituelles à seule fin d'améliorer la santé physique et mentale est, cependant, une tendance très importante aujourd'hui[62]. Le risque disparaît si le recours à des pratiques spirituelles se transmet après un temps aux autres quadrants, si on « redescend en ville pour y travailler ». De même, s'enfermer dans le quadrant B en ne voulant mesurer que des faits objectifs (voir flèche B.2) peut entraîner le déni de la réalité des autres quadrants. Le « déni empirique » de la réalité subjective (quadrants A et D), qui ne peut être mesurée mais seulement découverte par des dialogues sincères, mène, de nouveau, à un appauvrissement du réel.

Le « déni matérialiste » (voir flèche C.1) s'apparente au « déni empirique » mais est motivé par une autre raison. Ici, il ne s'agit plus de ne considérer seulement ce qui peut être mesuré objectivement — une tendance tenace dans les sciences en général ainsi que dans de nombreuses organisations — mais de ne considérer comme valide que ce qui rapporte financièrement. L'opportunisme de certaines personnes envers la spiritualité à des fins mercantiles provient de ce type de déni et de cet aplatissement du réel. Le danger néolibéral (voir flèche C.2) émane de même de cet engouement pour le matérialisme et l'utilitarisme qui dénie le sens personnel des individus (quadrant A) et leur santé physique (quadrant B), et ne considère comme important que ce qui peut être échangé sur le marché (quadrant D).

Enfin, le danger que représentent les sectes « abusives » (voir D.1) ainsi que le « dogmatisme religieux, organisationnel ou culturel » (voir D.2) repose sur une manipulation démagogique d'éléments culturels. Cette manipulation détourne la nécessité d'un dialogue collectif qui est à la base de toute culture riche et évolutive, et le remplace par un monologue habile et intéressé, utilisant une pseudo-éthique ou une pseudo-spiritualité. Le « paternalisme » en organisation qui,

---

62. Sur cette fragmentation de la spiritualité, voir D.N. ELKINS, « Spirituality : Why we Need it », *Psychology Today*, 1999.

parfois, récupère des notions humanistes et spirituelles, fait partie de ce dogmatisme.

De façon plus générale, on peut appréhender ces dangers en examinant les définitions attribuées au «vrai», au «bien» et au «beau». Le modèle de Ken Wilber permet de mieux comprendre le phénomène «d'aplatissement» mentionné précédemment ainsi que de placer dans différents quadrants les quêtes épistémologiques, éthiques et esthétiques[63].

Dans la majorité des sciences actuelles ainsi que dans les procédures habituellement utilisées dans les organisations, le «vrai» est souvent associé à la réalité extérieure des choses et des enjeux. Il est basé sur ce que l'on peut observer, analyser et mesurer objectivement. Selon cette tendance, héritée de l'histoire des sciences et en particulier du Siècle des lumières, le «vrai» appartient aux quadrants B et C. Tenter de mesurer objectivement n'est, bien sûr, pas un problème en soi. Cette capacité est même un avantage considérable en sciences et dans les pratiques administratives. Mais deux risques demeurent: tenter de mesurer quelque chose qui ne peut l'être, comme le contenu des quadrants A et D qui sont subjectifs par nature, et réduire la quête du vrai, du bien et du beau à cette seule quête du vrai mesurable. Ces dangers sont identifiés dans la figure 11 par les flèches B.3 et C.3, intitulées «la dictature du vrai observable» et «la dictature du vrai fonctionnel». Dans ces deux cas, la réalité des autres quadrants est déniée. Il peut en découler que sera considéré comme «beau» une fumée noire et dense sortant des cheminées d'une usine, expression de leur fonctionnalité; l'aplatissement du réel peut aussi conduire à estimer que le «bien», pour une entreprise, consiste à remettre la plus value à ses actionnaires, excluant toute autre responsabilité, sauf le respect des lois[64].

De même, le «bien» qui appartient au domaine collectif du «nous» (quadrant D), peut être perverti quand ce qui est considéré comme bien pour un groupe définit le vrai et le beau (flèche D.3). Dans ce cas, par exemple, des profits peuvent être maximisés au détriment des conditions de travail de personnes œuvrant dans un

---

63. Sur ce sujet, voir K. WILBER, *A Brief History of Everything*, 1996, chap. 8, «The Good, the True and the Beautiful».

64. Pour une telle définition, voir M. FRIEDMAN, *Capitalism and Freedom*, 1962.

pays étranger, ou des problèmes graves pour la santé et la sécurité peuvent être déniés afin de protéger l'image corporative. Ces tendances sont malheureusement observées dans de nombreuses organisations[65].

Enfin, le «beau», province de la sensibilité intérieure du «je» (quadrant A), peut être perverti quand sa définition «aplatit» les notions du vrai et du bien (flèche A.3). Par exemple, la «beauté» d'un programme informatique, définie subjectivement par un analyste comme consistant dans son extrême complexité qui lui permet de fonctionner à la limite de l'effondrement, créant ainsi un «suspens captivant» pour son concepteur, ne correspond peut-être pas à ce qu'une organisation voudrait posséder[66].

Ayant répertorié certains dangers que représente chaque quadrant, je suggère, à la figure 11, cinq conditions qui semblent nécessaires au développement de l'éthique et de la spiritualité au travail. La première, placée au centre des quatre quadrants, car elle est la plus générique, consiste dans le développement d'un équilibre subtil entre le vrai, le bien et le beau, qui respecte les spécificités de chacun tout en refusant de les séparer strictement. Les autres conditions, toutes reliées entre elles, reprennent certains des thèmes abordés dans ce chapitre : le rapprochement — et non la fusion — des sciences exactes et sociales incluant les humanités, la philosophie et la religion; la création de nouvelles institutions et d'outils de management; la définition d'une éthique planétaire; et l'influence souhaitable des pratiques spirituelles sur les valeurs et la culture et inversement.

Une conclusion s'impose après la présentation du modèle systémique de Ken Wilber. S'il a raison, avec toutes les réserves que l'on doit émettre au sujet d'une théorie, nous ne sommes qu'aux balbutiements d'une émergence encore plus complexe de l'esprit. À travers l'histoire de la planète et des êtres humains, Wilber nous aide à comprendre le gigantesque chemin qui a déjà été parcouru, malgré de longues périodes de régressions et l'avènement de multiples catastrophes. Le saut quantique réalisé entre le niveau «prépersonnel» et le niveau «personnel» ainsi que le développement prodigieux de ce

---

65. Sur ces nombreux cas, voir, par exemple, T. C. PAUCHANT et I.I. MITROFF, *La gestion des crises et des paradoxes...*, 1995.

66. Sur cette définition du beau par certains analystes informatiques, voir S. TURKLE, *The Second Self...*, 1984.

second niveau, tous deux décrits par Wilber, nous aide à imaginer l'envergure des changements qui pourraient s'opérer dans le futur maintenant que nous sommes à la porte du niveau «transpersonnel». Fondamentalement, le message de Ken Wilber est, à terme, un message d'espoir, basé sur sa foi dans le développement toujours plus complexe de l'esprit, mais aussi documenté par le poids de l'histoire[67]. Cet espoir doit pourtant être contrebalancé par les nombreux écueils potentiels que cette lente évolution peut trouver sur son chemin. Il faut aussi insister pour dire que l'évolution décrite par Wilber ne signifie aucunement que les êtres humains doivent rester passifs face à cette évolution et se contenter d'attendre la — lente — manifestation de l'esprit dans le monde. L'histoire nous montre au contraire combien est nécessaire l'activité humaine, émanant elle-même des réalités naturelles et spirituelles.

4 Quelques constats généraux sur le chemin parcouru dans cet ouvrage

Pour conclure, j'aimerais proposer 12 constats généraux à propos du chemin que nous avons parcouru dans cet ouvrage, distance fort humble quand elle est comparée à celle décrite ci-dessus, qui va de la préhistoire à nos jours. Je ne présente pas cette liste de constats comme une synthèse exhaustive, mais plutôt comme un premier résumé de choses essentielles qui, à mon avis, ont été acquises grâce à la tenue du Premier forum international sur le management, l'éthique et la spiritualité et à la rédaction de ce livre. Cette liste de constats me permettra de plus d'indiquer des sujets qui demanderaient un effort important de recherche scientifique.

4.1 — Le premier constat est une bonne nouvelle et un signe d'espoir. Il existe actuellement dans les organisations une grande majorité de gestionnaires et d'employés qui désirent véritablement que l'éthique et la spiritualité soient intégrées dans leur travail. Cette volonté

---

67. De nouveau, Ken Wilber n'est pas le seul à exprimer cette vue, basée sur une notion «géologique» du temps — c'est-à-dire mesurée en milliers d'années. Pierre Teilhard de Chardin, lui-même paléontologue et homme de foi, embrassait également cette vision «géologique» du temps, et s'étonnait que des personnes puissent devenir impatientes face à la lente évolution du monde. Voir *Le phénomène humain*, livre 4, chap. 2, 1955.

transcende des valeurs disparates comme celles qui ont été, par exemple, exprimées par le groupe des « modernes », des « traditionnels » et des « transmodernes ». Ce désir est motivé principalement par une volonté de combattre une expérience de fragmentation, une volonté de pouvoir exprimer au travail ses valeurs profondes, ainsi que de ressentir et d'actualiser une interrelation avec les autres, le monde naturel, l'univers et une force transcendante. Notre monde devenant de plus en plus « organisé », il apparaît de plus en plus nécessaire que les hommes et les femmes qui travaillent en organisation participent activement au lent processus d'évolution décrit ci-dessus par Ken Wilber.

4.2 — Un second constat est qu'il existe de nombreux cas, six présentés dans ce livre et d'autres tels que Ben & Jerry's, Le Body Shop, Medtronic, Tom of Maine's, la YMCA, etc., démontrant qu'il est possible d'intégrer l'éthique et la spiritualité sans compromettre l'efficacité d'une organisation. Cette efficacité peut être définie, suivant la nature d'une organisation, par la rentabilité financière, l'efficience des opérations, la qualité des produits et des services, l'équilibre des budgets, la satisfaction de la clientèle ou toute autre mesure jugée appropriée. Afin d'aider les gestionnaires à définir des critères systémiques d'efficacité pour leur organisation, nous avons initié, au sein du FIMES, un projet de recherche qui s'intitule « l'audit du compas ». Ce projet, qui intègre les travaux déjà accomplis dans le domaine par de nombreuses personnes[68], tente d'établir des critères d'évaluation de l'efficacité d'une organisation dans quatre directions interreliées, associés aux quatre points cardinaux : l'économique, le social, l'écologique et le spirituel.

Dans l'entreprise privée, savoir si l'intégration de l'éthique et de la spiritualité permet de plus grands profits ou non semble être une question piège produite par la distinction que l'on fait habituellement entre les entreprises à buts lucratifs et sans buts lucratifs, et par un attachement abusif à la notion de cause à effet. Il est instructif de se rendre compte que, souvent, l'introduction de valeurs non financières au sein de l'entreprise est légitimée, par la « porte de derrière »,

---

68. Voir pour une synthèse récente de ces travaux et un développement innovateur, E. M. MORIN, A. SAVOIE et G. BEAUDOIN, *L'efficacité de l'organisation...*, 1994.

par l'accroissement potentiel de gains financiers! Cette habitude, aussi, de proposer que « plus de bonheur dans l'entreprise mène à plus de profits » ne traduit pas seulement une fragmentation dangereuse du réel; elle provient aussi d'une méconnaissance profonde des études scientifiques conduites sur le sujet. Littéralement, des centaines d'études ont tenté d'établir, en commençant par celles menées à Hawthorne dans les années 1930, un lien de causalité entre un management plus humaniste des ressources humaines et une augmentation de la productivité ou des profits. La conclusion de ces études est unanime: ce lien de causalité n'est présent, au mieux, que dans 50 % des cas, ce qui revient à dire que cette supposée efficience n'égale que le facteur chance.

Frederick I. Herzberg, le père des théories de la motivation au travail, après une revue critique de ces recherches, a conclu que les cadres ne devraient pas s'attendre, après avoir témoigné de l'affection à leurs employés, à une reconnaissance[69]. Pour lui, traiter des employés décemment, assurer une équité salariale et respecter leur dignité *est un comportement normal de l'humain envers l'humain* et il est illusoire de s'attendre à ce que ces comportements décents et normaux aient un impact sur la productivité ou les profits. Comme il l'a déclaré:

> Les cadres devraient-ils s'attendre à ce que les travailleurs manifestent de la gratitude parce qu'on leur fournit un environnement de travail adéquat? Non! Les cadres ne deviennent pas meilleurs sur le plan humain simplement parce qu'ils s'occupent des besoins animaux ou hygiéniques de leurs employés. Ils deviennent simplement des animaux plus compatissants. C'est précisément à cause de cette perversion des attentes que le paternalisme fut dénoncé. L'animal ne s'attend pas à recevoir une récompense après avoir montré de l'affection, et il n'en mérite pas non plus. L'affection est une réaction animale naturelle; même les chimpanzés soignent leurs blessés[70].

De même, Jim O'Toole, qui a travaillé durant des décennies sur la question de l'humanisation et de la démocratisation dans l'entreprise, a récemment affirmé que les gestionnaires qui s'engagent sur la

---

69. Voir F.I. HERZBERG, « Les quatre questions existentielles... », dans T. C. PAUCHANT *et al.*, *La quête du sens*, 1996.

70. F.I. HERZBERG, *op. cit.*, 1996, p. 173.

voie de l'humanisme le font par choix personnel et non pour d'éventuels gains financiers qui ne peuvent être scientifiquement garantis[71]. Il est évident que de nouvelles recherches devront être effectuées sur cette question puisque les recherches mentionnées ci-dessus se basaient non pas sur des pratiques de *spiritualisation* du travail, mais des pratiques d'*humanisation*.

Une autre constante se dégage pourtant de ces études. Même si on ne peut établir un lien causal entre l'humanisation du travail et la productivité, il est démontré que cette humanisation contribue à des changements dans le travail lui-même ainsi que dans sa perception. Abraham Maslow, l'un des experts les plus reconnus sur cette question, a même soutenu que l'on ne pouvait « satisfaire » les personnes au travail, mais seulement — et beaucoup plus profondément — « augmenter le niveau de leur mécontentement[72] ». Dans le langage que nous avons utilisé dans ce livre, cela signifie encourager le développement de leur niveau de conscience, les aider à passer d'un « cône d'attraction » à l'autre.

Le fait que je m'étende sur le sujet du profit ou de la productivité, n'est pas fortuit. Depuis les fameuses études d'Hawthorne conduites à Harvard dans les années 1930, le mouvement humaniste dans les organisations a souvent été perverti parce que réduit à du paternalisme. J'espère de tout mon cœur que le mouvement de spiritualisation au travail ne sera pas perverti de la même manière. Cette crainte, comme nous l'avons vu dans ce livre, est partagée par les gestionnaires eux-mêmes et ralentit l'introduction de la spiritualité dans les organisations. Pour ma part, un constat général qui peut être tiré de ce livre — et qui me semble moins dangereux — est qu'il est possible d'encourager le développement de l'éthique et de la spiritualité, même dans une entreprise privée confrontée à une concurrence féroce, tout en réalisant des profits acceptables. Pour le dire autrement, il est possible d'établir un nouvel équilibre entre les richesses économiques, éthiques et spirituelles, tout en restant compétitif et en assurant la pérennité de l'organisation. L'actualisation concrète de cet équilibre demandera cependant de nombreuses recherches scientifiques.

---

71. Sur cette conclusion, voir J. O'TOOLE, « Do Good, Do Well... », 1991.

72. Sur cette vue, voir A.H. MASLOW, « On low grumbles, high grumbles and metagrumbles », *Eupsychian management...*, 1965, p. 236-246, traduit en français dans E. M. MORIN, *Psychologies au travail*, 1996, p. 159-164.

4.3 — Le troisième constat est aussi important : si l'éthique et la spiritualité sont souhaitées dans l'entreprise — avec les réserves émises ci-dessus —, certaines notions semblent plus difficilement acceptables pour une majorité de gestionnaires. La notion de « religion », par exemple, est perçue négativement et celle du Nouvel Âge est rejetée par la très grande majorité. Ces différences de perception indiquent le besoin qu'il y aurait à développer un langage adapté à chacune des organisations ainsi qu'à ses partenaires. Il semble que des mots comme « prière », « sacrements », « universel », « dogme » ou même « Dieu » peuvent indisposer certaines personnes, car ils sont trop associés à la religion. De même des notions comme « aura », « ondes cosmiques », « cartes astrologiques », « perceptions extra-sensorielles » ou « mysticisme » sont à écarter, car elles sont trop associées au mouvement du Nouvel Âge. Il nous manque actuellement des recherches scientifiques et précises sur ce sujet.

4.4 — Un autre constat est qu'il existe différentes stratégies pour introduire l'éthique et la spiritualité au sein des organisations. Ces stratégies incluent aussi bien la volonté consciente d'un petit nombre de personnes que l'influence d'une force extérieure de changement susceptible de permettre à des valeurs éthiques et spirituelles d'émerger parallèlement à d'autres valeurs. Ces différentes stratégies semblent couvrir toute la gamme de stratégies décrites, par exemple, par Henry Mintzberg et ses collègues, et qui vont du « planifié » à « l'émergent[73] ». Si différentes stratégies peuvent être utilisées, il semble cependant que l'expérience douloureuse d'une crise majeure soit nécessaire, dans de nombreux cas, à l'amorce d'un cheminement. De plus, si un cautionnement minimal par le leadership est requis afin de légitimer et d'assister le développement d'une démarche éthique et spirituelle, cette responsabilité ne peut être assumée seulement par un ou une leader. Comme Warren Bennis l'a proposé, lui qui est pourtant reconnu internationalement pour son expertise en leadership, la

---

73. Sur cette gamme de stratégies voir J.B. Quinn, H. Mintzberg et R.M. James, *The Strategy Process...*, 1988 ; H. Mintzberg, *The Rise and Fall of Strategic Planning...*, 1994 et H. Mintzberg, B. Ahlstrand et J. Lampel, *Strategic Safari...*, 1998.

collaboration créative dans une organisation est moins le fait d'un « grand leader » que d'une « grande équipe[74] ».

4.5 — Quelles que soient les différentes stratégies utilisées, la nécessité d'intégrer l'éthique et la spiritualité de manière *systémique* s'impose. Afin que soient assurées la cristallisation, le développement et la pérennité de cette introduction, l'éthique et la spiritualité devront être présentes dans *toutes* les fonctions administratives traditionnelles d'une organisation *ainsi que globalement* dans sa culture ambiante, son style de management et de leadership, et ses stratégies. Si l'éthique et la spiritualité ne sont introduites que partiellement, dans les politiques de ressources humaines par exemple, l'intégration risque non seulement d'être éphémère mais cette fragmentation peut-être aussi le signe de la présence d'une manipulation de l'éthique et de la spiritualité dans le but d'accroître, potentiellement, la productivité. Comme nous l'avons vu avec le modèle systémique de Wilber, l'esprit est présent dans différents modes de réalité, soit le « je » subjectif, le « ça » comportemental, le « ça » mondial et le « nous » culturel. Tenter de le confiner mène à un aplatissement de la réalité et à un abaissement de l'âme.

4.6 — Un autre constat réside dans la nécessité d'être ouvert au changement, et d'être prêt à modifier radicalement, s'il le faut, ses stratégies, méthodes et outils au fur et à mesure de l'émergence inévitable de différents paradoxes. Pour le dire autrement, des modèles « universels », « systématiques » et « planifiés » en matière d'éthique et de spiritualité traduisent un manque d'adéquation avec la nature complexe des réalités que ces modèles tentent de promouvoir. Dans cette optique, la notion « d'universel » ne doit pas être interprétée comme une solution unique applicable à tous — ce qui mène potentiellement à un danger « d'aplatissement » — mais comme une célébration des différences existant dans *l'univers*.

Cette nécessité d'être ouvert au changement et à l'expérimentation, tout en suivant des lignes générales de conduite, implique également beaucoup de patience, de la persévérance ainsi que la mise en place de processus qui permettent de contrer des sentiments de

---

74. Sur ce sujet voir W. Bennis et P.W. Biederman, *Organizing Genius...*, 1997.

découragement; car l'introduction de l'éthique et de la spiritualité, même si elle est désirée par une majorité de personnes, est délicate, controversée, potentiellement dangereuse et lente. La nécessité, pour les personnes engagées dans cette démarche, de pratiquer de manière assidue une discipline spirituelle, individuellement et collectivement, semble primordiale non seulement pour développer une attention subtile et une inspiration spirituelle, mais aussi pour nourrir leur espoir.

4.7 — Une des conditions qui semblent primordiales afin de développer une éthique spirituelle au sein de l'organisation — un autre constat général — est de pouvoir montrer que la spiritualité offre de nouvelles dimensions qui ne sont pas accessibles par la seule démarche humaniste, sans toutefois aller à l'encontre des desseins poursuivis par cette démarche. En effet, comme il a été proposé à de nombreuses reprises dans ce livre, la spiritualité *transcende* l'humanisme, c'est-à-dire qu'elle le contient et le dépasse. Des contributions spécifiques de la spiritualité ont été présentées et des témoignages personnels ont été donnés. Il est pourtant fondamental de déterminer avec plus de rigueur ces contributions spécifiques afin de convaincre la communauté managériale d'accepter et de soutenir l'introduction de la spiritualité dans les organisations, *au-delà des efforts d'humanisation*. Comme nous l'avons suggéré, l'opinion publique considère souvent que les actions de leaders inspirés par la spiritualité, comme mère Teresa, relèvent d'une aide humanitaire «plus poussée qu'à la normale». Les relations existant entre les niveaux de conscience «transpersonnels», tels que définis par Ken Wilber, avec tous les autres modes de réalité — sens subjectif, effets sur la santé physique, influence sur les valeurs et la culture ambiante, et développement de nouvelles institutions, technologies et outils de management — se doivent d'être documentées scientifiquement. Par exemple, il est aujourd'hui établi que les croyances religieuses et les pratiques spirituelles ont des effets positifs documentés scientifiquement sur la santé. De même, il est reconnu aujourd'hui que la pratique de la méditation génère des ondes différentes et bénéfiques dans le cerveau[75]. À terme,

---

75. Sur ce sujet, voir M.C. DILLBECK et E.C. BRONSON, «Short-term Longitudinal Effects of the Transcendental Meditation Technique on EEG Power and Coherence», 1981; ou D. GOLEMAN et R.A.F. THURNMAN, *Mind Science...*, 1991.

cette documentation révélera vraisemblablement des différences entre les diverses traditions et pratiques spirituelles et permettra de conseiller les gestionnaires sur les traditions et pratiques les plus adéquates dans leur contexte particulier. Dans tous les cas, préparer les gestionnaires à mieux gérer non seulement le développement de la diversité culturelle, mais aussi celui de la diversité spirituelle dans les entreprises, semble tout à fait fondamental dans notre monde de plus en plus global et interconnecté.

4.8 — Malgré toutes les bonnes intentions, l'introduction de l'éthique et de la spiritualité dans l'organisation peut engendrer des effets contre-productifs ou même fort nocifs pour les personnes, les organisations, les sociétés et le monde en général. Certains des dangers les plus évidents ont été identifiés. La recherche-action consacrée à l'éthique et à la spiritualité en organisation ne doit pas se consacrer uniquement sur leurs effets positifs *mais aussi sur leurs effets potentiellement négatifs* ou ce que certains auteurs ont appelé « l'ombre ». Cette notion de « l'ombre » recouvre de nombreuses appellations introduites par différentes traditions, comme l'amour de l'argent, le diable, Hécate, Kali, le faux, le mal, le laid, le péché, le *rakshasa*, le *thanatos*, la *via negativa*, etc.[76] Il est à noter que les approches inspirées du mouvement du Nouvel Âge n'intègrent que rarement (avec cependant des exceptions, dont l'approche jungienne par exemple) ce côté sombre de la spiritualité alors que toutes les traditions religieuses l'abordent fort sérieusement. Il est nécessaire de reconnaître la réalité de ce côté sombre. Pour que les personnes qui travaillent à l'intégration de l'éthique et de la spiritualité dans les organisations soient attentives à ces processus, il faut qu'elles aient suivi des formations adéquates, poursuivent une pratique spirituelle continue et soient associées à des individus compétents qui pourraient les assister, le cas échéant. Un effort de recherche important

---

76. Sur ce sujet, voir, pour un traitement général, J. ABRAMS et C. ZWEIG, *Meeting the Shadow...*, 1991 ; pour un point de vue personnel, voir N.L. QUENK, *Beside Ourselves...*, 1993 ; pour un point de vue organisationnel, voir R.B. DENHARDT, *In the Shadow of Organization*, 1981 ; et G. EGAN, *Working the Shadow Side...*, 1994 ; et sur la notion du travail comme *via negativa*, voir M. FOX, *The Reinvention of Work...*, 1994.

doit aussi être entrepris afin de mieux cerner les conditions qui peuvent mener à de tels effets négatifs, incluant le dogmatisme, le paternalisme et le développement de sectes « abusives ». Au sein du FIMES, nous avons introduit, dans nos politiques générales, un certain nombre de règles qui tentent de contrer ces aspects négatifs, tout en permettant aussi de les intégrer de façon positive (voir en Annexe I une description de ces politiques générales).

4.9 — Autre constat important, il est non seulement impératif d'arrêter de « tuer l'esprit » en éducation et en formation à l'administration, mais il est de plus nécessaire d'aménager des espaces-temps spécifiques qui facilitent son éclosion. Comme la chenille a besoin d'un cocon pour devenir papillon, l'être humain a besoin d'un *asylum,* comme l'a appelé le Canadien Erwing Goffman — mais dans le bon sens du terme —, afin de nourrir son développement éthique et spirituel dans le cadre de sa pratique du management[77]. En management et leadership, de nombreux spécialistes affirment que le développement personnel ou le développement du « self » est primordial[78]. Si de plus en plus de programmes privés de formation sont disponibles, il faut noter que les facultés d'administration et les écoles de commerce, malgré quelques exceptions, sont particulièrement en retard sur ce sujet comparativement à d'autres professions comme la médecine et la psychologie. Dans ces domaines professionnels, des centaines de programmes intégrant la santé mentale, la santé physique et la spiritualité sont actuellement offerts par des institutions de renom comme Boston College, Harvard University, Loyola University à Chicago, University of California à San Francisco ou University of St. Thomas[79].

Les exceptions dans les facultés d'administration et écoles de commerce sont souvent le fait de quelques individus qui donnent des cours ou conduisent des recherches sur le management et la spiritualité.

---

77. Voir E. GOFFMAN, *Asylums...,* 1961.
78. Voir sur ce sujet W. BENNIS, *On Becoming a Leader,* 1989; F. FRIEDLANDER et L.D. BROWN, «Organization Development», 1974; I.I. MITROFF, *Stakeholders of the Organizational Mind,* 1983; ou A. ZALEZNIK, *The Managerial Mystique,* 1989.
79. Pour une liste de ces programmes, voir COMMON BUNDARY, *Graduate Education Guide,* 1998.

C'est le cas à Santa Clara University, George Washington University, University of New Haven ou University of Southern California[80]. Quelques programmes plus institutionnalisés existent cependant dans des facultés d'administration, comme au RMIT de Melbourne, dont il a été question, au Fielding Institute ou au Saybrooke Institute[81]. Récemment, le département de management de l'Université McGill, sous l'impulsion de personnes comme Nancy J. Adler, Michelle L. Buck, Henry Mintzberg, Frances Westley et leurs associés, a créé un programme de second cycle qui intègre la spiritualité et l'éthique en management et en leadership[82]. De même, l'École des HEC et le FIMES sont en voie de créer un programme d'éducation transdisciplinaire et transfacultaire de second cycle en « développement éthique des organisations » en coopération avec les facultés de droit, d'éducation, de philosophie, de psychologie, de théologie et d'autres facultés de l'Université de Montréal à laquelle l'école des HEC est affiliée. Peter Drucker, l'un des doyens de la pensée administrative, a lui-même soutenu que la société post-capitaliste demande une éducation fort différente[83]. De même, un effort important en recherche devra être entrepris afin de tester scientifiquement les contributions, positives et négatives, de différentes pratiques de développement humain et de spiritualité : les différentes formes de méditation, la thérapie par l'art, les diverses retraites spirituelles, certaines disciplines en art martial, en comtemplation, etc. Aux HEC, Virginie Lecourt, étudiante à la M. Sc. et assistante de recherche au FIMES, rédige actuellement son mémoire de maîtrise sur la contribution de la spiritualité ignatienne, incluant les exercices, sur les pratiques de gestion[84].

---

80. Dans ces facultés d'administration, des professeurs comme, respectivement, André L. Delbecq, Peter Vaill, Judi Neal et Ian I. Mitroff ont développé des activités sur la spiritualité et le management. Voir aussi sur ce sujet J. NEAL, « Spirituality in Management Education... », 1997.

81. Voir la description de ces programmes dans COMMON BUNDARIES, *Graduate Education Guide*, 1998.

82. Voir, sur ce programme, *Search Conference Report*, McGill University, Faculty of Management, 1999.

83. Voir P. DRUCKER, *Post-capitalist Society*, 1993, p. 212-213.

84. Voir V. LECOURT, *La contribution de la spiritualité ignatienne à l'évolution du management des organisations*, 2000.

4.10 — Si jusqu'à maintenant l'emphase a été mise sur les relations existant entre la spiritualité et la santé mentale et physique (les quadrants A et B dans le modèle de Wilber), il est également nécessaire, dans une perspective systémique, de développer des expertises dans les deux autres quadrants, soit les aspects culturels et institutionnels, technologiques et matériels (quadrants C et D). Un travail important de recherche-action devra permettre de découvrir, de tester et de diffuser les expérimentations conduites récemment dans différentes organisations à travers l'espace, c'est-à-dire dans les différents pays du monde, mais aussi à travers le temps ; je pense aux expérimentations qui ont été conduites par des communautés religieuses ou spirituelles à travers l'histoire (la bière trappiste d'Orval, produite en Belgique depuis des siècles, est un exemple parmi tant d'autres). L'effort de recherche-action sur ce sujet est la pierre angulaire de la mission du FIMES. Ajoutons que la diffusion « d'études de cas d'entreprises » ne devrait pas s'effectuer seulement de façon conceptuelle et analytique, mais aussi utiliser des formats différents, comme des « histoires de vie » et des « histoires d'organisations ». L'engouement, par exemple, pour la série de livres *Chicken Soup for the Soul*[85], qui rassemble de très courtes histoires inspiratrices, montre la soif actuelle pour des formats différents. Enfin, considérant la prolifération de publications et d'informations dans le domaine du management, de l'éthique et de spiritualité, l'une des tâches prioritaires du FIMES devra être de compiler ces sources et de produire des résumés critiques. L'évaluation de la pertinence et du sérieux de ces ressources sera fort utile pour les gestionnaires.

4.11 — Un autre constat important est à tirer de ce livre : la nécessité de mettre en place des *dialogues* dans les organisations. Du grec *dia*, « à travers » et *logos*, traduit par « le pattern qui connecte » par Martin Heidegger et par « l'amour » par Simone Weil, le dialogue est une discipline qui permet une exploration « à travers le pattern qui connecte ». Cette exploration de « l'amour qui rassemble » est un écho à la notion de *religare* introduite précédemment. Comme nous l'avons vu, le dialogue est nécessaire pour explorer les similarités et les différences entre différentes traditions, développer le respect, la

---

85. Voir J. CANFIELD *et al.*, *Chicken Soup for the Soul at Work...*, 1996.

tolérance et l'apprentissage mutuel et redécouvrir l'héritage culturel que les différentes religions ont apporté à nos sociétés. De plus, le dialogue est l'une des stratégies les plus profondes qui permet de développer une éthique spirituelle. Fondamentalement, le dialogue avec soi-même et les autres est le processus qui permet d'explorer les quadrants A et D de Ken Wilber — les domaines subjectifs personnels et collectifs — alors que les deux autres quadrants B et C — la réalité extérieure d'une personne et du monde — peuvent être appréhendés par la science traditionnelle.

La discipline ancestrale du dialogue a été redécouverte et introduite dans le domaine de l'organisation en 1990 par Peter Senge de la Sloan School of Management au MIT, d'après les travaux du physicien quantique David Bohm[86]. Des études suggèrent aussi que le dialogue, dans certaines conditions, constitue également une discipline spirituelle[87]. Sans en faire une panacée, il semble que l'utilisation de cercles de dialogues à l'intérieur d'organisations ainsi qu'entre différentes organisations permettrait des avancées importantes pour l'introduction de l'éthique et de la spiritualité en organisation et dans les pratiques du management et développer ce qu'on pourrait appeler une « éthique dialogique », associant toutes les personnes et tous les groupes qui ont un intérêt envers une organisation au processus de discernement et de prise de décision.

4.12 — Un dernier constat que l'on peut tirer de ce livre est que, malgré le chemin parcouru, de très nombreuses questions restent encore sans réponse. La liste de questions présentée ci-dessous a été compilée à partir des trois dialogues conduits durant le forum et reproduits aux chapitres 4, 11 et 15. Ces questions, qui ont émergé d'un auditoire de 200 personnes provenant du monde organisationnel, devraient être relativement représentatives de celles que se

---

86. Sur ce sujet, voir P. Senge, *The Fifth Discipline*, 1990.

87. Sur la réalité spirituelle du dialogue voir M. Cayer, *An Inquiry into the Experience of Bohm's Dialogue*, 1996; T. C. Pauchant et I.I. Mitroff, *La gestion des crises et des paradoxes...*, chap. 8, 1995; P. Hawkings, «The Spiritual Dimension of the Learning Organization», 1991; W. Isaacs, « Taking Fligth », 1993, et *Dialogue and the Art of Thinking Together*, 1999; D. Zohar, *Rewiring the Corporate Brain...*, chap. 8, 1997; M. Buber, *Pointing the Way*, 1990; D. Bohm et M. Edwards, *Changing Consciousness*, 1991; J. Mouttapa, *Dieu et la révolution du dialogue*, 1996.

posent aujourd'hui les gestionnaires au sujet de l'introduction de l'éthique et de la spiritualité en management. Cette liste a été établie par Kariann Aarup et Denis Cauchon, tous deux candidats au doctorat en administration aux HEC et assistants de recherche au FIMES.

Le tableau présenté à la page suivante est structuré par thèmes généraux. Nous indiquons pour chacune des questions ou des affirmations avancées par des participants, des contre-affirmations avancées par d'autres, mettant ainsi en relief certains des paradoxes les plus évidents qui ont été exprimés. Les phrases entre guillemets sont des citations exactes des participants[88].

Il semble évident que ces thèmes, développés par les participants, offrent une autre synthèse du chemin parcouru dans ce livre. Bien que, dans de nombreux cas, les « contre-affirmations » présentées ci-dessus puissent être considérées comme complémentaires aux affirmations, il n'en reste pas moins que l'ambiguïté de plusieurs de ces thèmes demande un effort important de recherche-action. À court terme, des forums internationaux pourraient être organisés sur des thèmes spécifiques, comme par exemple : les dangers de récupération de l'éthique et de la spiritualité et les approches qui pourraient être développées afin de les contrer; les relations existant — ou qui devraient exister — entre l'éthique, la spiritualité et le profit; ou les stratégies potentielles en éducation et en formation qui seraient susceptibles de réellement prendre en compte les « besoins de l'âme ».

Conclusion

Un livre comme celui-ci ne se conclut pas. Le travail à effectuer est gigantesque et passionnant, et il requiert une dose importante de courage, de foi et d'enthousiasme. J'aimerais donner le dernier mot à Chester I. Barnard dont une citation introduit ce livre. Le recours à ce P.-D.G. et scientifique me permettra de lancer un appel à mes collègues Ph.D. qui œuvrent dans les écoles de commerce et facultés d'administration à travers le monde, au nom d'un rapprochement entre les sciences, les humanités et la spiritualité.

---

88. Une analyse plus élaborée de ce matériel est en cours de rédaction. Voir K. AARUP, D. CAUCHON et T. C. PAUCHANT, *Integrating Ethics and Spirituality in Management: A Content Analysis of Some Major Challenges and Paradoxes*, working paper, FIMES, HEC Montréal.

Thèmes	Questions /Affirmations	Contre-affirmations
Contenu émotionnel qui justifie la volonté d'une intégration de l'éthique et de la spiritualité au travail	• «Beaucoup de personnes sont écrasées au travail» • «Je ressens de la colère envers les gestionnaires» ; «Je vis un outrage moral» • Il faut rendre aux personnes leur dignité et leur capacité d'être authentique • Je retrouve dans ce forum le respect de la diversité de vues qui est essentiel à toute intégration de l'éthique et de la spiritualité au travail	• La souffrance est aussi positive et d'elle peut émerger l'action • La vie au travail est déjà belle mais pourrait le devenir encore plus • En aidant les personnes à grandir on rend parfois leur vie dans l'organisation encore plus difficile • Je regrette que ce forum soit dominé par le catholicisme et que les pratiques spirituelles non religieuses ne soient pas représentées
Structure et pouvoir dans l'entreprise	• L'intégration de l'éthique et de la spiritualité au sein des organisations est inévitable, car une grande majorité de gestionnaires la demandent	• Le cadre organisationnel est-il approprié pour développer la spiritualité des personnes? Quels sont ses dangers? Est-il possible de les contrer?
Stratégie d'introduction	• Une crise ou une épiphanie initie souvent un changement • Une approche systémique est nécessaire dès le début • L'intégration de l'éthique et de la spiritualité au travail est naturellement en cours aujourd'hui	• Le processus peut-être introduit par un petit groupe de soutien • Une approche lente et à petits pas est indispensable • Comment ralentir dans un monde en accélération constante? Comment changer quand on peut gagner 200 000 $ pour des activités professionnelles peu profondes ?
Implantation ou organisation	• La spiritualité est du domaine subjectif et personnel • La spiritualité est avant tout contemplative	• Elle s'exprime aussi concrètement au niveau organisationnel/sociétal pour le bien et le malheur des personnes et du monde • La spiritualité ne peut être séparée de l'action

Thèmes	Questions /Affirmations	Contre-affirmations
Implantation ou organisation (suite)	• Il existe un modèle universel qui est adaptable aux différents contextes	• Il existe plusieurs voies qui sont radicalement différentes; il faut composer avec la diversité non seulement culturelle mais aussi spirituelle du monde
	• Il faudrait un système ISO pour la spiritualité	• «On ne peut mesurer la foi»
	• Il faut respecter le besoin fondamental d'innovation et de changement continuel	• Cette intégration doit partir d'un texte fondateur et d'une doctrine
	• Établir des chartes et des codes d'éthique est indispensable	• «Qui va définir et contrôler ces codes d'éthiques?» «Est-ce un retour au *one best way*?»
	• Il est absolument nécessaire de respecter la liberté d'autrui et d'être démocratique	• La démocratie, que nous encourageons, nous impose de commettre des gestes discordants
	• Une organisation se doit de sanctionner des normes	• Il est préférable que s'exerce une «pression de groupe»
	• La spiritualité part avant tout du respect de l'autre	• Les besoins d'humanisation et de spiritualisation sont complémentaires mais différents
Éthique, spiritualité et profits	• L'intégration de l'éthique et de la spiritualité en milieu de travail permet de réaliser de plus grands profits	• Leur intégration engendre un paradoxe entre «buts lucratifs» et «buts non lucratifs» «Est-il éthique pour moi de vendre mes services en matière de spiritualité?»
	• Nous devons développer des outils et des approches d'intégration	• L'éthique doit mener non seulement à une distribution plus équitable des richesses mais aussi à la remise en question de la maximisation du profit et à la promotion d'autres valeurs

Thèmes	Questions /Affirmations	Contre-affirmations
Éducation/ formation	• «La plupart des programmes sont structurés pour étouffer l'esprit» ce qui correspond à un design radicalement différent • «Le premier travail est à faire à la maison» • Il faut réparer la dichotomie vie privée-intime/vie au travail • Il faut remplacer le contrôle par la compassion • Il faut réintroduire l'éducation morale et religieuse • Le problème fondamental est communicationnel	• Peut-on envisager une telle transformation dans le contexte politico-économique et scientifique actuel? • Beaucoup de familles ne peuvent plus jouer leur rôle éducatif • Le travail fournit de multiples occasions pour des relations personnelles • Il faut remplacer le contrôle par la démocratie • Il faut revoir en profondeur l'idéologie de contrôle dans l'éducation • «C'est surtout par l'exemple que l'on peut véhiculer des valeurs»
Recherche-Action	• «On ne peut parler de ce sujet, car il est trop subjectif» • Très peu d'outils existent; il faut les inventer • La recherche éthique ne peut s'effectuer que de l'intérieur d'un système collectif • La spiritualité est trop personnelle pour être étudiée • Toute recherche sur ce sujet se doit de partir d'une définition consensuelle de l'être humain • La récupération de l'éthique et de la spiritualité pour plus de productivité et de profits est inévitable	• On peut étudier ce phénomène même s'il est subjectif • Des outils existent; il faut les répertorier et les tester • La recherche éthique doit s'effectuer au fur et à mesure des phases de la vie humaine • Il faut définir plus rigoureusement les «besoins de l'âme» • La vue que l'«Esprit», le «Tao» ou «Dieu» anime chaque personne est le point essentiel • L'effort de recherche doit aussi porter sur les aspects potentiellement négatifs et proposer des stratégies pour les contrer

Barnard était un P.-D.G. apprécié dans le groupe AT&T, aux États-Unis, entre les années 1930 et 1960, et, est aujourd'hui reconnu comme l'un des plus grands théoriciens des sciences administratives. Il était aussi fort préoccupé par l'avènement de la moralité dans les entreprises et il était un être profondément spirituel. Il a soutenu, par exemple, qu'une réelle coopération dépend de la qualité de la conscience humaine, un des thèmes dominants dans ce livre. Il a de plus affirmé que les termes de cette interdépendance ne pouvaient être appréhendés par la science mais qu'ils pouvaient l'être par la philosophie et la religion.

Il est intéressant de remarquer que c'est un P.-D.G., avec toutes ses responsabilités, qui a été le premier, en 1938, à suggérer qu'il existe des relations entre l'efficacité organisationnelle, la coopération, le développement de la conscience humaine, l'éthique et la spiritualité. Souvent ces personnes, malgré des exceptions notables[89], n'ont ni le temps ni la formation pour contribuer à l'avancement de la connaissance scientifique. La responsabilité de cet avancement incombe principalement aux scientifiques titulaires de Ph.D. Nous avons cependant suggéré dans ce livre que fort peu de ces « professeurs chercheurs » ont contribué à l'intégration de l'éthique et de la spiritualité en management.

La suggestion de Chester I. Barnard voulant que cette intégration soit une question pour la philosophie et la religion rappelle, cependant, la signification et les responsabilités que les trois lettres « Ph.D. » impliquent. Le Ph.D., *Philosophiæ Doctor* en latin ou docteur en philosophie, a été introduit en 1140 à l'Université de Bologne, en Italie. La notion de « philosophie » dans ce titre se référait à l'étymologie grecque qui signifie être « l'ami de la sagesse », c'est-à-dire utiliser la sagesse dans ses actes quotidiens ; le terme « docteur » se référait quant à lui au titre de docteur en théologie. Il est fondamental de se rappeler que, dès son origine, le titre de Ph.D. était associé à la connaissance et à la pratique de la philosophie et de la théologie. Aujourd'hui, nous nous sommes fort éloignés de cette tradition, que cela soit pour la formation des Ph.D. ou pour la nature de leurs activités. Je forme pourtant le vœu que, dans le futur,

---

89. Comme exemples d'exceptions, on peut invoquer Henri FAYOL, *Administration industrielle et générale*, 1916 ; ou Alfred P. SLOAN, *My Years with General Motors*, 1963.

plus de Ph.D. dans les sciences administratives et dans les sciences connexes, en collaboration avec les gestionnaires qui travaillent dans les organisations et les personnes qui œuvrent au développement de l'éthique et de la spiritualité, honoreront l'étymologie de leur titre. Je leur donne rendez-vous à un prochain Forum international sur le management, l'éthique et la spiritualité car, nous et notre monde, avons grand besoin de leur vocation.

Les collaborateurs
et collaboratrices

Claude Béland. Admis au barreau du Québec en 1956, M. Claude Béland a d'abord pratiqué le droit en cabinet privé avant de se joindre au mouvement coopératif en 1971. De 1987 à 2000, il a été président du Mouvement Desjardins, qui emploie plus de 40 000 employés et gère un actif de plus de 70 milliards de dollars. Monsieur Béland participe activement à la vie de la société québécoise comme administrateur de diverses organisations et institutions, comme leader de certains forums économiques et sociaux ou par le support qu'il apporte à plusieurs causes. Il joue aussi un rôle actif dans la vie coopérative internationale assumant par exemple, depuis 1995, la présidence de l'Association internationale des Banques coopératives. Récemment, il a publié le livre *Inquiétude et espoir*.

Yves Benoît. Monsieur Yves Benoît travaille dans le domaine de la santé depuis près de 20 ans. Titulaire d'un baccalauréat en administration, il compléta sa formation de deuxième cycle en administration de la santé à la faculté de médecine de l'Université de Montréal. Du domaine de la santé communautaire, il passa à des postes de cadre supérieur et de direction générale dans le milieu hospitalier. Il est présentement le directeur général du centre hospitalier Anna-Laberge, un centre de soins généraux et spécialisés d'une capacité de 250 lits. Au moment du forum, il était directeur adjoint de l'hôpital Charles-LeMoyne. Ses valeurs personnelles se concrétisent par ailleurs dans son implication auprès de fondations et d'associations de vie pédagogique.

Roger Berthouzoz. Auteur de plusieurs articles scientifiques et de livres, le père Roger Berthouzoz, dominicain, professeur d'éthique et de théologie morale à l'Université de Fribourg, en Suisse, a publié récemment *Économie et développement*, un répertoire des documents épiscopaux écrits durant un siècle (1891-1991) sur les thèmes de la justice, du travail, de l'économie et des valeurs spirituelles. Travaillant sur ce sujet depuis de nombreuses années, il a fondé le Centre de documentation et de recherche sur l'enseignement social chrétien (CIDRESOC) de l'Université de Fribourg où il est directeur de l'Institut de théologie morale.

Vera Danyluk. Présidente du Comité exécutif de la Communauté urbaine de Montréal, qui regroupe 29 communautés et plus de 1,8 million de personnes, et réélue à ce poste pour un second mandat, Mme Vera Danyluk est également membre de nombreux conseils d'administration dont celui de la Fédération canadienne des municipalités, et est vice-présidente de la Stratégie nationale sur la sécurité communautaire et la prévention du crime. Ancienne mairesse de Mont-Royal, Mme Danyluk est titulaire d'un baccalauréat en science de l'éducation et a terminé une scolarité de maîtrise en philosophie de l'éducation morale et religieuse à l'Université McGill.

Michel Dion. Avocat de formation et docteur en théologie, Michel Dion est professeur d'éthique à la faculté de théologie, d'éthique et de philosophie de l'Université de Sherbrooke. Il a fondé et dirige le Consortium Asie du Sud-Est/Canada pour le commerce et les droits humains, qui œuvre en concertation avec des institutions universitaires et des ONG, en Indonésie, en Malaisie, aux Philippines et en Thaïlande. Il dirige également le Groupe de recherche en éthique gouvernementale (GREG). Le Pr Dion a publié de nombreux articles scientifiques et plusieurs livres, incluant *L'éthique ou le profit*, *L'éthique de l'entreprise*, *Investissements éthiques et régie d'entreprise* et *L'éthique gouvernementale*.

James Hurley. James Hurley est professeur émérite de management à la Graduate School of Business Administration, Royal Melbourne Institute of Technology (RMIT), à Melbourne, en Australie. Professeur, auteur de plusieurs publications et consultant, James Hurley a été l'une des chevilles ouvrières de la conception et de l'administration du programme de DBA (Doctor in Business Administration) offert au RMIT qui accueille des cadres en exercice d'Australie, de Hong Kong, d'Inde, de Malaisie et de Singapour. Ce programme innovateur tente d'intégrer un processus de développement personnel et des valeurs éthiques et spirituelles au développement de compétences managériales.

Solange Lefebvre. Solange Lefebvre détient un baccalauréat en musique (interprétation piano) du Conservatoire de musique du Québec à Montréal, un doctorat en théologie de l'Université de Montréal et un diplôme doctoral en anthropologie sociale de l'École des hautes études en sciences sociales de Paris. Elle est professeure à la faculté de théologie de l'Université de Montréal. Elle travaille sur les questions de valeurs et de spiritualité, de même que sur les rapports entre générations. Elle dirige présentement un projet de recherche sur la transmission en milieu de travail et est collaboratrice au journal *Le Devoir* pour les questions religieuses.

Ian I. Mitroff. Auteur de plus de 250 publications scientifiques et d'une vingtaine de livres, Ian Mitroff est titulaire de la chaire Harold Quinton en politique générale et management stratégique à la Marshall School of Business, University of Southern California, à Los Angeles. Consultant fort prisé par les entreprises classées *Fortune 500* et les établissements publics et gouvernementaux, il est un collaborateur assidu du *Los Angeles Times* et est Fellow of the Academy of Management. Il est aussi le président d'une firme de consultants, Comprehensive Crisis Management. Ses derniers livres sont *La gestion des crises et des paradoxes*, avec Thierry Pauchant, *The Unbounded Mind*, avec Harold Linstone, *Frame Break*, avec Richard Mason et Chris Pearson, et *A Spiritual Audit of Corporate America*, l'une des premières enquêtes systématiques conduites sur la spiritualité au travail, avec Elisabeth Denton.

J.-Robert Ouimet. Unique actionnaire d'une entreprise de taille moyenne dans le secteur de l'alimentation, M. J.-Robert Ouimet est président du conseil d'administration et chef de la direction de Ouimet Cordon Bleu Inc., Canada. Il est membre de l'Ordre du Canada, de l'Ordre du Québec, de l'Ordre des gardiens du Mont-Sion et du Saint-Sépulcre (Jérusalem), ainsi que de plusieurs conseils d'administration. J.-Robert Ouimet détient une licence des HEC, une licence en sciences politiques de l'Université de Fribourg, un MBA de Columbia et, depuis peu, un doctorat en Sciences économiques et sociales de l'Université de Fribourg. Dans cette thèse, M. Ouimet a soutenu que le développement des richesses éthiques et spirituelles est compatible avec l'économie de marché.

Thierry C. Pauchant. Auteur d'une centaine de publications, incluant six livres, dont *La quête du sens*, et ancien gestionnaire dans les industries du tourisme et de la consultation, Thierry Pauchant (M.Sc. Panthéon-Sorbonne, MBA UCLA, Ph.D. administration, USC) est professeur titulaire de management aux HEC de Montréal où il est président du Comité d'éthique de la recherche. Il a cofondé plusieurs organisations où il occupe ou a occupé des postes exécutifs et siège sur plusieurs conseils d'administration. Ses recherches et ses activités de conseil au Canada, aux États-Unis et en France visent à promouvoir un management éthique des systèmes complexes, incluant les dimensions physiologiques, économiques, sociales, écologiques et spirituelles.

Peter Sheldrake. M. Sheldrake est le directeur exécutif de la Graduate School of Business Administration, Royal Melbourne Institute of Technology (RMIT), à Melbourne, en Australie. Le RMIT est l'une des plus importantes écoles de commerce au monde, avec plus de 500 employés et 10 000 étudiants, et offre une éducation de premier, de second et de troisième cycles en administration, en coopération avec de nombreuses associations internationales en management, à Singapour, en Malaisie, à Hong Kong et en Inde. Professeur de management, auteur de plusieurs publications et consultant, Peter Sheldrake s'est impliqué dans l'administration du DBA offert dans son institution, un programme innovateur qui tente d'intégrer des valeurs éthiques et spirituelles dans l'éducation en administration.

Madeleine Saint-Jacques. Présidente du conseil de l'une des agences de publicité les plus réputées au Canada, Saint-Jacques, Vallée, Young & Rubicam Inc., à Montréal, Mme Saint-Jacques est membre de nombreux conseils d'administration de divers groupes : le Groupe TVA, Ultramar Diamond Shamrock, la Société d'édition de la revue *Forces*, la Fondation Palli-Ami (Unité de soins palliatifs de l'hôpital Notre-Dame), la Fondation du centre hospitalier St. Mary's et le Conseil des gouverneurs associés de l'Université de Montréal. Elle a reçu de nombreux prix et distinctions incluant la médaille d'or de l'Association canadienne des annonceurs, le Prix de distinction en administration de l'Université Concordia et celui de l'Université McGill.

Jean-Marie Toulouse. Formé en psychologie sociale et en administration, le professeur Jean-Marie Toulouse assume son second mandat de direction de l'École des HEC, la plus ancienne et l'une des plus prestigieuses écoles de commerce au Canada. Il est l'auteur de nombreux articles scientifiques et de livres dont, dernièrement, *La stratégie des organisations : une synthèse*, écrit avec Taïeb Hafsi et des collaborateurs. Ses travaux sur l'entrepreneurship, la stratégie d'entreprise et la dynamique organisationnelle ont été particulièrement bien reçus. Avant d'être nommé directeur, Jean-Marie Toulouse était le titulaire de la chaire d'entrepreneurship Maclean Hunter. Il a récemment été élu membre de l'Académie royale des sciences du Canada et siège sur plusieurs conseils d'administration.

Remerciements

JE VOUDRAIS CORDIALEMENT remercier ici Roger Berthouzoz, J.-Robert Ouimet, Jean-Marie Toulouse et Maurice Villet pour les longues conversations que nous avons eues ensemble afin d'organiser le premier forum international sur le management, l'éthique et la spiritualité. Je remercie également les collaborateurs et collaboratrices qui ont répondu avec enthousiasme à notre invitation à participer à ce forum en plus d'avoir offert leurs commentaires sur une première version de ce livre : Claude Béland, Yves Benoît, Vera Danyluk, Michel Dion, James Hurley, Solange Lefebvre, Ian I. Mitroff, Madeleine Saint-Jacques et Peter Sheldrake.

Ce premier forum et ce livre n'auraient pas vu le jour sans le travail diligent de Kariann Aarup, Maguelone Boë, Denis Cauchon, Virginie Lecourt et Nathalie Morin, assistants et assistantes de recherche au FIMES. Je vous remercie de votre engagement sincère et de votre enthousiasme. De nombreuses autres personnes ont aussi donné de leur temps et de leur talent durant le forum ou pour la préparation de ce livre : Sylvain Bossé, Daniel Carroué, Marlène Charland, Benoît Cherré, Alexis Descollonges, Consuelo Garcia de la Torre, Patrick McNamara, Linda Néron, Charles Perreault, Angelo Soares et Céline Théneault. Merci à Jacqueline Avard pour avoir animé le forum, Kim Gosselin pour sa musique inspiratrice et Jean-Pierre Hogue sur les ondes de Radio Ville-Marie.

Je voudrais aussi remercier les quelque 200 personnes qui ont participé au forum ainsi qu'aux dialogues qui ont été retranscrits dans ce livre, de même que Antoine Del Busso, directeur général des Éditions Fides, et Michel Maillé, éditeur, qui ont cru à ce livre.

Enfin je n'oublie pas le soutien précieux de Yves Bériault, André Descoteaux et Yvon Moreau et leurs communautés.

À vous tous et toutes je dis merci du fond du cœur. Nous avons organisé collectivement un colloque et produit un livre qui répond à une demande réelle et profonde de la part des gestionnaires et de leurs employés. J'ai de plus aimé dialoguer, apprendre et travailler avec vous à une cause qui nous dépasse tous et toutes et qui nous anime.

Thierry C. Pauchant

Annexe

Vision stratégique du FIMES,
*politiques générales et structure**

1 Vision stratégique

FIMES (Forum international sur le management, l'éthique et la spiritualité) est un réseau international dont le centre est situé à l'École des Hautes Études Commerciales (HEC) de Montréal, une école d'administration de calibre international affiliée à l'Université de Montréal. Ce réseau réunit des dirigeants et des cadres supérieurs d'entreprises et d'organisations de tous types, des universitaires provenant de diverses disciplines scientifiques et des personnes intéressées à mieux intégrer des valeurs éthiques et spirituelles dans les pratiques managériales.

La mission première du FIMES est de diffuser des pratiques et des outils de management et de leadership permettant d'exprimer, de promouvoir et d'intégrer des valeurs éthiques et spirituelles en milieu de travail et dans les pratiques managériales. Plus précisément, cette mission vise à développer de nouvelles théories et principes de mana-

---

* À être approuvé par le conseil d'administration en cours de formation et dont la présidence est assumée par Jean-Marie Toulouse, directeur des HEC de Montréal.

gement ainsi qu'à identifier des organisations avant-gardistes dans lesquelles des pratiques et des outils de management ont déjà favorisé l'intégration de ces valeurs, de décrire et de tester ces pratiques et outils de façon scientifique et de les diffuser dans des organisations de différents types à travers le monde.

La notion de *Forum international* reflète notre conviction que cette intégration de valeurs éthiques et spirituelles dans les pratiques managériales nécessitera du temps et de multiples dialogues ainsi que la coopération active de nombreuses personnes provenant d'univers différents.

Nous considérons également que les trois notions de *management*, d'*éthique* et de *spiritualité* sont indissociables.

La notion de *management* exprime notre volonté de redécouvrir, de tester scientifiquement et de développer des théories, des pratiques et des outils de management réellement utiles pour les gestionnaires afin d'exprimer, de promouvoir et d'intégrer des valeurs éthiques et spirituelles au quotidien dans une organisation, tout en assurant sa « richesse économique ». Considérant que nous désirons contribuer à l'essor de ces valeurs dans tous types d'organisations (privées, publiques, gouvernementales, associatives, etc.) et différents contextes politico-économiques (libéralisme, collectivisme, systèmes coopératifs, etc.), la notion de « richesse économique » est prise dans un sens large (profit, succès commercial, équilibre budgétaire, efficience organisationnelle, etc.). Le fait que la notion de *management* soit mentionnée en premier lieu exprime notre volonté que les activités du FIMES soient, de façon prioritaire, orientées vers la recherche d'un équilibre entre « richesse économique » et « richesse éthique et spirituelle » et notre conviction profonde que ces trois « richesses » sont indissociables : une organisation qui ne pourrait être efficiente au niveau économique ne pourrait poursuivre des idéaux éthiques et spirituels.

La notion d'*éthique* exprime notre volonté que le travail effectué dans les organisations contribue au bien-être économique, personnel, social et écologique, selon les définitions du bien-être proposées par les différents champs de l'éthique. Cela inclut, à titre d'exemple, notre conviction que tout travail organisé devrait en principe contribuer à une production efficiente et à une répartition équitable des richesses (éthique économique et justice sociale); participer au bonheur des personnes et au développement de nos organisations, de nos communautés et de nos sociétés (éthique professionnelle, organisationnelle et sociale); et être sain pour la santé physique des personnes et de notre environnement naturel (éthique médicale, bioéthique et éthique environnementale). Cette volonté éthique ne s'adresse pas seulement aux personnes œuvrant au sein des organisations, c'est-à-dire les employés et les gestionnaires, mais aussi à celles avec qui les organisations sont en relation, par exemple les investisseurs, les consommateurs, les fournisseurs, les grossistes, les régulateurs, les membres des communautés, la société en général et l'environnement naturel.

Enfin la notion de *spiritualité* exprime notre conviction que toute éthique vécue dans une atmosphère de liberté individuelle et collective est incomplète sans horizon spirituel. Nous croyons, de plus, qu'une personne se trouve amoindrie si on ne lui permet pas, au travail, de développer toutes ses aspirations et d'actualiser, selon ses désirs et ses choix personnels, un ensemble harmonieux de valeurs humaines et spirituelles. En ce sens, la notion de *spiritualité* n'implique pas obligatoirement une appartenance religieuse, et les activités du FIMES sont ouvertes à toutes les pratiques religieuses et spirituelles du monde.

2 Politiques générales

Les activités des membres visent prioritairement à accomplir la mission première du FIMES décrite ci-dessus. Ces activités incluent :

- le développement de projets de recherches scientifiques appliquées et d'enquêtes ainsi que la diffusion de leurs résultats par différents médias ;
- la conduite de projets de consultation et de « recherche-action » en organisation ;
- la création de matériel pédagogique pour l'éducation universitaire et la formation en entreprise ;
- le développement d'un programme universitaire multifacultaire, incluant les sciences administratives ainsi que la philosophie, la psychologie, le droit, l'éducation, la théologie, etc. ;
- l'ouverture d'un centre international de recherche, situé aux HEC à Montréal, incluant une collection spéciale de références et permettant d'accueillir des chercheurs de niveau international ;

— la création d'un centre de formation en résidence pour cadres et cadres supérieurs;
— l'organisation de conférences, de séminaires et de forums à travers le monde;
— le développement d'un réseau international actif.

Par ailleurs, afin d'éviter les tendances actuelles observées à travers le monde qui visent à récupérer les dimensions éthiques et spirituelles à des fins mercantiles, ainsi que l'engouement dangereux pour des idéologies dogmatiques (sectes « abusives », mouvements fondamentalistes, idéalisation de multiples gourous, associations Nouvel Âge, etc.), les politiques générales suivantes orientent les activités du FIMES:

— chapeauter les activités du FIMES par des écoles de commerce ou des facultés d'administration privée ou publique, ces écoles ou facultés étant garantes de la rigueur scientifique et de l'expertise pratique dans le domaine du management;
— orienter les activités du FIMES vers une audience grand public mais, en particulier, vers les gestionnaires et les femmes et les hommes travaillant dans les organisations et les autres personnes qui sont en étroite relation avec ces organisations;
— préserver un caractère sobre pour les activités (forums, conférences, séminaires, consultation, etc.) et les productions du FIMES (livres, vidéos, CDroms, etc.); ces activités et productions devront encourager les dimensions de solidarité et de fraternité, le respect de la dignité humaine et de la diversité des points de vue ainsi que l'utilisation de la réflexion, du débat scientifique, du recueillement et du dialogue;
— n'accepter que des conférenciers bénévoles (sauf remboursements du transport, hébergement et nourriture) et attribuer exclusivement les profits réalisés par les activités et les productions subventionnées par le FIMES à la recherche appliquée;
— rechercher la participation active de représentants de différentes traditions religieuses (chrétiens, juifs, musulmans, etc.) et non religieuses (bouddhisme, psychologie transpersonnelle, traditions autochtones, disciplines méditatives, etc.).
— associer les activités du FIMES à des ordres contemplatifs;
— assurer qu'au minimum un petit groupe de personnes, du conseil d'administration, du comité de direction scientifique ou

tout membre actif du FIMES, s'engage, en toute liberté, dans une pratique spirituelle soutenue, individuelle et collective.

3 Structure

Afin d'assurer que nous remplissions la mission définie ci-dessus et que nos travaux répondent véritablement aux demandes des différents milieux organisationnels, la structure du FIMES est composée comme suit : un *conseil d'administration* et un *comité de direction scientifique.*

Le rôle du *conseil d'administration* est de définir la pertinence stratégique des activités du FIMES, d'évaluer les activités passées et d'approuver les activités futures. Les membres du conseil doivent également assister le développement de FIMES par leurs contacts privilégiés. Ce conseil se rencontre une fois par année et est composé de membres locaux et internationaux.

Le rôle du *comité de direction scientifique* est de veiller au bon déroulement des activités approuvées par le conseil d'administration, d'évaluer les travaux effectués par les membres actifs du FIMES, de proposer de nouvelles activités au conseil et d'être le gardien de la rigueur scientifique de ces activités. Ce comité se rencontre deux fois par année et comprend au minimum deux membres du conseil d'administration.

Tous les membres actifs du FIMES, c'est-à-dire les personnes qui dirigent ou qui effectuent des projets spécifiques approuvés par le conseil d'administration et suivis ou organisés par le comité de direction scientifique, s'engagent formellement *à apporter au minimum une contribution concrète par année* au FIMES. Ces contributions peuvent inclure, par exemple, l'organisation d'un forum, d'une conférence ou d'un séminaire; la conduite d'une recherche appliquée, la création d'un outil, la publication d'un article scientifique, la rédaction d'un cas, d'un chapitre de livre ou d'un article professionnel; l'enseignement ou le développement d'un cours, d'un programme d'enseignement ou de formation; la supervision d'une thèse, d'un mémoire ou d'un projet post-doctoral; une contribution significative au développement du réseau; et toute autre activité jugée pertinente par le conseil d'administration.

Pour toute information, pour devenir membre du réseau ou pour assister le FIMES dans ses projets, contacter:

FIMES
École des Hautes Études Commerciales (HEC)
3000, chemin de la Côte Sainte-Catherine
Montréal (Québec) H3T 2A7
Canada
Téléphone: (514) 340-7145
Télécopieur: (514) 340-7146
Courriel: www.hec.ca/fimes

Bibliographie

AARUP, K., D. CAUCHON et T. C. PAUCHANT, *Integrating Ethics and Spirituality in Management: A Content Analysis of Some Major Challenges and Paradoxes*, working paper, FIMES, HEC Montréal, présenté au Congrès de l'ACFAS, Montréal, 15 mai 2000.

ABBÉ PIERRE et A. JACQUARD, *Absolu*, Paris, Seuil, 1994.

ABBÉ PIERRE, *Testament*, Paris, Bayard, 1994.

ABRAMS, J. et C. ZWEIG (dir.), *Meeting the Shadow. The Hidden Power of the Dark Side of Human Nature*, Los Angeles (CA), Jeremy P. Tarcher, 1991.

AKTOUF, O., R. BÉDARD et A. CHANLAT, « Management, éthique catholique et esprit du capitalisme : l'exemple québécois », *Sociologie du travail*, 1, 1992, p. 83-99.

ALCOOLIQUES ANONYMES, *Le mouvement des Alcooliques anonymes devient adulte*, New York/Montréal, Alcoholics Anonymous World Services, 1983.

AMERICAN PSYCHIATRIC ASSOCIATION, *DSM-IV. Diagnostic and Statistical Manual of Mental Disorders*, Washington (D.C.), American Psychiatric Press, 1995. Trad. : *DSM-IV. Manuel diagnostique et statistique des troubles mentaux*, Paris, Éditions Masson, 1996.

APPLEGATE, J. et J. BONOVITZ, *The Facilitating Partnership: A Winnicottian Approach for Social Workers and Other Helping Professions*, Londres, Jason Aronson, 1995.

ARENDT, H., *The Human Condition*, Chicago, University of Chicago Press, 1958. Trad.: *Condition de l'homme moderne* (trad. G. Fradier), Paris, Calman-Lévy, 1961.

ARGYRIS, C., *Overcoming Organizational Defenses*, Boston, Allyn and Bacon, 1990.

ARGYRIS, C. et D.A. SCHON, *Theory in Practice: Increasing Professional Effectiveness*, San Francisco, Jossey-Bass, 1974.

ARISTOTLE, *The Ethics of Aristotle. The Nicomachean Ethics* (trad.: J.A.K. Thomson), New York, Penguin Books, 1955.

ASHBY, R., *Introduction to Cybernetics*, Londres, Chapman Hall, 1956.

AUROBINDO, S., *La pratique du yoga intégral*, Paris, Albin Michel, 1987.

AVEROS, V., « L'éthique dans l'entreprise : le lien problématique entre la pratique et la théorie », *Revue d'Éthique et de Théologie Morale*, 202, 1997, p. 182-194.

AYACHE, L., *Hippocrate*, Paris, PUF (coll. « Que sais-je ? »), 1992.

BARNARD, C.I., « Elementary Conditions of Business Morals », *California Management Review*, vol. 1, n° 1, 1958, p. 1-13.

——, *The Functions of the Executive*, Cambridge (MA), Harvard University Press, 1982 (1938).

BATESON, G., *A Sacred Unity: Further Steps to an Ecology of Mind*, New York, HaperCollins, 1991. Trad.: *Une unité sacrée*, Paris, Seuil, 1996.

BÉLAND, C., *Inquiétude et espoir*, Montréal, Québec-Amérique, 1998.

BELLAH, R.N., R. MADSEN, W.M. SULLIVAN, A. SWIDLER et S.M. TIPTON, *Habits of the Heart. Individualism and Commitment in American Life*, Berkeley (CA), University of California Press, 1985.

BENNIS, W. et J. GOLDSMITH, *Learning to Lead. A Workbook on Becoming a Leader*, Readings (MA), Addison-Wesley, 1994.

BENNIS, W. et P. WARD BIEDERMAN, *Organizing Genius. The Secret of Creative Collaboration*, Readings (MA), Addison-Wesley, 1997.

BENNIS, W., « Foreword », *in* I.I. MITROFF et E.A. DENTON, *A Spiritual Audit of Corporate America*, San Francisco (CA), Jossey-Bass Publishers, 1999, p. xi-xii.

BENNIS, W., *On Becoming a Leader*, Readings (MA), Addison-Wesley, 1989.

BENSON, H.M.D., *Timeless Healing: The Power of Biology and Belief*, New York, Simon & Shuster, 1997.

BERTALANFFY, L. von, *General System Theory. Foundations, Development, Applications*, New York, Goeorge Braziller, 1968. Trad.: *Théorie générale des systèmes* (trad. B. Chabol), Paris, Bordas, 1980.

BERTHOUZOZ, R., « Dimensions éthiques et théologiques des droits et devoirs des minorités », *Revue d'éthique et de théologie morale*, 195, 1995, p. 77-81.

——, R. PAPINI, C. J. PINTO DE OLIVEIRA, R. SUGRANYES DE FRANCH (dir.), *Économie et développement. Répertoire des documents épiscaux des cinq continents (1891-1991)*, Fribourg/Paris, Éditions Universitaires/Cerf, 1997.

« Between Nations and the World », *The Economist*, 11 septembre 1993, p. 51-54.

BION, W.R., *Experiences in Groups*, New York, Basic Books, 1959. Trad. : *Recherches sur les petits groupes*, Paris, PUF, 1965.

BOHM, D. et M. EDWARDS, *Changing Consciousness. Exploring the Hidden Source of the Social, Political and Environmental Crises Facing Our World*, San Francisco, Harper San Francisco, 1991.

BOLMAN, L. et T.E. DEAL, *Leading with Soul: An Uncommon Journey of Spirit*, New York, Random House, 1996.

BONAMI, M., B. DE HENNIN, J.-M. BOQUÉ et J.-J. LEGRAND, *Management des systèmes complexes*, Bruxelles, De Boeck, 1993.

BORGHI, M. et M. MEYER-BISH (dir.), *Éthique économique et droits de l'homme. La responsabilité commune*, Fribourg, Suisse, 1998.

BORREDON, L., et C. ROUX-DUFORT, « Pour une organisation apprenante : la place du dialogue et du mentorat », *Revue internationale de gestion*, vol. 23, n° 1, 1998, p. 42-52.

BOUCHARDEAU, H., *Simone Weil. Au fil des textes et de sa vie*, Paris, Julliard, 1995.

« Bouddhisme. Le triomphe d'une religion sans Dieu », *L'Express*, 5 août 1998, p. 26-33.

BOURQUE, J.-J., F. LELORD *et al.*, *L'âme de l'organisation*, Montréal, Québec-Amérique, 1999.

BRACEY, H., J. ROSEMBLAUM, A. SANFORD et R. TRUEBLOOD, *Managing from the Heart*, New York, Dell Publishing, 1990.

BRAULT, B., *Exercer la saine gestion. Théorie appliquée à l'audite de saine gestion*, Montréal, Publications CCH Ltée, 1999.

BRISKIN, A., *The Stiring of Soul in the Workplace*, San Francisco (CA), Jossey-Bass Publishers, 1996.

BRITISH-NORTH AMERICAN RESEARCH ASSOCIATION, *An Interfaith Declaration: A Code of Ethics on Internataional Business for Christians, Muslims and Jews*, Grosvernor Gardens House, 35-37 Grosvenor Gardens, Londres, 1993.

BRYSON, J.M. et B.C. CROSBY, *Leadership for the Common Good. Tackling Public Problems in a Shared-power World*, San Francisco (CA), Jossey-Bass Publishers, 1992.

BUBER, M., *I and Thou*, New York, Scriber, 1958. Trad. : *Je et tu*, Paris, Aubier Montaigne, 1992.

« Business with a Soul », *MotherJones,* août 1997, p. 49-63.

BYRD, R.B., « Positive Therapeutic Effects of Intercessory Prayer in a Coronary Care Unit Population », *Southern Medical Journal,* 81, 1988, p. 826-829.

CAIRNS, H., *Plato. The Collected Dialogues*, New York, Pantheon Books, 1963.

CALVEZ, J.-Y., *Nécessité du travail. Disparition d'une valeur ou redéfinition ?*, Paris, Éditions de l'Atelier, 1997.

CAMPBELL, J., *The Hero with a Thousand Faces*, Princeton (NJ), Princeton University Press, 1949. Trad.: *Les héros sont éternels*, Paris, Robert Laffont, 1978.

CAMUS, A., *Œuvres complètes*, Paris, Éditions de la Pléiade, 1974.

CANFIELD, J., M.V. HANSEN, M. ROGERSON, M. RUTTE et T. CLAUSS, *Chicken Soup for the Soul at Work: 101 Stories of Courage, Compassion and Creativity in the Workplace*, Deerfield Beach (FL.), Health Communications Inc., 1996.

CAPRA, F., *The Turning Point: Science, Society and the Rising Culture*, New York, Bantam Books, 1982. Trad.: *Le temps du changement: science, société et nouvelle culture* , Monaco, Éditions du Rocher, 1983.

CARROLL, J., *Humanism. The Wreck of Western Culture*, New York, HarperCollins Publishers, 1993.

CAYER, M., « An Inquiry into the Experience of Bohm's Dialogue », thèse de doctorat non publiée, Saybrook Institute, San Francisco, 1996.

CHAMPION, F., *Le fait religieux aujourd'hui*, Paris, Fayard, 1993.

CHANLAT, J.-F. (dir.), *L'individu dans l'organisation. Les dimensions oubliées*, Québec/Paris, Presses de l'Université Laval/Éditions Eska, 1990.

CHAPPEL, T., *The Soul of a Business: Managing for Profit and the Common Good*, New York, Bantam Books, 1994.

CHECKLAND, P., *Systems Thinking, Systems Practice*, New York, John Wiley and Sons, 1981.

CHEWNING, R.C., J.W. EBY et S.J. ROELS, *Business Through the Eyes of Faith*, San Francisco, Harper and Row, 1990.

CHIVIAN, E., M. McCALLY, H. HU et A. HAINES, *Critical Conditions. Human Health and the Environment*, Cambridge (MA), The MIT Press, 1993.

CHURCHMAN, C. W., *The Systems Approach*, New York, Laurel, 1968.

« Claude Béland. Relancer Desjardins », entrevue avec S. Dugas et P. Duhamel, *Commerce*, août 1999, p. 20-24.

COHEN, B. et J. GREENFIELD, *Ben & Jerry's Double-dip: Lead with Values and Make Money Too*, New York, Simon and Shuster, 1997.

COLES, R., *Simone Weil: A Modern Pilgrimage*, Readings (MA), Addison Wesley Publishing, 1987.

COMMON BOUNDARIES, « Graduate Education Guide. Holistic Programs and Resources Integrating Spirituality and Psychology » (C.H. Simpkinson, D.A. Wengell et M.J.A. Casavant, dir.), Besthesda, Maryland, Common Boundaries Inc., 1994.

« Companies Hit the Road Less Traveled », *Business Week*, 5 juin 1995, p. 82-83.

COMTE-SPONVILLE, A., *Valeur et vérité*, Paris, PUF, 1995.

CONFERENCE BOARD DU CANADA, *Profil de compétences relatives à l'employabilité*, janvier 1998, www.conferenceboard.ca/nbc

CONGER, J.A. et al., *Spirit at Work. Discovering the Spirituality in Leadership*, San Francisco (CA), Jossey-Bass Publishers, 1994.

CONLIN, M., « Religion in the Workplace. The Growing Presence of Spirituality in Corporate America », *BusinessWeek*, 1er novembre 1999, p. 51-56.

CONNOLLY, S., « Soul Surfaces in the Office Canyons », *The Globe and Mail*, 22 mai 1998, p. B21.

COUNCIL ON ECONOMIC PRIORITIES, *Shopping for a Better World: A Quick and Easy Guide to Socially Responsible Supermarket Shopping*, New York, CEP and Ballantine Books, 1998.

COX, H., « The Market as God. Living in the New Dispensation », *The Atlantic Monthly*, mars 1999, p. 18-23.

——, « Religion and Technology: A Study of the Influence of Religion on Attitudes Toward Technology with Special Reference to the Writings of Paul Tillich and Gabriel Marcel », thèse de doctorat non publiée, Cambridge, Harvard University, 1962, 421 p.

D'AQUIN, Thomas, *St. Thomas Aquinas: Theological Textes* (Ed. T. Gilby), Londres, Durham Editions, 1982. Trad.: *Somme théologique*, Paris, Cerf, 1984.

DALAÏ-LAMA (Tenzin Gyatso), *Freedom in Exile*, New York, Hodder and Stoughton, 1990. Trad.: *Au loin la liberté. Mémoires*, Paris, Éditions Fayard, 1990.

——, *Le Dalaï-Lama parle de Jésus. Une perspective bouddhiste sur les enseignements de Jésus*, Paris, Éditions J'ai lu, 1996. (Original: *The Good Heart*, Boston, Wisdom Publications, 1994).

DALLA COSTA, J., *The Ethical Imperative. Why Moral Leadership is Good Business*, New York, HaperBusiness, 1998.

DALY, H. E. et J. B. COBB, fils, *For the Common Good. Redirecting the Economy toward Community, the Environment, and a Sustainable Future*, Boston (MA), Beacon Press, 1994.

DAVY, M.-M., *Simone Weil: sa vie, son œuvre avec un exposé de sa philosophie*, Paris, PUF, 1966.

DE TOCQUEVILLE, A., *Democracy in America*, New York, The New American Library, 1956. Trad.: *De la démocratie en Amérique*, Paris, Bordas, 1973 (1835).

DE VLEESCHAUWER, *L'évolution de la pensée kantienne, l'histoire d'une doctrine*, Paris, Librairie F. Alcan, 1939. Trad.: *The Development of Kantian Thought*, Londres, T. Nelson, 1962.

DEFOORE, B. et J. RONESH, *Rediscovering the Soul of Business: A Renaissance of Values*, San Francisco, NewLeaders Press, 1995.

DELBECQ, A.L., J. THOMAS et K.L. McCARTHY, « Spirituality for Executive Leadership. Reporting on a Pilot Course », *Third International Sympo-*

sium on Catholic Social Thought and Management Education, Goa (India), janvier 1999.

DENHARDT, R.B., *In the Shadow of Organization*, Lawrence (Kansas), The Regent Press of Kansas, 1981.

DESHIMARU, Taïsen, *Le bol et le bâton. Cent vingt contes zen racontés par maître Taïsen Deshimaru*, Paris, Albin Michel, 1986.

DES RIVIÈRES, P. et J. PICHETTE, « L'éducation, ça donne quoi ? », *Le Devoir*, 4 octobre 1999, première page et A4.

DÉSY, J., A. CENCIG, L. DESHAIES, F. TÉTU DE LABSADE, M. GAUMOND et J. DROUIN, « Âme, médecine et spiritualité », *Le médecin du Québec*, 33, 4, 1998, p. 37-84.

DEWEY, J., *Logic. The Theory of Inquiry*, New York, Henry Holt and Company, 1938.

DHERSE, J.-L. et H. MONGUET, *L'éthique ou le chaos ?*, Paris, Presses de la Renaissance, 1998.

« Dieu et les affaires », page couverture et dossier, *Nouvelles tendances en management*, 13, octobre-novembre 1999.

DILLBECK, M. C. et E. C. BRONSON, « Short-term Longitudinal Effects of the Transcendental Meditation technique on EEG Power and Coherence », *International Journal of Neuroscience* 14, 1981, p. 147-151.

DION, M., « Les entrepreneurs chrétiens au Québec », dans C. MÉNARD et F. VILLENEUVE (dir.), *Spiritualité contemporaine*, Montréal, Fides, 1996, p. 109-133.

——, « Éthique, économie et politique dans les grandes religions et spiritualités orientales », Université de Sherbrooke, Faculté de théologie, éthique et philosophie, à paraître.

——, *L'éthique de l'entreprise*, Montréal, Fides, 1994.

DOGAN, M., « Le déclin des croyances religieuses en Europe occidentale », *Revue Internationale des Sciences Sociales*, 145, 1995, p. 465-475.

DONALDSON, T., *The Ethics of International Business*, New York, Oxford University Press, 1989.

« Dossier sur les nouveaux leaders d'opinions : les créatifs culturels », *Guide Ressources*, mai 1997, p. 33-36.

DRUCKER, P.F., *Post-capitalist Sociey*, New York, HaperBusiness, 1993.

DUBOIS, J.-P., « Les camelots du God business », *Le Nouvel Observateur*, 30 juillet-5 août 1998, p. 10.

DUFRESNE, J., *La démocratie athénienne. Miroir de la nôtre*, Ayer's Cliff (Québec), La Bibliothèque de l'Agora, 1994.

DUMONT, F., *Une foi partagée*, Montréal, Bellarmin, 1996.

DUMONT, R. et G. BOILEAU, *La contrainte ou la mort*, Montréal, Méridien, 1990.

DUMOUCHEL, P. et J.-P. DUPUY (dir.), *L'auto-organisation*, Paris, Seuil, 1983.

DWYER, J. W., L. L. CLARKE et M. K. MILLER, « The Effect of Religious Concentration and Affiliation on County Cancer Mortality Rates », *Journal of Health and Social Behavior*, 31(1990), p. 85-202.

ECO, U. et C. M. MARTINI, *Croire en quoi?*, Paris, Rivages Poche, 1998.

EGAN, G., *Working the Shadow Side. A Guide to Positive Behind-the-scenes Management*, San Francisco, Jossey-Bass Publishers, 1994.

ELKINS, D.N., « Spirituality : Why We Need It », *Psychology Today*, octobre 1999, p. 45-48.

ELLISON, C. G., « Religious Involvement and Subjective Wellbeing », *Journal of Health and Social Behavior*, 32,1, p. 90.

ENDERLE, G., « Five Views of International Business Ethics : An Introduction », *Business Ethics Quarterly*, vol. 7, n° 3, 1997, p. 1-4.

ERICKSON, E., *Gandhi's Truth : On the Origins of Militant Nonviolence*, New York, W.W. Norton, 1969. Trad. : *La vérité de Gandhi : les origines de la non-violence*, Paris, Flammarion, 1974.

ERIKSON, E.H., *Childhood and Society*, New York, W.W. Norton and Company, 1963. Trad. : *Enfance et société*, Neuchatel, Delachaux et Niestlé, 1982.

« Et si Jésus revenait? », dossier, *Le Nouvel Observateur*, 26 décembre 1997, p. 4-13.

ETHICS RESOURCE CENTER, *Ethics Policies and Programs in American Business. Report of a Landmark Survey of US Corporations*, Washington (D.C.), 1990.

ETZIONI, A., *The Moral Dimension*, New York, The Free Press, 1988.

« Faith and Healing. Can Spirituality Promote Health? », *Time Magazine*, 24 juin 1996, p. 34-44.

FAYOL, H., *Administration industrielle et générale. Prévoyance, organisation, commandement, coordination, contrôle*, Bulletin de la Société de l'industrie minérale, Genève, International Management Institute, 1916. Trad. : *General and Industrial Management*, Londres, Pitman, 1949.

FERGUSON, M., *The Aquarian Conspiracy. Personal and Social Transformation in the 1980s*, Los Angeles, J.P. Tarcher, 1980.

FILION, L.-J., *Réaliser son projet d'entreprise*, Montréal, Les Éditions Transcontinental, 1999.

« Finding Faith », *The Globe and Mail*, 3 avril 1999, section D.

FLEURÉ, E., « Une camarade pas comme les autres... Simone Weil vue par ses compagnons de travail », *Cahiers Simone Weil*, vol. 1, n° 3, 1978, p. 34-50.

FOGELMAN SOULIÉ, F. (dir.), *Les théories de la complexité*, Paris, Seuil, 1991.

« For God's Sake. Montreal Canned-food Magnate J.-Robert Ouimet Thinks he's Found the Way to Make his Employees Happier and More Productive » (P. Preville), *Canadian Business*, 25 juin-9 juillet 1999, p. 58-61.

FOWLER, J.W., *Becoming Adult, Becoming Christian*, New York, Harper and Row, 1984.

FOX, B. H., « The Role of Psychological Factors in Cancer Incidence and Prognosis », *Oncology*, mars 1995, p. 245-253.

FOX, M., *The Reinvention of Work. A New Vision of Livelihood for our Time*, San Francisco, HarperSanFrancisco, 1994.

FREEMAN, R.E., «The Politics of Stakeholder Theory», *Business Ethics Quarterly*, vol. 4, n° 4, 1994, p. 409-421.

FRIEDLANDER, F. et L.D. BROWN, «Organization Development», *Annual Review of Psychology*, 25, 1974, p. 313-342.

FRIEDLANDER, Y., J.D. KARK et Y. STEIN, «Religious Orthodoxy and Myocardinal Infraction in Jerusalem: A Case Control Study», *International Journal of Cardiology*, 10, 1986, p. 33-41.

FRIEDMAN, M., *Capitalism and Freedom*, Chicago, University of Chicago Press, 1962.

FROMM, E., *The Art of Loving*, Londres, Unwin Paperbacks, 1957. Trad.: *L'art d'aimer* (trad. J.L. Laroche et F. Tcheng), Paris, Éditions universitaires, 1967.

GAARDER, J., *Le monde de Sophie. Roman sur l'histoire de la philosophie* (trad. H. Hervieu et M. Laffon), Paris, Seuil, 1995. Trad.: *Sophie's World: A Novel About the History of Philosophy*, New York, Farrar, Straus and Giroux, 1994.

GALANTER, M. et P. BUCKLEY, «Evangelical Religion and Meditation: Psychotherapeutic Effects», *Journal of Nervous and Mental Disease*, 166, 1978, p. 685-691.

GARDNER, H., *Frames of Mind. The Theory of Multiple Intelligences*, New York, Basic Books, 1983. Trad.: *Les intelligences multiples*, Paris, Retz, 1996.

——, *Leading Minds. An Anatomy of Leadership*, New York, Basic Books, 1995.

GENELOT, D., *Manager dans la complexité*, Paris, INSEP Éditions, 1992.

GERMAIN-THOMAS, O., «Les yeux fertiles d'André Malraux», *Le Nouvel Observateur*, Hors Série, «La soif de Dieu. Voyage au cœur des religions», 2803, 1996, p. 57.

GIBRAN, K., *The Prophet*, New York, Alfred A. Knoff, 1982.

GILL, E., *A Holy Tradition of Working. Passages from the Writing of Eric Gill*, West Stockbridge (MA), The Lindisfarne Press, 1983.

GILSON, E., *La philosophie de saint Bonaventure*, Paris, J.Vrin, 1953.

GLEICK, J., *Chaos. Making a New Science*, New York, Vicking, 1987. Trad.: *La théorie du chaos: vers une nouvelle science* (trad. C. Jeanmougin), Paris, Flammarion, 1991.

GODBOUT, J. T., *L'esprit du don*, Montréal, Boréal, 1992.

GOFFMAN, E., *Asylums. Essays on the Social Situations of Mental Patients and other Inmates*, Garden City (NY), Anchor Boooks, 1961. Trad.: *Asiles. Études sur la condition sociale des malades mentaux et autres reclus*, Paris, Éditions de Minuit, 1968.

GOLDSMITH, E., P. BUNYARD, N. HILDYARD et P. McCULLY, *Imperiled Planet. Restoring our Endangered Ecosystems*, Cambridge (MA), The MIT Press, 1990.

GOLEMAN, D. et R.A.F. THURNMAN (dir.), *Mind Science: A East West Dialogue; The Dalaï-Lama and Participants in the Harvard Mind Science Symposium*, Boston, Wisdom Publications, 1991.

GOLEMAN, D., *Working with Emotional Intelligence*, New York, Bantam Books, 1998. Trad.: *L'intelligence émotionnelle*, tome 2, *Cultiver ses émotions pour s'épanouir dans son travail*, Paris, Laffont, 1999.

GOLLUB, J.O., *The Decade Matrix. Why the Decade You Were Born into Made You What You Are Today*, Reading (MA), Addison Wesley, 1991.

GOODPASTER, K. E. et T. E. HOLLORAN, « Anatomy of Corporate and Social Awareness: The Case of Medtronic Inc. », *Third International Symposium on Catholic Social Thought and Management Education*, Goa (India), janvier 1999.

GORE, A., *Earth in the Balance: Ecology and the Human Spirit*, New York, Plume Books, 1993.

GRAND'MAISON J., L. BARONI et J.-M. GAUTHIER (dir.), *Le défi des générations*, Montréal, Fides, 1995.

GREENSPAN, S.I. et G.H. POLLOCK (dir.), *The Course of Life*, vol. IV, *Adolescence*, Madison (CT), International University Press, 1991.

GRENIER, J., *Albert Camus, souvenirs*, Paris, Gallimard, 1968.

GROUPE DE LISBONNE, *Limites à la compétitivité. Vers un nouveau contrat mondial*, Montréal, Boréal, 1995. Trad.: *Limits to Competition*, Cambridge (MA), MIT Press, 1995.

HABERMAS, J., *De l'éthique de la discussion* (trad. M. Hunyadi), Paris, Flammarion, 1992. Trad.: *Moral Consciousness and Communicative Action* (trad. C. Lenhardt et S.W. Nicholson), Cambridge (MA), MIT Press, 1990.

HAFSI, T., J.-M. TOULOUSE et al., *La stratégie des organisations: une synthèse*, Montréal, Éditions Transcontinental, 1996.

HAMILTON, E. et H. CAIRNS (dir.), *The Collected Dialogues of Plato*, Bolligen Serie, Princeton (NJ), Princeton University Press, 1963.

HAMPDEN-TURNER, C., *Charting the Corporate Mind*, New York, The Free Press, 1990.

HANDY, C., *The Age of Paradox*, Boston, Harvard Business School Press, 1994. Trad.: *Le temps des paradoxes*, (trad. J.L. Allez), Paris, Éditions Village Mondial, 1995.

HARMAN, W. et H. RHEINGOLD, *Higher Creativity: Liberating the Unconscious for Breakthrough Insights*, Los Angeles, Jeremy P. Tarcher, 1984.

HARRISON, R., *Consultant's Journey: A Danse of Work and Spirit*, San Francisco, Jossey-Bass Publishers, 1995.

HAVEL, V., *Disturbing the Peace*, New York, A. Knopf, 1990.

HAWKEN, P., *The Ecology of Commerce. A Declaration of Sustainability*, New York, HaperBusiness, 1993.

HAWKINGS, P., « The Spiritual Dimension of the Learning Organization », *Management Education and Development*, 22, 1991, p. 172-187.

HAWLEY, J., *Reawakening the Spirit in Work: The Power of Dharmic Management*, San Francisco, Berrett-Koehler Publishers, 1993.

HAYEK, F.A., *Droit, législation et liberté. Une nouvelle formulation des principes libéraux de justice et d'économie politique*, tome 2: *Le mirage de la justice sociale*, Paris, PUF, 1985.

HEIDER, J., *The Tao of Leadership*, New York, Bantam Books, 1985.

HERVIEU-LÉGER, D., *Vers un nouveau christianisme? Introduction à la sociologie du christianisme occidental*, Paris, Cerf, 1986.

HERZBERG, F.I., « Les quatre questions existentielles: leurs effets sur la motivation humaine et le comportement organisationnel », dans T. C. PAUCHANT *et al.*, *La quête du sens*, Montréal, Québec-Amérique, 1996, p. 167-188.

HESSE, H., *Siddhartha*, New York, Bantam Books, 1951.

——, *The Glass Bead Game* (Magister Ludi), New York, Holt, Rinehart and Winston, 1969.

HOFFMAN, E., *The Rigth to Be Human. A Biography of Abraham Maslow*, Los Angeles, 1988.

« How Entrepreneurs are Reshaping the Economy and What Can Big Companies Learn », *Business Week*, numéro spécial, 1993, p. 10-18.

HUXLEY, A., *The Perennial Philosophy*, New York, Harper and Row Publishers, 1944. Trad.: *La philosophie éternelle* (trad. J. Castier), Paris, Plon, 1977.

IBRAHIM, N.A., L.W. RUE, P.P. McDOUGALL et G.R. GREENE, « Characteristics and Pratices of "Christian-based" Companies », *Journal of Business Ethics*, 10, 1991, p. 123-132.

IIEDH (Institut interdisciplinaire d'éthique et des droits de l'homme), « Charte des responsabilités communes dans l'activité économique », Fribourg, 1998.

ILLICH, I., *Deschooling Society*, New York, Harper and Row Publishers, 1971. Trad.: *Une société sans école* (trad. G. Durand), Paris, Seuil, 1971.

INOUE, S., *Putting Buddhism to Work: A New Approach to Management and Business*, New York, Kodansha International, 1997.

ISAACS, W., « Taking Flight: Dialogue, Collective Thinking and Organizational Learning », *Organizational Dynamics*, 22, 1993, p. 24-39.

ISSACS, W., *Dialogue and the Art of Thinking Together*, New York, DoubledayCurrency, 1999.

JACQUARD, A., *J'accuse l'économie triomphante*, Paris, Calmann-Lévy, 1995.

JAMES, W., *Pragmatism*, New York, New American Library, 1974 (orig. 1907). Trad.: *Le pragmatisme*, Paris, Flammarion, 1995.

——, *The Varieties of Religious Experience*, New York, New America Library, 1958 (orig. 1902).

——, *The Writings of William James*, New York, The Modern Library, 1965.

JANTSCH, E., *The Self Organizing Universe*, Oxford, Pergamon Press, 1980.

JEAN XXIII, *Mater et Magistra. Encyclical Letter of His Holiness Pope John XXIII on Christianity and Social Progress* (trad. W.J. Gibbons) Paulist Press, New York, 1961. Trad.: *Lettre encyclique Mater et Magistra de sa sainteté le pape Jean XXIII sur les récents développements de la question sociale*, Sherbrooke, Éditions Paulines, 1962.

JUNG, C.G., *Man and his Symbols*, Garden City (NY), Doubleday and Company, 1964. Trad.: *L'homme et ses symboles*, Paris, Laffont, 1992.

KANT, E., *Critique of Pure Reason*, New York, St. Martin's Press, 1965. Trad.: *Critique de la raison pure*, Paris, PUF, 1984 (orig. 1781).

KARRH, B.W., « Du Pont and Corporate Environmentalism », *in* W.M. HOFFMAN, R. FREDERICK et E.S. PERY (dir.). *The Corporation, Ethics and the Environment*, New York, Quorum Books, 1990, p. 69-76.

KAZUO, I., *For People and for Profit: A Business Philosophy for the 21st Century*, Tokyo, Kodansha International, 1997.

KEEBLE, J., *Out of the Channel: The Exxon-Valdez Oil Spill in Prince William Sound*, New York, HarperCollins, 1991.

KELLY, S. and M.A. ALLISON, *The Complexity Advantage*, New York, McGraw-Hill, 1999.

KENDLER, K.S., C.O. GARDNER et C.A PRESCOTT, « Religion, Psychotherapy, and Substance Use and Abuse: a Multi-measure, Genetic-epidemiological Study », *American Journal of Psychiatry*, vol. 154, n° 3, 1997, p. 322.

KETS DE VRIES, M.F.R. et D. MILLER, *The Neurotic Organization. Diagnosing and Changing Counterproductive Styles in Management*, San Francisco, Jossey-Bass Publishers, 1984. Trad.: *L'entreprise névrosée* (trad. G. Loudière), Paris, McGraw-Hill, 1985.

KEYNES, J.M., *The Collected Writings*, volume IX, New York, Macmillan Press, 1972.

KING, M.L., *I Have a Dream. Writings and Speeches that Changes the World*, San Francisco, HarperSanFrancisco, 1992.

KOENIG, H.G., « Use of Acute Hospital Services and Mortality Among Religious and Non-religious Copers with Medical Illness », *Journal of Religious Gerontology*, vol. 9, n° 3, 1995, p. 1-22.

——, *Aging and God*, New York, Haworth Pastoral Press, 1994.

——, *The Healing Power of Faith. Science Explores Medicine's Last Great Frontier*, New York, Simon & Shuster, 1999.

—— (dir.), *Handbook of Religion and Mental Health*, San Diego, Academic Press, 1998.

——, K.I. PARGAMENT et J. NIELSEN, « Religious Coping and Health Status in Medically Ill Hospitalized Older Adults », *Journal of Nervous and Mental Disorders*, 186, 1998, p. 513-521.

—— et A. FUTTERMAN, « Religion and Outcomes: A Review and Synthesis of the Literature », texte présenté à la *Conference on Methodological Approaches to the Study of Religion, Aging, and Health*, organisée par The National Institute of Aging, 16-17 mars 1995.

——, L.K. Georg et I.C. Siegler, « The Use of Religion and Other Emotion-regulating Coping Strategies Among Older Adults », *Gerontologist*, 28, 3, 1988, p. 303-310.

Kohlberg, L., *The Philosophy of Moral Development*, San Francisco, Harper and Row, 1981.

——, « Development of Moral Character and Moral Ideology », *in* M. Hoffman et L. Hoffman (dir.), *Review of Child Development Research*, vol. 1, New York, Russell Sage, 1964.

Kolb, D.A., « Integrity, Advanced Professional Development and Learning », in S. Srivastva *et al.* (dir.), *Executive Integrity. The Search for Human Values in Organizational Life,* San Francisco, Jossey-Bass Publishers, 1988, p. 68-87.

——, *Experiential Learning: Experience as a Source of Learning and Development*, Englewood Cliffs, Prentice Hall, 1984.

Korten, D.C., *When Corporations Rule the World*, San Francisco, Berrett-Koehler Publishers, 1995.

Krishnamurti, J. et D. Bohm, *The Future of Humanity. A Conversation*, New York, Harper and Row, 1986.

Küng, H., *Weltethos für Weltpolitik und Weltwirtschaft*, München, Piper, 1993. Trad.: *A Global Ethic. The Declaration of the Parliament of the World's Religions*, Londres, SCM Press. Trad.: *Manifeste pour une éthique planétaire. La déclaration du parlement des religions du monde*, Paris, Cerf, 1995.

« La pastorale selon le personnel de la santé », Service régional de pastorale de la santé, *Revue Pastorale Québec,* à paraître.

« La soif de Dieu. Voyage au cœur des religions », *Le Nouvel Observateur*, numéro hors série 2802, 1996.

Lacroix, M., *L'idéologie du New Age*, Paris, Flammarion Dominos, 1996.

Laforge, P.G., « Cultivating Three Ethical Relationships Through Mediation », *Third International Symposium on Catholic Social Thought and Management Education*, Goa (India), janvier 1999.

Lanoie, P., B. Lapante et M. Provost (dir.), *Environnement, économie et entreprise*, Sainte-Foy, Télé-Université, 1995.

Lapierre, J.-W., *L'analyse des systèmes. L'application aux sciences sociales*, Paris, Syros, 1992.

Lardeur, T., *Les sectes dans l'entreprise*, Paris, Éditions d'Organisation, 1999.

Lavelle, L., *De l'intimité spirituelle*, Paris, Aubier, 1955.

Lean, G. et D. Hinrichsen, *Atlas of the Environment*, Londres, Helicon, 1992.

Levin, J.S., D.B. Larson et C.M. Puchalski, « Religion and Spirituality in Medecine: Research and Education », *Journal of the American Medical Association*, vol. 278, n° 9, 1997, p. 792-793.

LEVINE, C.L., L. KOLHBERG et A. HEWER, « The Current Formulation of Kolhberg's Theory and a Response to Critics », *Human Development*, 28, 1985, p. 94-100.

LEWIN, R., *Complexity. Life at the Edge of Chaos*, New York, Macmillan Publishing, 1993. Trad. : *La complexité*, Paris, InterEditions, 1994.

LIEBIG, J.E., *Merchants of Vision : People Bringing New Purpose and Values to Business*, San Francisco, Jossey-Bass Publishers, 1994.

LOW, A., *Zen and Creative Management*, Rutland (VT), Charles E. Tuttle Company, 1976.

MACY, J., *Dharma and Development*, New Hartford (CT), Kumarian Press, 1983.

——, *Mutual Causality in Buddhism and General Systems Theory*, Albany (NY), State University of New York Press, 1991.

MANDELA, N., *Long Walk to Freedom*, Boston, Little & Brown, 1994. Trad. : *Un long chemin vers la liberté : autobiographie*, Paris, Fayard, 1995.

MARCHAND, M.-E., « L'exploration réflective dans la pratique du dialogue de Bohm : une expérience avec des gestionnaires, conseillers et formateurs en gestion », thèse de doctorat en sciences de l'éducation, Université de Montréal, à paraître.

MARIOTT, J.W., *The Spirit to Serve Marriott's Way*, New York, Harper-Collins Publishers, 1997. Trad. : *L'ascension de l'empire Marriott. Le désir de servir à la façon Marriott*, Saint-Hubert, Les Éditions Un monde différent, 1998.

MARTIN, M., *The Decline and Fall of the Roman Church*, New York, Putnam, 1981. Trad. : *Le déclin et la chute de l'Église romaine*, Paris, Éditions Exergue, 1997.

MASLOW, A. H., *Eupsychian Management. A Journal*, Homewood (Ill.), Richard D. Irwin, 1965.

——, *Motivation and Personality*, New York, Harper and Row, 1970.

——, *Religions, Values, and Peak-experiences*, Columbus (Ohio), Ohio State University Press, 1964.

——, *The Farther Reaches of Human Nature*, New York, The Vicking Press, 1971.

——, *Toward a Psychology of Being* (2ᵉ éd.), New York, Van Nostrand Reinholt Company, 1968. Trad. : *Vers une psychologie de l'être*, Paris, Fayard, 1972.

MATION, K.I., « The Stress-buffering Role of Spiritual Support : Cross-sectorial and Prospective Investigation », *Journal for the Scientific Study of Religion*, vol. 28, n° 3, 1989, p. 310-323.

MATTHEWS, D.A., D.B. LARSON et C.P. BARRY, *The Faith Factor : An Annoted Bibliography of Clinical Research on Spiritual Subjects*, vol. 1, Rockville (MD), National Institute for Healthcare Research, 1993.

MATURANA, H.R. et F.J. VARELA, *Autopoiesis and Cognition. The Realization of the Living*, Boston, D. Reisel Publishing, 1980.
—, *The Tree of Knowledge. The Biological Roots of Human Understanding*, Boston, Shambhala Publications, 1992.
MAY, R., *Love and Will*, New York, Dell Publishing, 1969. Trad.: *Amour et volonté*, Paris, Stock, 1971.
—, *The Courage to Create*, New York, W.W. Norton, 1975. Trad.: *Le courage de créer*, Paris, Éditions Le Jour, 1988.
MAYURAMA, M., *Mindscapes in Management*, Brookfield (VT), Darmouth, 1994.
McGILL UNIVERSITY, *Search Conference Report. Enhancing Leadership. The Role of the National Volontary Sector in Creating and Preserving a Healthy, Compassionate and Sustainable Sociey*, Faculty of management, Master of Management, McConnel Program, janvier 1999.
McLELLAN, D., *Utopian Pessimist. The Life and Thought of Simone Weil*, New York, Poseidon Press, 1990.
McSHERRY, E., « Pastoral Care Departments: More Necessary in the DRG Era? », *Health Care Management Review*, vol. 11, n° 1, 1986, p. 58.
McWHINNEY, W., *Paths of Change. Strategic Choices for Organizations and Society*, Newbury Park (CA), Sage Publications, 1992.
MEADOWS, D.H., D.L. MEADOWS et J. RANDERS, *Beyond the Limits*, Toronto, McClelland and Stewart, 1992.
MÉDA, D., *Le travail. Une valeur en voie de disparition*, Paris, Aubier, 1995.
MÈRE TERESA, *No Greater Love*, New York, New World Library, 1997. Trad.: *Il n'y a pas de plus grand amour*, Paris, Jean-Claude Lattès, 1997.
MERTON, T., « Pacifism and Resistance in Simone Weil », in *Faith and Violence. Christian Teaching and Christian Practice*, Notre Dame, University of Notre Dame Press, 1968, p. 76-84.
MERTON, T., *Love and Living*, New York, Harcourt Brace Jovanovich Publishers, 1985.
MICHELIN, F., *Et pourquoi pas?*, Paris, Grasset, 1998.
MILLER, D., *The Icarus Paradox: How Exeptional Companies Bring about their Own Downfall*, New York, HarperBusiness, 1990.
MILTON, J., *Paradise Lost*, New York, Chelsea House Publishers, 1987.
MINTZBERG, H., « Saviour of the Corporate Soul », *The Canadian Forum*, entrevue avec J. Swift, juin 1999, p. 16-21.
MINTZBERG, H., B. AHLSTRAND et J. LAMPEL, *Strategic Safari: A Guided Tour Through the Wilds of Strategic Management*, New York, The Free Press, 1998.
MINTZBERG, H., *The Rise and Fall of Strategic Planning. Reconceiving Roles for Planning, Plans, Planners*, New York, The Free Press, 1994.
MIRVIS, P.H., « "Soul work" in organizations », *Organization Science*, vol. 8, n° 2, 1997, p. 193-206.

MITROFF, I.I. et E.A. DENTON, *A Spiritual Audit of Corporate America: A Hard Look at Spirituality, Religion, and Values in the Workplace*, (A Warren Bennis Book), San Francisco, Jossey-Bass Publishers, 1999.

MITROFF, I.I. et H.A. LINSTONE, *The Unbounded Mind: Breaking the Chaines of Traditional Business Thinking*, New York, Oxford University Press, 1993.

MITROFF, I.I., R. MASON et C. PEARSON, *Frame Break*, San Francisco, Jossey-Bass Publishers, 1994.

MITROFF, I.I., *Stakeholders of the Organizational Mind*, San Francisco, Jossey-Bass Publishers, 1983.

MONTGOMERY, C.W., *Environmental Geology* (3ᵉ éd.), Dubuque (IN), W.C. Brown Publishers, 1992.

MOORE, T., *Care of the Soul. A Guide for Cultivating Depth and Sacredness in Everyday Life*, New York, HarperCollins Publishers, 1992.

MORIN, E.M., « Enantiodromia in Crisis Management. A Jungian Perspective », *Industrial and Environmental Crisis Quarterly*, vol. 7, n° 2, 1993, p. 91-114.

——, *Psychologies au travail*, Montréal/Paris, Gaëtan Morin, 1996.

——, A. SAVOIE et G. BEAUDOIN, *L'efficacité de l'organisation. Théories, représentations et mesures*, Montréal, Gaëtan Morin, 1994.

——, M. GUIDON et E. BOULIANNE, *Les indicateurs de performance*, Ordre des comptables généraux licenciés du Québec, Montréal, Guérin, 1996.

MORIN, E., *Science avec conscience*, Paris, Fayard, 1990.

MORIN, N. et M. BOË, *Évaluation du premier Forum international sur le management, l'éthique et la spiritualité*, HEC Montréal, novembre 1998, disponible sur le site Web de FIMES : www.hec.ca/fimes.

MORLEY, C. et J. PRIEST, « RMIT Reflects on its DBA Programme », texte non publié, présenté à la conférence *Innovations in Teaching & Research*, Coffs Harbour, N.S.W., Australie, 1998.

MURDOCK, M., *The Heroine's Journey Workbook*, Boston, Shambhala Publications, 1998.

NEAL, J.A., « Spirituality in Management Education: A Guide to Resources », *Journal of Management Education*, 21, 1, 1997, p. 121-139.

NICHOLS, M., « Does New Age Business Have a Message for Managers ? » *Harvard Business Review*, mars-avril 1994, p. 52-60.

NOVAK, M., *Business as a Calling: Work and the Examined Life*, New York, The Free Press, 1996.

O'TOOLE, J., « Do Good, Do Well: The Business Enterprise Award », *California Management Review*, 33, 1991, p. 19-25.

——, *The Executive Compass. Business and the Good Society*, New York, Oxford University Press, 1993.

OLIVE, D., *Just Rewards: The Case for Ethical Reform in Business*, Toronto, Key Porter Books, 1987.

ÖSTERBERG, R., *Corporate Renaissance: Business as an Adventure in Human Development*, Mill Valley (CA), Nataraj Publishing, 1993.

OUIMET, J.-R., *Concilier le bonheur humain et la rentabilité d'entreprise: mission possible!* (2ᵉ éd.), Montréal, Éditions Ouimet-Cordon Bleu, 1999.

——, « De nouveaux outils de gestion pour l'entreprise. Apports au bonheur humain et à la profitabilité », thèse de doctorat en sciences économiques et sociales, Faculté des sciences économiques et sociales, Université de Fribourg, Suisse, 1998.

OWEN, H., *The Spirit of Leadership: Liberating the Leader in Each of Us*, San Francisco (CA), Berrett-Koehler Publishers, 1999.

OXMAN, T.E. *et al.*, « Lack of Social Participation or Religious Strength and Comfort as Risk Factors for Death after Cardiac Surgery in Elderly », *Psychosomatic Medicine*, 57, 1995, p. 5-15.

PALMER, P. J., *The Courage to Teach*, San Francisco, Jossey-Bass Publishers, 1998.

——, *To Know as We Are Known: A Spirituality of Education*, San Francisco, Harper and Row Publishers, 1983.

PAQUET, G., *Governance through Social Learning*, Ottawa, The University of Ottawa Press, 1999.

PARGAMENT, K.I., *The Psychology of Religion and Coping*, New York, The Guilford Press, 1997.

PARKER FOLLET, M., *Prophet of Management*, Boston, Harvard Business School Press, 1995.

PASQUERO, J., « L'éthique des affaires. Fondements théoriques et implications », congrès de l'Institut supérieur de gestion de Tunis. Papier disponible à l'UQAM, École des sciences de la gestion, Montréal, 1997.

PASQUIER-DORTHE, J. et C.-J. PINTO DE OLIVEIRA, « La gestion, carrefour de l'économie et de l'éthique. Identification et traitement des critères et problèmes éthiques dans la décision d'entreprise », *Cahiers ISES, 35*, 1990.

——, « Réussir les affaires et accomplir l'homme. Enjeux éthiques et économiques de l'entreprise: responsabilité et rentabilité », *Cahiers ISES, 1997*.

PAUCHANT, T. C. *et al.*, *La quête du sens. Gérer nos organisations pour la santé des personnes, de nos sociétés et de la nature*, Montréal, Québec-Amérique, coll. « Presses HEC », 1996; Paris, Éditions d'Organisation, coll. « Institut Manpower », 1997; Trad.: *In Search of Meaning*, San Francisco, Jossey-Bass Publishers, 1995.

PAUCHANT, T. C. et I. FORTIER, « Anthropocentric Ethics in Organizations. Strategic Management and the Environment: A Typology », dans P. SHRIVASTAVA et R.B. LAMB (dir.), *Advances in Strategic Management*, vol. 6, Greenwich (CT), JAI Press, 1990, p. 99-114.

PAUCHANT, T. C. et M. CAYER, « L'entreprise apprenante et l'apprentissage systémique », dans R. LAFLAMME (dir.), *Mobilisation et efficacité du travail*, Cap-Rouge, Presses Inter Universitaires, coll. « Gestion des paradoxes dans les organisations », tome 6, 1998, p. 187-192.

PAUCHANT, T. C., « Simone Weil et l'organisation actuelle du travail », *Cahiers Simone Weil*, vol. 21, 1-2, 1998, p. 111-140.

PAUCHANT, T. C. et I.I. MITROFF, « The Management of Production and Counter-production. A Call for Mature Scholars, Managers and Educators », *Journal of Management Inquiry*, à paraître.

——, *Transforming the Crisis-prone Organization. Preventing Individual, Organizational and Environmental Tragedies*, San Francisco, Jossey-Bass Publishers, 1992. Traduction et nouvelle édition française : *La gestion des crises et des paradoxes. Prévenir les effets destructeurs de nos organisations*, Montréal, Québec-Amérique, collection « Presses HEC », 1995.

PAUCK, W. et M. PAUCK, *Paul Tillich. His Life and Thought*, San Francisco, Harper and Row Publishers, 1989.

PECK, Scott M., *The Road Less Travelled : A New Psychology of Love, Traditional Values and Spiritual Growth*, New York, A Touchstone Book, 1978. Trad. : *Le chemin le moins fréquenté* (trad. L.Minard), Paris, R. Laffont, 1987.

PERRIN, J.-M., *Mon dialogue avec Simone Weil*, Paris, Nouvelle Cité, 1984.

PETRELLA, R., *Le bien commun. Éloge de la solidarité*, Bruxelles, Labor, 1997.

PIRSIG, R.M., *Zen and the Art of Motorcycle Maintenance*, New York, William Morrow & Company, 1974. Trad. : *Traité de Zen et de l'entretien des motocyclettes*, Paris, Seuil, 1998.

« Play and work », *Parabola,* vol. 21, n° 4, novembre 1996.

POPCORN, F., *Clicking*, New York, HaperCollins Publishers, 1996. Trad. : *Clicking. Après le Rapport Popcorn découvrez les tendances qui révolutionneront l'an 2000* (trad. M. Perron), Montréal, Les Éditions de l'homme, 1996.

POULIN, P., *Histoire du mouvement Desjardins*, Tomes I, II, III, Montréal, Québec-Amérique, 1990, 1994, 1998.

PREVILLE, P., « L'évangile selon Cordon Bleu », *L'actualité*, 1ᵉʳ septembre 1999, p. 50-55.

PRIGOGINE, I. et I. STENGERS, *Order Out of Chaos. Man's Dialogue with Nature*, New York, Bantam Books, 1984.

PROBST, G. J. B., *Organiser par l'auto-organisation*, Paris, Éditions d'Organisation, 1994.

PUEL, H., *L'économie au défi de l'éthique*, Paris, Cerf, 1989.

QUENK, N.L., *Beside Ourselves. Our Hidden Personality in Everyday Life*, Palo Alto (CA), Davies-Black Publishing, 1993.

QUINN, J.B., H. MINTZBERG et R.M. JAMES, *The Srategy Process. Concepts, Contexts, and Cases*, Englewood Cliffs (NJ.), Prentice Hall, 1988.

RAINES, J.C. et D.C. DAY-LOWER, *Modern Work and Human Meaning*, Philadelphie, Westminster Press, 1986.

RAY, P.H., *The Integral Culture Survey : A Study of the Emergence of Transformational Values in America*, Sausalito (CA), Institute of Noetic Sciences, 1996.

«Reclaiming Real life», *Utne Reader,* août 1997, p. 49-65.

REDER, A., *In Pursuit of Principle and Profit. Business Success through Social Responsibility,* New York, G.P. Putman's Sons, 1994.

RELIGIOUS SOCIETY OF FRIENDS, *Christian Faith and Practice in the Experience of the Society of Friends,* Rencontre annuelle à Londres, section 40, 1960.

RENESH, J. (dir.), *New Tradition in Business: Spirit and Leadership in the 21st Century,* San Francisco, Berrett-Koehler Publishers, 1992.

REVEL, J.-F. et M. RICARD, *Le moine et le philosophe* (2ᵉ éd.), Paris, NIL Éditions, 1999.

RICŒUR, P., *Soi-même comme un autre,* Paris, Seuil, 1990.

RIFKIN, J., *The End of Work,* New York, G.P. Putman's Sons, 1995. Trad.: *La fin du travail,* (trad. P. Rouve), Montréal, Boréal, 1996.

RODDICK, A., *Body and Soul: Profits with Principles,* New York, Crown Publications, 1990.

ROGERS, C.R., *On Becoming a Person,* Boston, Houghton Mifflin, 1961. Trad.: *Le développement de la personne* (trad. E.L. Herbert), Paris, Dunod, 1976.

——, *On Encounter Groups,* New York, Harper and Row, 1970. Trad.: *Les groupes de rencontre* (trad. D. Le Bon), Paris, Dunod, 1973.

SALKIN, J.K., *Being God's Partner. How to Find the Hidden Link between Spirituality and your Work,* Woodstock (VT), Jewish Lights Publising, 1994.

SAUDIA, T.L., M.R. KINNERY, K.C. BROWN et L. YOUNG-WARD, «Health Locus of Control and Helpfulness of Prayer», *Heart and Lung,* 20, 1991, p. 60-65.

SAUL, J., *Voltaire's Bastards. The Dictatorship of Reason in the West,* New York, The Free Press, 1992. Trad.: *Les bâtards de Voltaire* (trad. S. Boulogne), Paris, Payot, 1993.

SAUTET, M., *Un café pour Socrate. Comment la philosophie peut nous aider à comprendre le monde d'aujourd'hui,* Paris, Robert Laffont, 1995.

SCHUMACHER, E. F., *A Guide for the Perplexed,* New York, Harper and Row Publishers, 1997.

——, *Good Work,* New York, Harper & Row Publishers, 1979.

SCHUMANN, M., *La mort née de leur propre vie: Gandhi, Péguy, Simone Weil,* Paris, Fayard, 1974.

SCHWARTZ, H.S., *Narcissistic Process and Corporate Decay. The Theory of the Organizational Ideal,* New York, New York University Press, 1990.

SECRETAN, L.H.K., *Reclaiming Higher Ground. Creating Organizations that Inspire the Soul,* Toronto, Macmillan Canada, 1996.

«Sectes, le défi de l'irrationnel», série «Dossiers et Documents», *Le Monde,* décembre 1997.

SEED, J., P. FLEMING, J. MACY et A. NAESS, *Thinking Like a Mountain,* Philadelphie, New Society Publishers, 1988.

Seguin, P., *En attendant l'emploi...*, Paris, Seuil, 1996.

Selznick, P., *The Moral Commonwealth: Social Theory and the Promise of Community*, Berkeley (CA), University of California Press, 1992.

Senge, P.M., C. Roberts, R.B. Ross, B.J. Smith et A. Kleiner, *The Fifth Discipline Fieldbook*, New York, DoubledayCurrency, 1994.

Senge, P.M., *The Fifth Discipline. The Art and Practice of the Learning Organization*, New York, DoubledayCurrency, 1990.

Senge, P., A. Kleiner, C. Roberts, R. Ross, G. Roth et B. Smith, *The Dance of Change. The Challenge to Sustaining Momentum, in Learning Organizations*, New York, DoubledayCurrency, 1999.

Serres, M., « Nous entrons dans une période où la morale devient objective », dans *Les grands entretiens du Monde*, tome II, Paris, Le Monde Éditions, 1994, p. 89-97.

——, *Atlas*, Paris, Julliard, 1994.

——, *Éclaircissements. Cinq entretiens avec Bruno Latour*, Paris, Éditions François Bourin, 1992.

——, *Le contrat naturel*, Paris, Éditions François Bourin, 1990.

——, *Statues*, Paris, Flammarion, 1989.

Sethi, S. P., « Ethical Behavior as a Strategic Choice by Large Corporations: the Interactive Effect of the Marketplace Competition, Industry Structure and Firm Resources », *Business Ethics Quarterly*, vol. 8, n° 1, janvier 1998, p. 85-104.

Shrivastava, P., *Greening Business. Profiting the Corporation and the Environment*, Cincinnati, Thomson Executive Press, 1996.

Siegel, B.S., *Love, Medicine and Miracles. Lessons Learned about Self-healing from a Surgeon's Experience with Exceptional Patients*, New York, Harper and Row Publishers, 1986.

Sloan, A.P., *My Years with General Motors*, New York, Doubleday Currency, 1990 (1963).

Smith, D. (dir.), *Business and the Environment: Implications of the New Enviromentalism*, Londres, Paul Chapman Publishing, 1993.

Smith, D., *Work With What You Have. Ways to Creative and Meaningful Livelihood*, Boston, Shambhala Publications, 1999.

Snell, R.S., « Obedience to Authority and Ethical Dilemmas in Hong Kong Companies », *Business Ethics Quarterly*, vol. 9, n° 3, janvier 1998, p. 507-526.

Solomon, R. et K.R. Hanson, *It's Good Business*, New York, Atheneum, 1985. Trad.: *La morale en affaire. Clé de la réussite* (trad. S. Manat), Paris, Éditions d'Organisation, 1989.

Soros, G., *Soros on Soros*, New York, John Wiley and Sons, 1995. Trad.: *Le défi de l'argent* (trad. B. Poulet), Paris, Plon, 1996.

Spicher, P., *Les droits de l'homme dans les chartes d'éthique économique*, Fribourg, 1996.

SPRETNAK, C., *The Resurgence of the Real: Body, Nature and Place in a Hypermodern World*, New York, Addison-Wesley, 1997.

STACEY, R.D., *Managing the Unknowable: Strategic Boundaries between Order and Chaos in Organizations*, San Francisco (CA), Jossey-Bass Publishers, 1992.

STEIN, T., «How Advertising Has Co-opted Spirituality», *Shambhala Sun*, novembre 1999, p. 36-41.

STEINER, G.,« Bad Friday», *The New Yorker*, 2 mars 1992, p. 86-90.

TANNENBAUM, R., N. MARGULIES, F. MASSARIK *et al.*, *Human Systems Development. New Perspectives on People and Organizations*, San Francisco, Jossey-Bass Publishers, 1985.

TAYLOR, C., *Hegel*, Cambridge (Mass.), Cambridge University Press, 1975.

—, *Sources of the Self*, Cambridge (Mass.), Harvard University Press, 1989.

—, *The Malaise of Modernity*, Toronto, Stoddart Publishing, 1991. Trad.: *Grandeur et misère de la modernité* (trad. C. Melançon), Montréal, Bellarmin, 1992.

TEILHARD DE CHARDIN, Pierre, *Hymne de l'Univers*, Paris, Seuil, 1961. Trad.: *Hymn of the Univers* (trad. S. Bartholomew), New York, Harper and Row, 1965.

« The New Spirituality. Mainstream North America Searches for Meaning in Life», *Maclean's,* 10 octobre 1994, p. 44-54.

« The Search for the Sacred. America's Quest for spiritual meaning», *Newsweek,* 28 novembre 1994, p. 52-62.

THORSEN, F., *Through Quiet Processes and Small Circles,* papier non publié, 5th International Symposium for Psychologists for Peace, 1997.

TILLICH, P., «Existentialism and Psychotherapy», dans K. HOELLER (dir.), Readings in Existential Psychology and Psychiatry, édition spéciale, *Review of Existential Psychology and Psychiatry*, vol. 20, n°s 1, 2, 3, 1990, p. 39-47.

—, « The Ambiguity of Perfection», *Time Magazine*, 17 mai 1963, p. 53.

TILLICH, P., *The Courage to Be*, New Haven (Conn.), Yale University Press, 1952. Trad.: *Le courage d'être*, Tournai, Casterman, 2e édition, 1967.

TODOROV, T., *La vie commune. Essai d'anthropologie générale*, Paris, Seuil, 1995.

TOFFLER, A., *Future Shock*, New York, Bantam Books, 1971. Trad.: *Le choc du futur* (trad. S. Laroche et S. Hertzer), Paris, Denoël, 1971.

TOULOUSE, J.-M., «Présentation aux professeurs adjoints, agrégés et titulaires lors de la réunion de l'Assemblée des professeurs», Montréal, document interne des HEC, le 9 septembre 1998.

TOYNBEE, A.J. et D. IKEDA, *The Toynbee – Ikeda Dialogue. Man Himself Must Choose*, New York, Kodasha International, 1976.

TRIST, E., F. EMERY et H. MURRAY (dir.), *The Social Engagement of Social Science. A Tavistock Anthology.* Volume III: *The Socio-ecological Pers-*

pective, Philadelphie (Penn.), The University of Pennsylvania Press, 1997.

TURKLE, S., *The Second Self: Computers and the Human Spirit*, New York, Simon and Schuster, 1984.

TURNER, F., *The Culture of Hope: A New Birth of the Classical Spirit*, New York, The Free Press, 1995.

ULRICH, P., *Integrative Wirtschaftsethik. Grundlagen einer lebensdienlichen Ökonomie*, Bern, 1997.

VAHANIAN, G., *Dieu et l'utopie*, Paris, Cerf, 1977.

VAILL, P., *Spirited Leading and Learning*, San Francisco, Jossey-Bass Publishers, 1998.

VELASQUEZ, M.G., *Business Ethics*, Englewood Cliffs (NJ), Prentice-Hall, 1982.

VON BINGEN, H., *Hildegard von Bingen's Books*, Santa Fe (NM), Bear and Co., 1987.

WALDROP, M. M., *Complexity. The Emerging Science at the Edge of Order and Chaos,* New York, Simon and Schuster, 1992.

WEBER, M., *Gesammelte Aufsätze zur Sozial – und wirtschaftsgeschichte,* Tübingen, J.C.B. Mohr, 1924. Trad.: *The Theory of Social and Economic Organization*, New York, Oxford University Press, 1947.

——, *The Sociology of Religion*, Boston, Beacon Press, 1963 (orig. en allemand, 1922). Trad.: *Études de sociologie de la religion*, Paris, Plon, 1964-1971.

WEIL, S., « Science et perception dans Descartes », *Œuvres complètes. Premiers écrits philosophiques,* tome I (dir. A.A. Devaux et F. de Lussy), Paris, Gallimard, 1988, p. 159-221.

——, *Attente de Dieu*, Paris, La Colombe, 1950. Trad.: *Waiting for God*, New York, G.P. Putman's Sons, 1951.

——, *Intuitions préchrétiennes*, Paris, La Colombe, 1951. Trad.: *Intimations of Christianity among the Ancient Greeks*, Londres, Routledge et Kegan Paul, 1957.

——, *L'enracinement. Prélude à une déclaration des devoirs envers l'être humain*, Paris, Gallimard, 1949. Trad.: *The Need for Roots. Prelude to a Declaration of Duties towards Mankind*, New York, Ark Paperbacks, 1987.

——, *La condition ouvrière*, Paris, Gallimard, 1951. Trad.: *On Science, Necessity, and the Love of God*, Londres/New York/Toronto, Oxford University Press, 1968.

——, *La connaissance surnaturelle*, Paris, Gallimard, 1950. Trad.: *First and Last Notebooks*, New York, Oxford University Press, 1970.

——, *La pesanteur et la grâce*, Paris, Plon, 1947. Trad.: *Gravity and Grace*, Londres, Routledge et Keegan Paul, 1952.

——, *Leçons de philosophie* (présentées par A. Reynaud-Guérithault), Paris, Plon, 1959.

——, *Réflexions sur les causes de la liberté et de l'oppression sociale*, Paris, Gallimard, 1955. Trad.: *Oppression and Liberty*, Amherst (Mass.), University of Massachusetts Press, 1973.

——, *Sur la science*, Paris, Gallimard, 1966.

WHEATLEY, M. et P. CHÖDRÖN, « It Starts with Uncertainty », *Shambhala Sun*, novembre 1999, p. 58-62.

WHEATLEY, M.J., *Leadership and the New Science. Learning about Organization from an Orderly Universe*, San Francisco, Berrett-Koeler Publishers, 1994.

WHITE, B.J. et R.R. MONTGOMERY, « Corporate Codes of Conducts », *California Management Review*, vo. 23, n° 2 (1980), p. 80-87.

WHITEHEAD, A.N., *Adventures of Ideas*, New York, The Free Press, 1967 (1933).

WHITEHEAD, E.E. et J.D. WHITEHEAD, *Christian Life Patterns*, New York, Image Books, 1979.

WHYTE, D., *The Heart Aroused: Poetry and Preservation of Soul in Corporate America*, New York, DoubledayCurrency, 1994.

WILBER, K. (dir.), *Quantum Questions. Mystical Writings of the World's Great Physicists*, Boston, Shambhala Publications, 1984.

——, *A Brief History of Everything*, Boston, Shambhala Publications, 1996. Trad.: *Une brève histoire de tout*, Ottawa, Éditions de Mortagne.

——, *Eye to Eye. The Quest for the New Paradigm*, New York, Anchor Books, 1983.

——, J. ENGLER et D.P. BROWN, *Transformations of Consciousness. Conventional and Contemplative Perspectives on Development*, Boston, Shambhala Publications, 1986.

——, *Sex, Ecology, Spirituality: The Spirit of Evolution*, Boston, Shambhala Publications, 1995.

——, *The Atman Project. A Transpersonal View of Human Development*, Wheaton (IL), The Theosophical Publishing House, 1980.

——, *The Marriage of Sense and Soul*, New York, Broadway Books, 1999.

WINDELBAND, W., *History of Philosophy*, New York, Harper, 1958.

WOLMAN, W. et A. COLAMOSCA, *The Judas Economy. The Triumph of Capital and the Betrayal of Work*, Reading (MA), Addison Wesley Publishing, 1997.

WU, X., « Business and ethical perceptions of business people in East China: An empirical study », *Business Ethics Quarterly*, vol. 9, n° 3 (1999), p. 541-558.

YANKELOVICH, D., « Got to Give to Get », *MotherJones*, août 1997, p. 61-63.

ZALEZNIK, A., *The Managerial Mystique*, New York, Harper and Row, 1989.

ZOHAR, D., *Rewiring the Corporate Brain. Using New Science to Rethink How We Structure and Lead Organizations*, San Francisco, Berrett-Koehler Publishers, 1997.

——, *The Quantum Self. Human Nature and Consciousness Defined by the New Physics*, New York, William Morrow, 1990.

—— et Ian MARSHALL, *The Quantum Society. Mind, Physics and a New Social Vision*, New York, William Morrow, 1994.

Index des noms propres

G

H

XYZ

Index des sujets

Table des matières